Сесилия АХЕРН

Там, где ты

Cecelia AHERN

A Place
Called Here

Сесилия АХЕРН

Там, где ты

Роман

Перевод с английского
Натальи Добробабенко

«Иностранка»
Москва, 2008

УДК 821.111-3Ахерн
ББК 84(4Ирл)-44
А95

Художественное оформление
Лидии Левиной

Ахерн С.

А95   Там, где ты: Роман / Пер. с англ. Н. Добробабенко. — М.: Иностранка: 2008. — 496 с.
ISBN 978-5-389-00270-8

В детстве Сэнди Шорт не выносила, когда терялись вещи. Ей ничего не стоило потратить несколько дней на поиски невесть куда запропастившегося носка — к недоумению родителей, в конце концов настоящих, чтобы дочь начала посещать школьного психолога. Став взрослой, она поступает на работу в полицию, а потом открывает собственное агентство по розыску пропавших без вести людей. Расследование очередного дела приводит Сэнди в Лимерик, где ее следы теряются. Машина, брошенная на обочине вместе с важными документами и мобильным телефоном, выглядит более чем странно. Неужели Сэнди суждено повторить судьбу тех, кого она ищет?

УДК 821.111-3Ахерн
ББК 84(4Ирл)-44

ISBN 978-5-389-00270-8

Тебе, папа, — со всей любовью.

Per ardua surgo[1]

---

1 Сквозь тернии пробьюсь и поднимусь *(лат.)*, девиз семьи Ахерн.

Пропавшим без вести является лицо, чье место-нахождение неизвестно, как и обстоятельства его (ее) исчезновения.

Лицо будет числиться «пропавшим без вести» до момента установления его (ее) местонахождения и физического состояния.

(Из Устава ирландской полиции)

Глава первая

Дженни-Мэй Батлер — девочка, которая жила через дорогу от меня, — пропала, когда я была еще ребенком.

Полицейские открыли дело, и начались бесконечные поиски. Долгие месяцы сюжет не покидал вечерние новости и первые полосы газет, обсуждался в каждом разговоре. Вся страна горела желанием помочь — это был самый широкий розыск, о котором я за свои десять лет слышала. Казалось, событие задело абсолютно всех.

Дженни-Мэй Батлер — голубоглазая блондинка, просто куколка, сияла улыбкой с экранов телевизоров в каждой гостиной каждого дома страны. И у всех, кто видел ее, глаза наполнялись слезами, а родители, укладывая детей спать, обнимали их чуть крепче. Она всем снилась, и все за нее молились.

Ей, как и мне, было десять лет, и она училась в одном со мной классе. Я пристрастилась рассматривать ее красивое фото в ежедневных новостях и слушать журналистов, которые превозносили ее, будто она ангел. Послушать, как ее расписывали, никто бы не поверил, что в школьном дворе на переменах, стоило учительнице отвернуться, она кидалась камнями в Фиону Брэди. А меня обзывала «лохматой каланчой», причем непременно при Стивене Спенсере — чтобы он перестал обращать внимание на меня и влюбился в нее. Впрочем, не собираюсь разрушать иллюзию: ведь за несколько месяцев она превратилась в идеальное создание, и вскоре даже я не помнила обо всех гадостях, которые она вытворяла, потому что Дженни-Мэй из соседнего дома больше не существовало. Вместо нее на свет появилась Дженни-Мэй Батлер — прелестная девочка из хорошей семьи, которая пропала без вести и которую каждый вечер оплакивали в девятичасовых новостях.

Ее так никогда и не нашли — ни тела, ни следов, — словно она взяла и растворилась в прозрачном воздухе. Не было ничего — ни сомнительных типов, крутившихся поблизости, ни видеозаписей с камер наружного наблюдения, чтобы проследить за ее последними передвижениями. Свидетели, как и подозреваемые, отсутствовали, а ведь полицейские опросили всех, кого только можно. Наша улица пропиталась нехорошей атмосферой: по утрам, направляясь к своим автомобилям, ее обитатели обменивались дружескими приветствиями, но, думая о соседях, поневоле испытывали подозрения и, как ни старались, не могли скрыть их друг от друга. Субботними утрами, моя машины, подкрашивая штакетник заборов, сажая цветы на клумбах, подстригая газон, они нет-нет да и бросали на соседей косой взгляд, не в силах изгнать из головы дурные мысли. Из-за этого они злились сами на себя — как ни крути, а эта история всем отравила мозги.

Но все эти многозначительные переглядывания за закрытыми дверьми семейных домов ничем не могли помочь полиции.

Мне всегда хотелось узнать, куда делась Дженни-Мэй, куда именно она исчезла и как это вообще человек может раствориться в прозрачном воздухе, чтобы никто ничего не заметил.

Ночью мне нравилось подходить к окну своей спальни и глазеть на ее дом. Свет над входной дверью всегда горел, словно маяк, который поможет Дженни-Мэй отыскать дорогу домой. Миссис Батлер совсем не могла спать, и, глядя в окно, я видела ее сидящей на краешке дивана, готовой в любой момент сорваться с места, словно при выстреле стартового пистолета. Она оставалась в гостиной, всматривалась в окно, будто напряженно ожидала, что кто-то сейчас позовет ее и сообщит какую-то новость. Иногда я махала ей рукой, и она грустно махала в ответ. Но большую часть времени она вообще ничего не видела из-за слез.

Как и миссис Батлер, я тоже грустила, не получая ответа ни на один вопрос. С тех пор как Дженни-Мэй Батлер исчезла, я любила ее гораздо больше, чем когда она была здесь, и это тоже будило мое любопытство. Я скучала по ней, точнее, по мысли о ней, меня интересовало, не находится ли она где-то неподалеку, швыряя камни в кого-нибудь другого и громко смеясь, а мы ее просто не видим и не слышим. После этого у меня появилась привычка искать свои потерянные вещи. Когда куда-то запропастилась пара моих любимых носков, я перевернула дом вверх дном, причем расстроенным родителям пришлось активно участвовать в мероприятии: теряясь в догадках, что бы это значило, они решили на всякий случай мне помочь.

Если найти пропажу так и не удавалось, я огорчалась. Если от целой пары — как с носками — находилась только половина, я все равно сердилась. И тогда мне хотелось взять и нарисовать Дженни-Мэй Батлер: как она швыряет камни и смеется — в моих любимых носках, разумеется.

Новые вещи меня не устраивали: уже в десять лет я была уверена, что заменить потерянное нельзя. Надо его найти.

Думаю, из-за потерявшихся носков я переживала ничуть не меньше, чем миссис Батлер из-за исчезнувшей дочери. Я тоже не спала ночами, задавая себе вопросы, на которые не находила ответа. Как только мои веки тяжелели, готовые закрыться, из глубин сознания на поверхность всплывал новый вопрос, заставляя их широко распахнуться. Целебный сон не мог дождаться своего часа, и каждое утро я вставала все более измученной, но отнюдь не поумневшей.

Возможно, именно потому все это со мной и случилось. Может, я столько лет выворачивала свою жизнь наизнанку, пытаясь найти самые разные вещи, что мысль о необходимости искать самое себя вылетела у меня из головы. Была упущена та точка моего пути, в которой следовало разобраться, кто я такая и где нахожусь.

Через двадцать четыре года после исчезновения Дженни-Мэй Батлер я тоже пропала без вести.

Вот моя история.

Глава вторая

Моя жизнь — сплошная ирония. И мое исчезновение стало всего лишь очередным пунктом в длинном списке насмешек, из которых она состоит.

Во-первых, во мне шесть футов один дюйм[1] росту. Даже в детстве я возвышалась над всеми. Я никогда не терялась в торговых центрах, как другие дети, и никогда не могла толком спрятаться во время игры; на дискотеке никто не приглашал меня, и я была единственной девочкой-подростком, которая не изводила родителей просьбами купить первые туфли на высоком каблуке. Излюбленным прозвищем — или, скажем, одним из десятка любимых, которыми меня награждала Дженни-Мэй Батлер, — было «каланча пожарная»: именно так она обращалась ко мне в присутствии своих друзей

---

1 Один фут равен примерно 30,5 см, один дюйм — примерно 2,54 см.

и поклонников. Я от нее много чего наслушалась, вы уж поверьте. Ну да, я из тех людей, кого за версту видно: на танцах — самая неуклюжая, в кино никто не хочет сидеть за мной, в магазинах вечная проблема — любые брюки мне коротки, на фотографиях всегда в заднем ряду. Видите, вот я торчу, как пугало посреди поля. Все, кто проходит мимо, замечают и запоминают меня. И, несмотря на все это, я пропала. Что уж тут пара носков или даже сама Дженни-Мэй Батлер, если такая дылда вдруг исчезла, не оставив следа. Моя собственная тайна оказалась круче всех остальных.

Вторая ирония судьбы заключается в том, что моя работа — это розыск людей, пропавших без вести. Много лет я прослужила в гарда шихана[1]. При этом хотела заниматься только исчезновениями, но не попала в нужный отдел, так что мне оставалось рассчитывать на «удачу» — вдруг случайно подвернется такое дело. Как видите, история Дженни-Мэй Батлер действительно что-то такое со мной сотворила. Я нуждалась в ответах и хотела находить их самостоятельно. Полагаю, поиски стали моей навязчивой идеей. Я так усердно гонялась за разгадкой многочисленных чужих проблем, что в какой-то момент меня, похоже, перестало интересовать, что происходит в моей собственной голове.

В полиции мы иногда находили пропавших без вести в таком виде, что я не забуду их в этой жизни и долго буду помнить в следующей. А еще встре-

---

1 Г а р д а ш и х а н а — ирландская полиция.

чались те, кто просто не хотел, чтобы их нашли. Порой мы отыскивали только какие-то следы, еще чаще не было даже их. Случалось, мне приходилось выходить далеко за рамки служебных обязанностей. Некоторые дела я продолжала расследовать после того, как они были закрыты, и посвящала им значительно больше времени, чем положено, поддерживала отношения с семьями пропавших. Я не могла перейти к следующему делу, не разрешив предыдущего, не добившись результата, а он сводился в основном к бумажной работе и почти не предполагал реальных действий. В общем, я окончательно поняла, что сердце у меня лежит только к поиску тех, кто исчез, и потому ушла из полиции и начала самостоятельно разыскивать людей.

Вы не представляете, как много таких, как я, кто хочет этим заниматься. Родственники пропавших всегда интересовались, зачем мне это нужно. У них-то были свои причины — душевная привязанность, любовь к исчезнувшему, тогда как скудные размеры моих гонораров не могли служить объяснением. Но если причина не в деньгах, то в чем же? Я полагаю, мной двигало стремление к внутреннему спокойствию. Мой собственный способ помочь себе спать по ночам, научить глаза закрываться.

Как человек вроде меня, с моей внешностью и характером, может пропасть без вести?

Только сейчас поняла, что забыла сказать, как меня зовут. Мое имя — Сэнди Шорт[1]. Все в по-

---

1 Сэнди Шорт: имя можно перевести как «рыжеволосая», фамилию — как «коротышка».

рядке, можете смеяться, я же знаю, вам хочется. Я бы и сама посмеялась, если бы все не было так чертовски грустно. Родители назвали меня Сэнди, потому что я появилась на свет с клоком рыжих волос. К сожалению, они не знали, что со временем мои волосы потемнеют и станут цвета воронова крыла. Они также не предусмотрели, что хорошенькие толстенькие ножки скоро утратят умильную пухлость и начнут расти так быстро и дорастут до таких размеров. В общем, меня зовут Сэнди Шорт. Теоретически я и должна быть миниатюрной и рыжеволосой — такую этикетку прилепили ко мне на веки вечные, ну а в результате я стала такой, какой стала. И это противоречие часто вызывает хохот у людей, с которыми меня знакомят. Извините, если мне не удалось выдавить из себя улыбку. Но, знаете, это совсем не смешно — исчезнуть. С другой стороны, я поняла: когда пропадаешь, ничего особенного не происходит. Я и сейчас занимаюсь тем, что делала, когда работала. Ищу. Только в данном случае я пытаюсь отыскать путь, чтобы вернуться.

И еще одну вещь я узнала и не могу не поделиться открытием: с момента пропажи моя жизнь очень сильно изменилась — впервые я хочу вернуться домой.

Самое неподходящее время, чтобы осознать это. И самая жестокая ирония судьбы.

Глава третья

Я родилась и выросла в Литриме, самом крохотном графстве Ирландии с населением всего 25 тысяч человек. В городке Литрим, когда-то столице графства, есть развалины замка и еще нескольких старинных зданий, однако сам он потерял былое величие и превратился в обычный поселок. Здешний ландшафт — это поросшие кустарником бурые холмы и величественные горы с провалами долин и бесчисленными живописными озерами. Впрочем, когда попадаешь на двухмильное побережье залива Донегол, Литрим трудно принять за тихую заводь: на западе он граничит со Слайго и Роскоммоном, на юге — с Роскоммоном и Лонгфордом, на востоке — с Каваном и Ферманой, а на севере — с Донеголом. В этих местах меня всегда охватывает клаустрофобия и непреодолимое желание вернуться на твердую землю.

Есть одна поговорка про Литрим: говорят, самое лучшее в нем — это дорога в Дублин. Я окончила школу в семнадцать, тут же подала заявление о приеме в гарда шихана и, соответственно, очутилась на той самой дороге в Дублин. С тех пор мне редко доводилось двигаться по ней в обратном направлении. Обычно раз в два месяца я навещала родителей в их домике с тремя спальнями и терраской, в тупичке на двенадцать домов, где выросла. Я намеревалась погостить у них с неделю, но меня редко хватало больше чем на день, и под предлогом неожиданно свалившейся срочной работы я хватала свою так и не распакованную сумку, выскакивала из дома и мчалась, мчалась, мчалась — как можно быстрее — по лучшей дороге, которая ведет из Литрима.

С родителями у меня неплохие отношения. Они всегда стараются поддержать меня, всегда готовы принять огонь на себя, преодолеть любые препятствия и вскарабкаться на самые высокие горы, если это требуется для моего счастья. Суть в том, что мне с ними всегда неловко. В их глазах я читаю то, что они видят, и мне это не нравится. Родительские лица отражают меня лучше, чем любое зеркало. Есть люди, которым это удается: они смотрят на вас и тем самым дают вам понять, как вы себя ведете. Думаю, у родителей это получается, потому что они любят меня, но я не могла проводить много времени с любящими меня людьми — из-за этих глаз и того, что в них отражалось.

Уже когда мне было десять, они ходили вокруг на цыпочках, озабоченно косясь на меня. Их притворные разговоры и фальшивые улыбки мелькали во всех уголках дома. Им хотелось отвлечь меня, сделать домашнюю атмосферу легкой и нормальной, но всякий раз я отчетливо ощущала их усилия, и это только укрепляло меня в мысли, будто что-то идет не так.

Родители всегда поддерживали меня и любили, во время очередных мучительных поисков они едва не выворачивали наизнанку дом и никогда не сдавались без упорной борьбы. Молоко и печенье на кухонном столе, тихо бормочущее радио для постоянного звукового фона, включенная стиральная машина, — и все это, чтобы разрушить некомфортную тишину.

Мама старалась подарить мне улыбку — ту самую улыбку, которая никогда не достигала ее глаз, но всегда сжимала зубы, заставляла скрипеть ими, когда ей казалось, будто я на нее не гляжу. В голосе звучала натужная легкость, на лице застывала фальшивая гримаса счастья, она наклоняла голову набок, притворялась, будто и не собирается изучать меня, и произносила:

— Зачем тебе снова обыскивать весь дом, милая?

Она всегда называла меня «милой», словно знала не хуже моего, что я такая же Сэнди Шорт, как Дженни-Мэй Батлер — ангел.

Какой бы шум она ни поднимала на кухне и какую бурную деятельность ни разводила, все равно ничто не спасало от тишины, которая затопляла весь дом.

— Потому что я не могу их найти, мама, — отвечала я.

— А от какой они пары? — Легкая улыбка, желание притвориться, будто это просто болтовня, а не отчаянная попытка провести расследование, чтобы понять, как работает моя голова.

— Голубые с белыми полосками, — говорю я, например.

Я всегда предпочитала яркие носки — яркие и легко узнаваемые, — чтобы их было легче найти.

— Хорошо. А может быть, ты не оба носка положила в корзину для грязного белья, милая?! Может, один остался у тебя в комнате? — Она улыбается, стараясь скрыть беспокойство, шумно сглатывает.

Я качаю головой:

— Нет, я бросила в корзину оба носка! И я видела, как ты оба сунула в стиральную машину. А теперь здесь только один, а второго нет — ни в машине, ни в корзине.

План, предусматривавший включение стиральной машины ради звукового фона, провалился: она оказалась в центре внимания. Мама пытается сохранить спокойную улыбку при виде перевернутой бельевой корзины: все тщательно разобранные вещи теперь громоздятся на кухонном полу неопрятной кучей. На какую-то долю секунды старательно удерживаемый фасад рушится. Я могла бы и не заметить этого, но вовремя посмотрела на нее и успела перехватить взгляд, который она бросила на гору белья. В глазах у нее страх. Не за пропавший носок, а за меня. Она быстренько приклеила улыбку на место и пожала плечами — все это ерунда.

— Может, его унесло сквозняком? Дверь во двор была открыта.

Я снова качаю головой.

— Или он выпал из корзины, когда я ее передвигала.

Я упорно качаю головой.

Она опять сглатывает слюну, и ее улыбка делается напряженной.

— Может, он запутался в пододеяльнике. Они такие большие, никогда не знаешь, что в нем застрянет...

— Я уже проверяла.

Она берет печенье с тарелки посреди стола и впивается в него зубами, словно стараясь удержать на лице улыбку, которая стремительно исчезает, сменяясь страдальческим выражением. Жует печенье и изображает, что ни о чем таком не думает, а просто слушает радио и напевает песенку, которую, кстати, не знает. И все ради того, чтобы убедить меня: волноваться не о чем.

— Милая, — вздыхает она. — Ты же знаешь, вещи иногда пропадают.

— А куда они деваются, когда пропадают?

— Они никуда не деваются, — улыбается она. — Они всегда остаются там, куда мы бросили их или где оставили. Просто мы ищем не там, где надо, и потому не можем их найти.

— Но я смотрела везде, мама. Я всегда так делаю.

Да, я искала всюду, как обычно. Все вывернула наизнанку, в нашем маленьком доме не осталось места, которое бы я не проверила.

— Носок не может просто встать и уйти, если в нем нет ноги, — с фальшивой улыбкой говорит мама.

Вот-вот, именно так обычно поступает большинство людей. Они перестают интересоваться пропажей и прекращают поиск. Ты не можешь чего-то найти, знаешь, что оно где-то лежит, но не знаешь где, хотя всюду проверил. И ты списываешь все на собственную глупость, ругаешь себя за рассеянность и, возможно, даже забываешь о потере. Так поступает большинство. А у меня не получается.

Помню, папа вернулся тем вечером с работы в дом, который был буквально поставлен с ног на голову.

— Ты что-то потеряла, родная?

— Голубой носок с белыми полосками, — услышал он мой приглушенный ответ из-под дивана.

— Опять только один?

Я кивнула.

— Левый или правый?

— Левый.

— Ладно, сейчас посмотрю наверху. — Он повесил пальто на крючок у двери, поставил зонтик в стойку, нежно поцеловал свою взволнованную супругу в щеку и ободряюще шлепнул ее по попе, а потом поднялся наверх. Поиски в родительской спальне продолжались два часа, но никаких звуков оттуда не доносилось. А когда я заглянула в замочную скважину, то увидела его лежащим в постели с глазами прикрытыми полотенцем.

Когда через несколько лет я приезжала домой, они всегда задавали одинаковые, ничего не значащие вопросы, объективно вовсе не навязчивые, однако мне, уже привыкшей быть постоянно настороже, казавшиеся именно такими.

Случались ли на работе какие-нибудь интересные дела? Что там, в Дублине происходит? Как твоя квартира? А молодой человек не появился?

У меня никогда не было никаких молодых людей: зачем мне еще одна пара глаз, столь же выразительных, как у родителей, которые будут следить за мной дни напролет. Я предпочитала любовников и поклонников, бойфрендов, мужчин-друзей и приятелей на одну ночь. Я перепробовала разные варианты и окончательно поняла: ничего долговременного у меня не получится. Не смогу я поддерживать близкие отношения, долго любить человека, давать ему то, чего он ожидает, или многого хотеть от него. Я не нуждалась ни в чем из того, что все эти мужчины могли мне предложить, а они не понимали, чего хочу я. И потому, натянуто улыбаясь, я отвечала родителям, что с работой все в порядке, Дублин — город шумный, квартира у меня прекрасная, а молодого человека как не было, так и нет.

И всякий раз, когда я покидала дом, даже после совсем укороченного визита, папа гордо заявлял, что его дочь — это и есть самое лучшее, что создал Литрим.

Литрим ни в чем не виноват, как и мои родители. Они так поддерживали меня, но я только сейчас это поняла. И только сейчас начинаю осознавать, что это понимание еще больше печалит меня, чем невозможность когда-либо что-либо найти.

Глава четвертая

Пропав без вести, Дженни-Мэй Батлер не отказала себе в последнем свинстве: она унесла с собой кусочек меня. Думаю, вместе с ней испарилась и часть меня. И чем старше и выше я становилась, тем больше растягивалась эта дыра внутри, чтобы в конце концов выглянуть из моей взрослой жизни, словно широко раскрытый глаз над жабрами снулой рыбы, лежащей на слое льда. Но как мне удалось потеряться физически? Как я попала сюда? И первый вопрос, он же самый главный: где я в данный момент нахожусь?

Я очутилась здесь, и это все, что мне известно. Оглядываюсь по сторонам, ищу что-нибудь привычное. Все время пытаюсь найти дорогу, по которой смогу выйти отсюда, но здесь нет никаких дорог. А где это — здесь? Хотела бы я знать. Все вокруг завалено личными вещами: ключи от машин и от дома, сотовые телефоны, дамские сумочки, пальто, чемоданы с бирками аэропортов, башмаки то на правую, то на левую ногу, папки с документами, фотографии, открывалки для консервных банок, ножницы, серьги в куче других потерянных предметов, которые время от времени поблескивают в лучах света. И носки, много разномастных непарных носков. Всюду, где я прохожу, мне на глаза попадается множество вещей, которые кто-то по-прежнему упорно разыскивает.

Есть здесь и животные. Много кошек и собак с печальными мордочками и блестящими глазами, утративших всякое сходство со своими фотографиями, пришпиленными к столбам в маленьких городках. И никакие вознаграждения не вернут их домой.

Как мне описать то, куда я угодила? Это такое промежуточное место. Словно огромный коридор, который никуда не ведет, или банкетный зал после торжественного ужина, с которого все уже ушли, или спортивная команда, ни один из участников которой никогда не попадал в сборную, или мать без ребенка, или тело без души. Это как бы почти что здесь, но не совсем. Место, под завязку забитое чьими-то вещами, но при этом пустое, потому что людей, которым они принадлежат, здесь нет и некому эти вещи любить.

Как я сюда попала? Похоже, стала одной из пропавших любительниц утренних пробежек. Очень трогательно. Я привыкла смотреть все эти триллеры категории В и ворчать при виде титров на фоне утреннего места преступления с убитой спортсменкой. Я всегда думала: как это глупо — бегать по темным аллеям парков, ночью или ранним утром, когда вокруг никого, в особенности если известно, что в здешних краях орудует серийный убийца. И надо же, чтобы такое случилось именно со мной. Теперь я оказалась в роли этой трогательной, наивной бегуньи в сером спортивном костюме, с громкой музыкой в наушниках и вполне предсказуемой судьбой, этой дурочки, которая знай себе трусит спозаранку вдоль канала. Правда, меня никто не похищал — я просто очутилась не на той дорожке.

Я мчалась вдоль устья реки, как всегда, сильно ударяя ногами о землю и ощущая вибрацию, передающуюся всему телу. Помню, что чувствовала капли пота на лбу, груди и спине и слегка вздрагивала от прохладного ветра. Всякий раз, как в памяти всплывает это утро, мне приходится бороться с сильным желанием встряхнуться и напомнить себе, что я не имею права повторять ошибку. Иногда, в более удачные дни, я снова представляю себя на той дорожке, и мне кажется, будто на этот раз удастся все сделать правильно. Как часто нам хочется вернуться на то же самое место...

Было яркое летнее утро, пять сорок пять, тишину нарушала лишь мелодия rocky, которая подстегивала меня. Я не слышала своего дыхания, но знала, что дышу тяжело. Однако, как обычно в подобных ситуациях, все подгоняла и подгоняла себя. Едва почувствовав, что пора остановиться, сразу же заставляла себя бежать быстрее. Не знаю, что это было — потребность в ежедневном наказании или проявление той стороны моей личности, которая всегда стремилась узнавать что-то новое, открывать незнакомые места, вынуждая тело добиваться все более высоких результатов.

Возле темной массы зелено-белой дамбы во множестве росли водяные фиалки, корнями уходящие в реку. Я вспомнила, как девочкой — долговязой и черноволосой — стеснялась своего противоречащего внешности имени, и папа мне сказал: смотри, водяная фиалка тоже неправильно называется, потому что она вовсе не фиолетовая. На самом деле она сиренево-розовая, с желтой сердцевиной, но ведь все равно очень красивая, разве нет? И разве теперь тебе не хочется улыбнуться? Конечно нет, покачала я головой. Углядев их на этот раз издалека и приближаясь к ним, я все время повторяла про себя: уж мне-то известно, как вы себя чувствуете. На бегу я почувствовала, как часы соскользнули с запястья и упали где-то под деревьями, слева от дорожки. Защелка сломалась в первый же день, когда я надела часы, и с тех пор регулярно расстегивалась сама собой, а часы сваливались с руки. Я остановилась, вернулась назад и нашла их на влажной насыпи дамбы. Потом прислонилась спиной к шершавому, покрытому темно-коричневой корой стволу ольхи и, переводя дух, вдруг заметила слева узкую тропинку. Она не казалась особо привлекательной, ничем не манила, однако тут включился мой исследовательский инстинкт. Надо бы выяснить, куда она ведет, шептал он мне.

Тропинка привела меня сюда.

Я бежала так быстро и убежала так далеко, что все песни в моем плеере закончились. Осмотревшись вокруг в наступившей тишине, я не узнала ландшафт. Меня окутывал густой туман, и находилась я высоко, на чем-то, похожем на гору, поросшую соснами. Деревья стояли, вытянувшись в струнку, ощетинившись иглами, словно готовые защищаться ежи. Я медленно сняла наушники. Мое прерывистое дыхание эхом отдавалось в величественных горах, и я сразу же поняла, что уже не в крохотном городке под названием Глайн. И даже больше не в Ирландии.

Я была именно здесь. Все это случилось день назад, и я все еще здесь.

Вообще-то розыск — моя работа, и мне известно, как это делается. Я — женщина, которая сама собирает вещи и никому не докладывает, куда она отправилась на целую неделю своей жизни. Я постоянно исчезаю, все время теряю контакты, никто не следит за мной, и мне все это нравится. Нравится приходить и уходить, когда захочется. Я много разъезжаю — посещаю разные места, где пропавших без вести видели в последний раз, расспрашиваю людей — одним словом, веду следствие. Вся проблема в том, что в этот городок я приехала только сегодня утром, сразу же направилась к устью Шеннона и начала пробежку. Ни с кем еще не разговаривала, не зарегистрировалась в здешней гостинице и не прошлась по оживленной центральной улице. Я уверена, полиция откажется открывать дело: просто я стану еще одним человеком, который взял и ушел, и не хочет, чтобы его отыскали. Такое случается сплошь и рядом, и на этот раз они, скорее всего, будут правы.

31

Мое исчезновение, безусловно, принадлежит к той категории, когда нет видимой опасности ни для самого пропавшего, ни для общества: такое, например, бывает с людьми от восемнадцати и старше, решившими начать новую жизнь. Мне тридцать четыре, и окружающие наверняка подумают, что я уже давно задумала куда-нибудь сбежать.

Все это означает только одно: в данный момент никто не собирается меня искать.

Сколько это продлится? Что произойдет, когда они найдут на берегу канала побитый красный «форд-фиеста» 1991 года выпуска, в его багажнике — сумку с вещами, в бардачке — папку с документами по делу о пропавшем, а на переднем сиденье — стаканчик остывшего кофе, к которому никто не притронулся, и мобильный телефон — возможно, с пропущенными вызовами?

И что тогда?

Глава пятая

С топ. Минуточку.

Кофе. Я вдруг вспомнила о кофе.

По пути из Дублина я остановилась возле закрытой заправки, чтобы купить кофе в автомате на улице, и он меня увидел. Он был там, во дворе, накачивал шины — и заметил меня.

Это произошло в совершенно незапоминающемся месте, где-то в сельской местности, в пять пятнадцать утра, когда птицы пели, а коровы мычали так громко, что мне с трудом удавалось расслышать собственные мысли. Вокруг стоял густой запах навоза, слегка подслащенный ароматом жимолости, растворенным в легком утреннем бризе.

Мы с этим незнакомцем очутились страшно далеко от чего бы то ни было — и одновременно в самом центре чего-то. И он, и я были полностью выключены из жизни, и этого хватило, чтобы наши взгляды встретились и мы ощутили некоторую связь.

Высокий, хоть и не такой, как я: таких не бывает. Пять футов одиннадцать дюймов, круглое лицо, красные щеки, светло-рыжие волосы и ярко-голубые глаза, которые, как мне почудилось, я уже где-то видела. В этот ранний час в них светилась усталость. На нем были вытертые джинсы и мятая хлопковая сорочка в белую и голубую клетку. Волосы растрепаны, щеки небриты. Плюс изрядный живот — свидетельство прожитых лет. Я поняла, что ему хорошо за тридцать, может, ближе к сорока, хотя выглядел он еще старше из-за глубоких морщин, перечеркнувших лоб и собравшихся возле губ. От него исходило ощущение печали, так что вряд ли эти морщины появились из-за того, что он слишком часто улыбался. В его еще густой шевелюре, на висках, пробивалось немного седины — видно, совсем недавно жизнь изрядно его приложила. Несмотря на лишний вес, в нем угадывалась сила. Этот человек явно много занимался физическим трудом, — мою догадку подтверждали высокие рабочие ботинки. Крупные руки с обветренными ладонями тоже казались мускулистыми. Я заметила, как при напряжении на них надуваются вены. Когда он вынимал насос из футляра, из-под небрежно закатанных рукавов рубашки выглянули накачанные бицепсы. Однако сейчас он ехал не на работу: не та одежда, не мог он работать в такой сорочке. Для него это выходной наряд.

Возвращаясь к своей машине, я продолжала рассматривать его.

— Извините, вы что-то уронили, — бросил он мне в спину, когда я миновала его.

34

Я остановилась и оглянулась. На асфальте лежали мои часы, серебром посверкивая на солнце. Проклятые часы, пробормотала я, проверяя, не сломались ли они.

— Спасибо, — улыбнулась я и застегнула браслет на запястье.

— Не за что. Славный денек, правда?!

Голос тоже знакомый, не только глаза. Я пригляделась к нему. Может, мы с этим парнем когданибудь встречались в баре или на пьяной вечеринке? Может, это бывший любовник? Или коллега, клиент, сосед? Или одноклассник? Я мысленно пробежалась по списку возможных вариантов. Никто не подошел. Но если он и не был моим компаньоном по прошлым загулам, я бы с удовольствием выбрала его на эту роль в будущем, подумалось мне.

— Классный, — вернула я ему улыбку.

Брови его в удивлении поползли вверх, потом вернулись на место. Когда до него дошло, что я говорю не о погоде, а делаю ему комплимент, лицо у него расплылось от удовольствия. Можно было бы еще постоять и, чем черт не шутит, договориться о будущем свидании, однако впереди меня ждала встреча с Джеком Раттлом, славным человеком, которому я обещала помочь. На встречу с ним я как раз и ехала из Дублина в Лимерик.

Ох, пожалуйста, красивый парень с бензозаправки, встреченный утром, вспомни обо мне, побеспокойся, поищи, найди меня!

Да, знаю, снова ирония судьбы. Я — и вдруг заинтересовалась каким-то мужчиной? Мои родители безумно обрадовались бы, узнав об этом.

Глава шестая

Джек Раттл медленно ехал вдоль побережья за грузовиком по дороге № 69, которая вела из Норт-Керри к его дому в Фойнсе, маленьком городке графства Лимерик, расположенном в получасе езды от столицы. Было пять утра, когда он вырулил на единственную дорогу к Шеннон-Фойнс-Порт, единственному морскому порту Лимерика. Показания спидометра побудили его послать телепатический сигнал водителю грузовика, чтобы тот прибавил скорость. Сам Джек вцепился в руль так, что у него побелели костяшки пальцев. Наплевав на рекомендации стоматолога, которого только накануне посетил в Трали, он заскрипел зубами. Из-за этой привычки задние зубы у него почти стерлись, десны вечно были воспаленными, а во рту постоянно что-то дергало и ныло. Припухшая красная челюсть и усталые глаза — чем не идеальное сочетание? Поздно вечером он вдруг вскочил с кушетки одного своего приятеля из Трали, у которого собирался переночевать, и решил сразу возвращаться домой. В последние дни со сном у него были проблемы.

— У вас стресс? — спросил дантист, заглянув Джеку в рот.

Джек, сидевший с открытым ртом, проглотил слюну и поборол жгучее желание сомкнуть зубы на белом пальце врача. В данном случае слово «стресс» ничего не означало.

Брат Джека Донал исчез в свой двадцать четвертый день рождения, после многочасового вечернего празднования с друзьями в Лимерике. Поужинав жареной картошкой и бургерами в фастфудовой забегаловке, брат распрощался с приятелями и ушел. В кафе было слишком много народу, чтобы там заметили, как кто-то входит или выходит, а четверо друзей слишком набрались и зациклились на поиске подружки на ночь, чтобы обратить внимание на Донала.

Камера слежения зафиксировала, как он снимал 30 евро в банкомате на О'Коннел-стрит в 3.08 ночи с пятницы на субботу, потом — как он брел в направлении набережной Артура. С этого момента его след терялся. Все выглядело так, будто ноги его покинули землю, и он вознесся к небесам. Джек был готов к тому, что в определенном смысле так все и случилось. Он знал, что смог бы смириться со смертью брата, но только при условии, что она будет подтверждена хоть одним реальным фактом.

Именно неизвестность терзала его, а беспокойство и страх не давали уснуть по ночам. Да еще неубедительные результаты полицейского расследования, подталкивавшие к самостоятельному продолжению поисков. Джек совместил визит к стоматологу в Трали с посещением одного из друзей Донала, который оставался с ним накануне исчезновения. Как и вся остальная компания, гулявшая в тот вечер, этот парень вызывал у Джека смешанные чувства. Ему хотелось и накричать на него, и утешить — ведь тот потерял друга. Вообще-то Джек вовсе не стремился снова его видеть, однако боялся упустить пусть и минимальный, но все же шанс — а вдруг приятель сначала забыл, а потом вспомнил нечто, что может оказаться ключом к загадке исчезновения брата.

Он не спал сутками, изучал карты, перечитывал отчеты, по многу раз перепроверял последовательность событий и показания свидетелей, а рядом с ним тихо и нежно дышала Глория, грудь которой медленно вздымалась и опускалась, а беззвучное дыхание заставляло время от времени шевелиться листы документов, словно ее сонный мир потихоньку прокрадывался в его бодрствование.

Глория, которая была девушкой Джека уже восемь лет, никогда не страдала бессонницей. Она спокойно засыпала каждую ночь, пока его одолевали самые мрачные мысли. И видела сны, и продолжала надеяться на завтрашние добрые вести.

Вечером того дня, когда они впервые заволновались из-за четырехдневного молчания Донала и несколько часов просидели в полицейском участке, она заснула как ни в чем не бывало. И после того как полицейские целый день обшаривали реку в поисках его тела, погрузилась в глубокий сон. Сладко спала, утомившись многочасовым хождением по городу, когда они расклеивали фотографии Донала в витринах магазинов, на досках объявлений в супермаркетах и на фонарных столбах. В ту ночь, когда им сообщили, что его тело найдено на выезде из города, и на следующую — когда выяснилось, что это не он, ничто не помешало ей провалиться в блаженное забытье. Она проспала всю ночь, когда полицейские после нескольких месяцев поисков сказали, что больше ничего нельзя сделать. Сон пришел к ней и в ночь похорон его матери, после того как в ее присутствии гроб опустили в землю, где безутешная вдова смогла наконец встретиться со своим супругом, без которого прожила в горе долгих двадцать лет.

Джек не мог не испытывать разочарования, хоть и знал, что веки Глории смыкаются вовсе не от равнодушия. Он был в этом уверен, потому что, когда они в участке в первый раз отвечали на нескончаемые вопросы полицейских, она держала его за руку. И, несмотря на ветер и дождь, стояла рядом с ним, когда он смотрел, как водолазы выныривают на поверхность серой, мрачной реки, и лица у них при этом еще угрюмее, чем до погружения. Она помогала ему расклеивать объявления о Донале на витринах и столбах. И крепко обнимала, когда он плакал, потому что полицейские перестали искать Донала, и стояла в первом ряду в церкви, дожидаясь его, пока он с другими мужчинами нес гроб с телом матери к алтарю.

Она, конечно, сочувствовала ему, но все равно на протяжении года продолжала спать каждую ночь, в самые долгие часы его жизни. В часы, когда Джек страдал, Глория крепко спала и потому никак не могла ему сопереживать. И каждую ночь он замечал, как увеличивается расстояние, отделяющее ее мир от его мира.

Он не поставил ее в известность о том, что нашел в «Желтых страницах» женщину по имени Сэнди Шорт из агентства, занимающегося розыском пропавших без вести. Не сообщил, что позвонил ей. Не пересказал беседы, которые всю последнюю неделю вел с ней по ночам. Не поделился чувством надежды, пробужденным решимостью и верой этой женщины, которое наполнило его сердце и мысли.

И Джек не предупредил ее, что они договорились встретиться сегодня в ближайшем городке, потому что… В общем, потому что Глория по ночам спала.

Джеку в конце концов удалось обогнать вереницу длинных грузовиков, и, приближаясь к городу, он обнаружил, что его старый, двадцатилетний проржавевший «нисан» остался один на спокойной в этот час деревенской дороге. Внутри автомобиля стояла тишина. В последний год посторонние шумы стали для Джека нестерпимыми: звуки телепередачи или радио отвлекали от непрерывного поиска ответов на вопросы. В его собственной голове царил непрекращающийся шум: крики, стоны, без конца повторяющиеся обрывки каких-то разговоров, воображаемые будущие беседы, — все это вязко бултыхалось в его мозгах, словно жирная муха, завязшая в банке с вареньем.

Ревел мотор автомобиля, дребезжал металл, колеса пересчитывали каждую выбоину и, выскочив из нее, ударялись о поверхность дороги. Тишину кабины нарушало лишь гулкое столкновение мыслей, стучавших в голове Джека, а тишину пейзажа — дребезжание его машины. Часы показывали пять пятнадцать солнечного воскресного июльского утра, и он решил, что пора остановиться: глотнуть немного воздуха, дать продышаться легким и сменить спустившее переднее колесо.

Он подрулил к пустой автозаправке, еще закрытой в этот ранний час, и припарковался возле колонки. Позволил пению птиц заполнить голову и выбросил из нее все мысли на то время, пока закатывал рукава сорочки и разминал ноги, затекшие от долгой неподвижности. Мушиный звон страхов и сомнений ненадолго смолк.

Какая-то машина подъехала и остановилась неподалеку от него. В этом районе жило так мало людей, что машина чужака легко узнавалась за версту. Да и дублинский номерной знак подтверждал догадку... Первыми из маленького побитого автомобиля показались две длинных ноги в серых обтягивающих брюках, за ними — туловище, тоже длинное. Джек перестал пялиться, но краем глаза все же наблюдал за женщиной с черными кудрявыми волосами, которая широкими шагами направилась к автомату с кофе, стоявшему рядом с дверью закрытой станции. Он удивился, как это при таком росте она помещается в такой крошечной машине. Потом увидел, как что-то упало у нее с руки, и услышал звяканье металла.

— Извините, вы что-то уронили, — обратился он к женщине.

Она смущенно оглянулась и вернулась туда, где на земле блестел металл.

— Спасибо, — поблагодарила она, надевая на запястье не то браслет, не то часы.

— Не за что. Славный денек, правда? — Джек почувствовал, как болезненно напряглись мышцы щек, когда он попытался растянуть их в улыбке.

Ее зеленые глаза вспыхнули, словно изумруды, на фоне белоснежной кожи и засверкали, когда на них попал поток солнечных лучей, пробившихся сквозь листву высоких деревьев. Черные как смоль кудри шаловливо выплясывали вокруг лица, открывая одни его черты и скрывая другие. Она осмотрела Джека с ног до головы, словно пристально изучая каждый дюйм. Затем приподняла одну бровь.

— Классный, — ответила она, вернув ему улыбку.

А потом она сама, ее черные как смоль кудри, пластиковый стаканчик с кофе, ноги и все остальное исчезли в автомобильчике, словно муха в клюве мухоловки.

Наблюдая, как удаляется «форд-фиеста», Джек подумал, что хорошо бы она еще осталась здесь, и в очередной раз поймал себя на мысли, что отношения между ним и Глорией совершенно изменились, а может, это изменилось его чувство к ней. Но сейчас ему некогда размышлять об этом. Он вернулся к машине и стал просматривать бумаги, готовясь к сегодняшней встрече с Сэнди Шорт.

Джек не был религиозен. В церковь он не заглядывал уже лет двадцать, но за последние двенадцать месяцев молился трижды. Один раз за то, чтобы поиски тела Донала в реке оказались безрезультатными, второй — чтобы найденный в переулке труп оказался кем угодно, только не его братом, и в третий — за мать, чтобы она пережила свое второе за шесть лет потрясение. Две из трех его молитв были услышаны.

Сегодня он снова помолился, в четвертый раз. За то, чтобы Сэнди Шорт забрала его оттуда, где он очутился, и чтобы она наконец-то отыскала ответы, в которых он так нуждался.

Глава седьмая

Лампа над крыльцом все еще горела, когда Джек вернулся. Он настоял, чтобы свет всегда оставляли на ночь для Донала — пусть он будет маяком, который приведет брата домой. Теперь, когда на улице стало светло, Джек выключил лампу и прошел по дому тихонько, на цыпочках, чтобы не разбудить Глорию, которая воскресным утром нежилась в постели. Порывшись в корзине для грязного белья, он вытащил наименее мятую вещь, которую удалось отыскать, и быстро переоделся из одной клетчатой сорочки в другую. Не стал мыться, чтобы электрический душ и вентилятор у потолка ванной комнаты не разбудили Глорию. Даже не спустил воду в туалете. Он знал, что такое поведение вызвано вовсе не избытком благородства, и даже чувствовал стыд, потому что причина была прямо противоположной. Джек сознательно хранил в секрете от Глории и остальных членов семьи свою встречу с Сэнди Шорт.

Это делалось в равной мере и для них, и для него самого. В глубине души они уже смирились с утратой и потихоньку возвращались к привычной жизни. Делали все возможное, чтобы забыть ужасное потрясение: ведь за год они потеряли даже не одного, а сразу двух членов семьи. Джек понимал их, знал, что они уже больше не могут отпрашиваться с работы, видел, как улыбки сочувствия сменяются будничными приветствиями, а разговоры с соседями возвращаются в привычное русло. Подумать только, окружающие опять стали болтать о самых разных вещах, вместо того чтобы задавать вопросы или что-то советовать. Открытки с ободряющими словами больше не падали на коврик у входной двери. Люди снова, как и раньше, интересовались собственной жизнью, начальство сочло, что уже хватит перекладывать обязанности на других, одним словом, все поняли, что пора заниматься своими делами. Один Джек полагал, что это неправильно и нечестно — жить обычной жизнью, но без Донала.

По справедливости, вовсе не отсутствие Донала удерживало Джека от того, чтобы вернуться в лоно семьи и храбро продолжить привычную жизнь. Конечно же он тосковал по брату, но, как и после смерти мамы, сумел бы, скорее всего, справиться с горем. Все дело было в тайне, окутавшей исчезновение Донала, и во всех этих безответных загадках, которые вопросительными знаками горели перед его глазами, словно пятна света, остающиеся на сетчатке после фотовспышки.

Он закрыл за собой дверь бунгало с одной спальней, где царил беспорядок и где они с Глорией жили уже пять лет. Как и его отец, Джек всю свою жизнь проработал грузчиком в Шеннон-Фойнс-Порт.

Для встречи с Сэнди Шорт Джек выбрал деревню Глайн в тринадцати километрах к западу от Фойнса, потому что там не жил никто из его родных. Он устроился за столиком маленького кафе в девять утра, за полчаса до назначенного времени. По телефону Сэнди сказала, что обычно приезжает заранее, и ему не сиделось на месте — не терпелось поскорее поделиться с ней своей новой идеей. Чем больше времени им удастся провести вместе, тем лучше. Он заказал кофе, положил на стол самую свежую фотографию Донала и пристально вгляделся в нее. Ее напечатали почти во всех газетах Ирландии, и она провисела на досках объявлений и в витринах весь прошлый год. На заднем плане стояла белая искусственная елка, которую мать наряжала в гостиной каждое Рождество. В игрушках отразилась вспышка фотоаппарата, и ярко сверкала мишура. Озорная улыбка Донала казалась обращенной лично к Джеку, как будто брат поддразнивал его, бросал вызов — попробуй, найди меня. Ребенком Донал обожал прятки. Мог часами не покидать укрытия, если это приносило победу. В конце концов всем надоедало искать его, кто-нибудь громко провозглашал, что Донал победил, и тогда он спокойно покидал свое убежище, сияя гордой улыбкой. На этот раз игра явно затянулась, и Джек мечтал об одном: чтобы брат, где бы он ни прятался, прямо сейчас выбрался наружу и торжествующе улыбнулся.

Голубые глаза Донала — единственная общая черта братьев — вспыхнули, и Джеку на секунду показалось, что тот ему сейчас подмигнет. Впрочем, как бы долго и напряженно ни таращился он на фото, вдохнуть в него жизнь все равно не удавалось. Он не мог забраться в картинку и вытолкнуть из нее брата, не мог почувствовать запах лосьона после бритья, которым тот обычно обильно смачивал лицо, не мог взъерошить его каштановые волосы и испортить прическу, как он это иногда делал из вредности, не мог услышать, как брат о чем-то спрашивает мать, помогая ей по дому. Прошел год, а Джек все еще помнил запах Донала и ощущение от прикосновения к его коже, но, в отличие от остальных членов семьи, одной памяти о брате ему было недостаточно.

Фотографию сделали на позапрошлое Рождество, ровно за шесть месяцев до того, как он пропал. Джек обычно появлялся у матери раз в неделю, тогда как Донал, единственный из шести братьев и сестер, продолжал жить в родительском доме. Если не считать обычных двухминутных разговоров с Доналом, в это Рождество Джек в последний раз нормально общался с братом. Донал, как всегда, преподнес ему носки, а Джек вручил брату коробку носовых платков — презент от старшей сестры на прошлогоднее Рождество. И оба посмеялись над своими дурацкими подарками.

В тот день Донал был оживлен и весел и без конца говорил о своей новой работе. Место компьютерщика он нашел в сентябре, как только окончил университет Лимерика: на выпускном вечере мать от гордости за своего младшенького чуть со стула не свалилась. Донал не скрывал, что работа ему нравится, а Джек обратил внимание, насколько более зрелым и уверенным в себе по сравнению со студенческими временами выглядит брат.

Они никогда не были особо близки. В семье, где уже росло шестеро детей, рождение Донала стало сюрпризом для всех, в том числе для их матери Френсис, которая неожиданно для самой себя забеременела в сорок семь лет. Джек был на двенадцать лет старше Донала и покинул дом, когда брату исполнилось всего шесть. Поэтому он понятия не имел о таких чертах его характера, которые открываются, только если живешь с кем-то бок о бок. И на протяжении последних восемнадцати лет братья так и не стали друзьями.

Джек в который уже раз задавался вопросом: будь они с Доналом ближе, может, ему удалось бы раскрыть хотя бы часть тайны? Если бы он постарался лучше понять младшего брата, чаще разговаривал с ним о чем-то важном, а не о всяких пустяках, тогда, глядишь, в тот вечер они с Доналом вместе отмечали бы его день рождения. Как знать, может, он удержал бы его, не дал уйти из этой забегаловки, или они ушли бы вдвоем и сели в одно такси…

Может, тогда Джек тоже попал бы в то место, где сейчас находится Донал. Где бы оно ни было.

Глава восьмая

Джек допил третью чашку и посмотрел на часы.

Десять пятнадцать.

Сэнди Шорт опаздывала. Он нервно елозил ногами под столом. Барабаня пальцами левой руки по столу, он взмахнул правой, заказывая очередной кофе. Джек по-прежнему не терял надежды. Сэнди сейчас появится. Он знал, что она придет.

Одиннадцать часов. Уже в пятый раз он пытался связаться с ней по сотовому телефону. После многочисленных звонков раздавался голос: «Привет, это Сэнди Шорт. К сожалению, не могу сейчас ответить. Оставьте свое сообщение, и я перезвоню вам, как только смогу». Все. Гудок.

Джек повесил трубку.

Одиннадцать тридцать. Она уже опаздывала на два часа, и Джек снова прослушал сообщение, оставленное Сэнди на его автоответчике вчера вечером:

«Привет, Джек, говорит Сэнди Шорт. Звоню, чтобы подтвердить: встречаемся завтра в девять тридцать утра в кафе «Кити» в Глайне. Поеду туда сегодня ночью. — Ее голос зазвучал мягче. — Я не сплю, как вам известно. — Она хихикнула. — Так что завтра приеду рано. После всех наших разговоров мне хочется наконец-то все обсудить с вами лично. И еще, Джек… — Она помолчала. — Обещаю сделать все от меня зависящее, чтобы помочь вам. Мы не бросим Донала в беде».

В полдень Джек прослушал это сообщение еще раз.

В час дня, после бесчисленных чашек кофе, пальцы Джека перестали барабанить по столу, а сложились в кулак, на который он опер подбородок. Он чувствовал, что хозяин кафе уставился ему в спину, явно недоумевая, с какой стати этот тип сидит тут столько времени, нервничает, без конца смотрит на часы и не освобождает место для новых посетителей, наверняка готовых потратить больше денег, чем он. Столы вокруг заполнялись и пустели, и Джек резко вскидывал голову всякий раз, как звякал колокольчик над входной дверью. Он не знал, как выглядит Сэнди Шорт. Она ему сказала только, что ее нельзя не заметить. О том, что это означает, он не задумывался, но всякий раз при звуке колокольчика вслед за головой взмывала вверх его надежда, — чтобы снова ухнуть вниз, когда вошедший равнодушно проходил мимо его столика.

В два тридцать колокольчик звякнул еще раз.
После пяти с половиной часов ожидания Джек закрыл за собой дверь, покидая кафе.

Глава девятая

Я уже почти двое суток торчала все в том же лесу. Я только и делала, что быстрым шагом ходила взад-вперед, пытаясь воспроизвести движения, в результате которых очутилась здесь, надеясь, что это поможет мне выбраться. Я взбегала вверх по склонам холмов и спускалась вниз, стараясь вспомнить, с какой скоростью тогда бежала, какую песню слушала и где именно находилась, когда впервые почувствовала, что мир вокруг меня изменился. Как если бы это могло вернуть меня назад! Я карабкалась вверх-вниз, и снова вверх, и снова вниз, и все искала, где же здесь вход, а самое главное — выход. Я не могла бездействовать. Не испытывала ни малейшего желания повторить судьбу пропавших вещей, например оказаться в роли сережек с поломанной застежкой, которые поблескивали в густой траве.

Мысль, что ты вдруг стала лицом, пропавшим без вести, и попала неизвестно куда, — не из тех, что первыми приходят в голову. Я, конечно, это понимаю, но, поверьте, даже я не сразу сообразила, что со мной произошло. В первые несколько часов меня одолевали растерянность и раздражение, однако при этом я точно знала, что не просто свернула не туда — нет, со мной явно приключилось нечто гораздо более невероятное. Потому что холм не может вдруг взять и подняться из земли за несколько секунд, деревья, которых отродясь не росло в Ирландии, — в мгновение ока вылезти из земли, а устье Шеннона — высохнуть и исчезнуть невесть куда. Это нереально. И тогда я поняла, что нахожусь в каком-то ином месте.

Естественно, я не исключала вероятности того, что уснула, во сне упала и повредила голову и в настоящее время валяюсь в коме или вообще умерла. Потом я задумалась, а вдруг окружающая аномалия означает стремительное приближение конца света, и призвала на помощь все свои познания в географии Западного Лимерика. Конечно, такой вариант, что я попросту спятила, тоже заслуживал самого серьезного внимания. В списке возможных объяснений он шел у меня первым номером.

Однако после нескольких дней, проведенных в одиночестве посреди неправдоподобно прекрасного пейзажа, я все же пришла к выводу, что скорее всего жива, конец света не наступил, мир не охвачен массовой паникой, а я отнюдь не пациентка сумасшедшего дома. Я поняла, что желание во что бы то ни стало найти выход затуманило мне взгляд и мешает разобраться, в чем тут дело. Хватит валять дурака! Носясь вверх и вниз по холму, я отсюда не выберусь. Нечего заниматься ерундой, заглушая голос разума. Я люблю логику и потому из всех фантастических объяснений выбрала одно: я жива и здорова, но потерялась. Вещи таковы, каковы они есть, какими бы странными ни казались.

На второй день моего пребывания здесь, когда начало смеркаться, я решила пробраться подальше в глубь сосен и исследовать новое любопытное место. Сучья хрустели под подошвами кроссовок, почва, усыпанная толстым слоем опавших листьев, обломков коры, сосновых шишек и бархатистого мха, мягко пружинила под ногами. Туман, похожий на клочья шерстяной ваты, проплывал над головой и цеплялся за ветки деревьев. Величественные высокие стволы вздымались, как цветные карандаши — каждый размером с колонну, — раскрашивая небо. Днем они покрывали его бледно-голубой штриховкой, перемежаемой темными пятнами туч в тонкой оранжевой окантовке, а теперь, ближе к ночи, их угольно-черные верхушки, подпаленные горячим солнцем, замазывали небесный свод густым серо-синим колером. Небо мерцало мириадами звезд, и все они подмигивали мне, словно обмениваясь между собой мировыми тайнами, в которые я никогда не смогу проникнуть.

Пробираясь в одиночку и в темноте по холмистой местности, я по идее должна была трястись от страха. Но я чувствовала себя в полной безопасности — слушала пение птиц, вдыхала сладкие ароматы мха и сосны, пробиралась сквозь кокон тумана, в котором было что-то волшебное. Раньше мне приходилось попадать в самые разные ситуации — опасные или просто необычные. Выполняя свою работу, я изучала все следы, проверяла все маршруты и никогда не позволяла страху заставить меня свернуть с намеченного пути, который, как я считала, способен привести к разыскиваемому человеку. Я не боялась перевернуть каждый камень, лежащий у меня на пути, а то и швырнуть его, наплевав на стеклянные стены, тщательно оберегаемые обитателями дома: зачастую именно такое действие производили мои неожиданные вопросы. Когда люди пропадают без вести, это обычно происходит при мрачных обстоятельствах, о которых большинство предпочитает не знать. По сравнению с моим прошлым опытом погружения в подземные миры нынешний проект напоминал скорее легкую прогулку по парку. Ну да, поиски пути, который вывел бы меня обратно в собственную жизнь, постепенно обретали черты проекта.

Тихие голоса, зазвучавшие где-то рядом и чуть повыше, заставили меня остановиться. За долгое время я не встретила здесь ни одного человека и теперь вовсе не была уверена, что эти люди настроены дружелюбно. Между деревьями я заметила какое-то мерцание и, потихоньку приблизившись, обнаружила поляну, посреди которой горел походный костер. Деревья обступали ее широким кругом, и в центре этого круга сидели пятеро. Они смеялись, шутили и подпевали звучавшей музыке. Я затаилась в тени хвойных гигантов и ощутила себя пугливой мушкой, которую влечет к себе свет огня. Я ясно различила ирландский акцент и засомневалась в правомерности своей нелепой уверенности, будто нахожусь в другой стране и вообще вне собственной жизни. За эти несколько секунд я успела заново поставить все под сомнение.

У меня под ногами громко хрустнула ветка, и по всему лесу разнеслось гулкое эхо. Музыка тут же прекратилась, а разговоры смолкли.

— Там кто-то есть, — громко прошептал женский голос.

Все головы повернулись ко мне.

— Эй вы, там! — возбужденно крикнул веселый мужской голос. — Давайте, присоединяйтесь к нам! Мы как раз собираемся спеть «This Little light of Mine».

Со стороны группы донесся тяжелый вздох.

Мужчина спрыгнул с упавшего ствола дерева, на котором сидел, и приблизился ко мне, приветственно протянув руки. Круглое, как луна, дружелюбное лицо, и почти абсолютно лысый череп, с которого макаронинами свисали четыре жидкие пряди волос. Я шагнула вперед, в пятно света, и ощутила на коже тепло огня.

— Женщина, — снова громко прошептал женский голос.

Я толком не знала, что ответить, а мужчина, который подошел ко мне, взглянул на своих компаньонов без прежней уверенности.

— Может, она не говорит по-английски, — свистящим шепотом предположила женщина.

— Ага. — Мужчина снова повернулся ко мне: — Вы го-во-ри-ть по-ан-глий-ски?

— Тебя и «Оксфордский словарь английского языка» не понял бы, Бернард, — ворчливо ответил ему кто-то из сидящих.

Я улыбнулась и кивнула. Компания успокоилась и принялась изучать меня, причем я отлично понимала, что все они думают. «Ну и дылда».

— О, прекрасно! — Он хлопнул в ладоши и прижал руки к груди; на его лице расцвела еще более радостная улыбка. — Вы откуда?

Не зная, как правильно ответить — с Земли, из Ирландии или из Литрима, — я призвала на помощь интуицию и выдавила из себя единственное слово: «Ирландия». Говорить было трудно, ведь я так долго молчала.

— Прекрасно! — Его бодрая приятельская улыбка так сияла, что я не могла не вернуть ее. — Какое совпадение! Пожалуйста, присоединяйтесь к нам! — Он вприпрыжку направился к группе, приглашая меня последовать за ним.

— Меня зовут Бернард. — Он расплылся в улыбке, словно Чеширский кот. — Сердечно приветствуем вас как нового члена ирландского контингента. Мы здесь ужасно малочисленны, — он нахмурился, — хотя, похоже, в последнее время нас становится больше. Ох, извините, куда подевалось мое воспитание? — Румянец залил его щеки.

— Вот оно, здесь, под этим носком.

Я обернулась, чтобы посмотреть, кто это так пошутил, и увидела привлекательную женщину лет пятидесяти с гладко зачесанными серебристыми волосами, в лиловом палантине, небрежно наброшенном на плечи. Она рассеянно уставилась на костер, и танцующие языки пламени отражались в темных глазах, а комментарии слетали с ее губ так, словно она произносила их на автопилоте.

— С кем имею честь познакомиться? — Бернард лучился восторгом и, вытянув шею, вглядывался в меня.

— Меня зовут Сэнди, — ответила я. — Сэнди Шорт.

— Великолепно. — Он снова заруманился и энергично пожал мою протянутую руку. — Приятно познакомиться. Позвольте представить вам остальных членов банды, как они себя называют.

— Интересно, кто это так себя называет? — раздраженно проворчала женщина.

— Вот Хелена. Она любит поболтать. Всегда найдет что сказать, правда, Хелена? — Бернард уставился на нее, ожидая ответа.

Морщинки вокруг рта углубились, когда она поджала губы.

— Ага. — Он приподнял бровь, а потом представил женщину по имени Джоана, Дерека, длинноволосого хиппи, играющего на гитаре, и Маркуса, который молча сидел в некотором отдалении от группы. Я быстро оценила их: все они были примерно одного возраста и, похоже, непринужденно чувствовали себя друг с другом. Даже саркастичные комментарии Хелены не вызывали никаких трений.

— Почему бы вам не присесть? А я принесу что-нибудь выпить…

— Где мы? — оборвала я его, не в силах больше выносить этот треп.

Разговор у костра резко смолк, и даже Хелена подняла голову и пристально посмотрела на меня. Окинула меня быстрым и внимательным взглядом с ног до головы, будто впитала мою душу, — так мне показалось. Дерек прекратил пощипывать струны гитары, Маркус слегка улыбнулся и стал смотреть в сторону, а Джоана и Бернард уставились на меня широко распахнутыми испуганными глазами олененка Бэмби. Не слышалось ни звука, кроме потрескивания веток в огне и легких хлопков, с которыми искры отрывались от костра и зигзагами улетали в небо. Где-то дальше ухали совы, и доносился легкий хруст, как будто кто-то шагал по сухим веткам.

Вокруг костра воцарилась мертвая тишина.

— Кто-нибудь собирается ответить девушке? — Хелена оглядела своих спутников, явно забавляясь.

Все промолчали.

— Ладно, если никто не желает, — она потуже стянула шаль на груди и зажала ее концы в руке, — я выскажу свою точку зрения.

Остальные запротестовали, и мне тут же ужасно захотелось узнать мнение Хелены. В ее глазах заплясали огоньки, она наслаждалась неодобрением своих спутников.

— Расскажите, Хелена, — попросила я.

— О нет, вы не хотите этого слышать, поверьте мне, — жарко забормотал Бернард, и его двойной подбородок заколыхался от возмущения.

Хелена с вызовом подняла серебристую голову, ее ярко блестевшие темные глаза внимательно изучали меня, а рот слегка кривился:

— Мы умерли.

Эти два слова прозвучали холодно, спокойно, сухо.

— Ладно, ладно, вы же ей не верите, — сказал Бернард самым своим злым, как мне подумалось, голосом.

— Хелена, — упрекнула ее Джоана, — мы уже это обсуждали миллион раз. Ты не должна так пугать Сэнди.

— По-моему, она вовсе не выглядит напуганной, — возразила Хелена, сохраняя то же довольное выражение лица.

— Бросьте, — Маркус прервал молчание, заговорив впервые с того момента, как я присоединилась к компании, — возможно, она права. Мы вполне можем быть мертвыми.

Бернард и Джоана заворчали, а Дерек начал тихонько перебирать струны гитары и напевать: «Мы мертвы, мертвы, мертвы, все мертвы — и мы, и вы».

Бернард что-то неодобрительно проворчал, а потом налил чай из фарфорового чайника и протянул мне чашку на блюдце. И все это — в чаще леса. Я не сдержала улыбки.

— Если мы мертвы, то где же мои родители, Хелена? — с упреком спросила Джоана, высыпая печенье на фарфоровое блюдо и ставя его передо мной. — И где все остальные покойники?

— В аду, — пробубнила Хелена.

Маркус улыбнулся и быстро отвернулся, чтобы Джоана не увидела его лица.

— А с чего это ты взяла, будто мы в раю? Почему ты решила, что можешь попасть в рай? — раздраженно проговорила Джоана, макая печенье в чай и быстро вынимая его из чашки, пока не отвалился размокший краешек.

Дерек забренчал на гитаре и хрипло запел: «Мы в раю или в аду? Угадать я не могу».

— Кто-нибудь еще видел златые врата и слышал хор ангелов при входе? Или только мне это привелось? — ухмыльнулась Хелена.

— Ты не входила в златые врата. — Бернард так резко тряс головой, что его второй подбородок колыхался.

Он покосился на меня, продолжая трясти подбородком.

— Она не входила в златые врата.

Дерек ударил по струнам. «Сквозь врата я не входил и жара ада не ощутил».

— Да замолчи же ты, — раздраженно крикнула Джоана.

«Замолчи же, замолчи и на струнах не бренчи», — пропел он.

— Мне этого не вынести!

«Нет, мне этого не вынести, кто же сможет меня вывести?»

— Сейчас я тебя выведу, — пробурчала Хелена, но как-то не очень убежденно.

Он продолжал перебирать струны, и все замолчали, прислушиваясь к простенькой мелодии.

— Смотри, Хелена, маленькой Джун, дочке Полины О'Коннор, было всего десять лет, когда она умерла, — заговорил Бернард. — Такой крохотный ангелочек наверняка оказался бы на небесах, а ее здесь нет. Так что твоя теория не годится. — Он гордо вздернул подбородок, а Джоана кивнула, соглашаясь с ним. — Мы не мертвые.

— Пардон, только для тех, кому больше восемнадцати, — скучающим голосом произнесла Хелена, — святой Петр стоит у ворот, сложив руки на груди, и выслушивает в наушниках указания Господа Бога.

— Не говори так, Хелена, — выкрикнула Джоана.

«Не войти, не выйти мне никак! Святой Петр, скажи, что здесь не так», — загробным голосом пропел Дерек.

Потом вдруг перестал бренчать и проговорил:

— Это точно не рай. Здесь нет Элвиса.

— Ну, тогда другое дело. — Хелена закатила глаза.

— У нас здесь есть свой Элвис, разве не так? — захихикал Бернард, меняя тему. — А вы знаете, Сэнди, что Дерек когда-то играл в ансамбле?

— Как она может это знать, Бернард? — раздраженно возразила Хелена.

Бернард снова ее проигнорировал.

— Дерек Каммингс, — торжественно объявил он, — самый крутой участник ансамбля, созданного в шестидесятых при школе-интернате Святого Кевина.

Все засмеялись.

Я похолодела.

— Как назывался ваш ансамбль, Дерек? Я уже забыла, — улыбнулась Джоана.

— «Чудо-мальчики», Джоана, «Чудо-мальчики», — растроганно ответил Дерек, погружаясь в воспоминания.

— Помнишь танцы по пятницам вечером? — возбужденно спросил Бернард. — Дерек на сцене, играет рок-н-ролл, а отец Мартин чуть не падает в обморок, видя, как он вихляет бедрами.

Все снова засмеялись.

— Хорошо, а как назывался танцзал? — задумалась вслух Джоана.

— Господи. — Бернард закрыл глаза, пытаясь припомнить.

Дерек перестал перебирать струны и тоже сосредоточился.

Хелена продолжала смотреть на меня, следя за моей реакцией.

— Вам холодно, Сэнди? — Ее голос прозвучал как будто издалека.

Зал «Финбар». Название само по себе возникло у меня в голове.

Все они любили ходить в зал «Финбар» вечером по пятницам.

— Зал «Финбар», — вспомнил в конце концов Маркус.

— Да-да, именно так. — Они облегченно вздохнули, и Дерек снова начал перебирать струны.

Я покрылась гусиной кожей и задрожала.

Рассматривая одно за другим их лица, заглядывая в глаза, я узнавала знакомые черты. История, которую я узнала еще девочкой, всплыла в памяти и снова захлестнула меня. Каждый факт предстал передо мной так же отчетливо, как тогда, давно, когда в поисках материалов для школьного сочинения я наткнулась на нее в компьютерном архиве. Заинтересовалась, внимательно все прочитала и твердо запомнила. У меня перед глазами до сих пор стояли юные лица подростков, улыбающихся с первой газетной полосы. И вот эти лица здесь, рядом со мной.

Дерек Каммингс, Джоана Хэтчард, Бернард Линч, Маркус Флинн и Хелена Диккенс. Пять учащихся школы-интерната Святого Кевина. Они исчезли в шестидесятые, во время школьного турпохода, и их так никогда и не нашли. Теперь они собрались здесь — постаревшие, поумневшие и утратившие невинность.

Я нашла их.

Глава десятая

Когда мне было четырнадцать, родители предложили мне по понедельникам после школы посещать психотерапевта. Им не пришлось долго меня уговаривать. Стоило сказать, что этому человеку можно задавать любые вопросы, какие только захочется, и что он знает достаточно, чтобы на них ответить, и я просто-таки рванула в школу.

Тогда же я окончательно поняла: они убеждены, что потерпели со мной неудачу. Об этом говорило выражение их лиц, когда они усадили меня за кухонный стол, на котором стояло молоко и лежало печенье. За спиной у меня шумела стиральная машина, создавая привычный звуковой фон. Мама крепко сжимала в руках скрученную салфетку, которой, похоже, только что вытирала слезы. Обычная манера родителей: они скрывали от меня свою слабость, но, как правило, забывали избавиться от признаков ее проявления. Я не видела маминых слез, но салфетку-то видела! Отец тщательно скрывал гнев, вызванный бессилием, но не мог спрятать его отблеск в своих глазах.

— Все в порядке? — Я поочередно изучила оба лица, старательно демонстрирующих спокойствие.

Так уверенно, будто могут справиться с любыми проблемами, люди обычно выглядят лишь тогда, когда случается что-то плохое.

— Что-нибудь стряслось?

Папа улыбнулся:

— Что ты, дорогая! Не волнуйся! Ничего не стряслось...

Когда он это сказал, мамины брови поползли вверх, и я поняла, что она с ним не согласна. Было очевидно, что папа и сам не согласен со своими словами, тем не менее он их произнес. В том, чтобы отправить меня к психотерапевту, не крылось ничего, решительно ничего дурного, однако я знала, что они предпочли бы сами помочь мне. Им хотелось, чтобы мне хватило их ответов на мои вопросы. Я подслушивала их бесконечные споры о методах воздействия на мое поведение. Они вроде бы поддерживали меня всеми известными способами, и вот теперь им пришлось разочароваться в собственных возможностях. Я физически ощущала это разочарование и ненавидела себя за то, что была его причиной.

— Понимаешь, детка, все дело в том, что ты задаешь слишком много вопросов, — пояснил папа.

Я кивнула.

— Ну вот. Мы с мамой... — Он бросил на нее быстрый взгляд, словно ища одобрения, и ее глаза сразу потеплели. — Так вот, мы с мамой нашли человека, с которым ты сможешь обсудить все свои вопросы.

— И этот человек сумеет на них ответить? — Я широко раскрыла глаза и почувствовала, как заколотилось сердце, — неужели все тайны жизни вот-вот раскроются передо мной.

— Надеюсь, что да, моя милая, — подтвердила мама. — Ты с ним поговоришь, и эти вопросы перестанут тебя мучить. Он знает гораздо больше нас обо всем, что тебя беспокоит.

Пришло время засыпать их пулеметной очередью вопросов. Так, палец на спусковой крючок!

— Кто он?

— Мистер Бартон. (Говорит папа.)

— Как его зовут?

— Грегори. (Говорит мама.)

— Где он работает?

— В школе. (Мама.)

— Когда я его увижу?

— В понедельник, после уроков. У вас будет целый час. (Опять мама.)

Она лучше папы выдерживает мои обстрелы. Привыкла к спорам, которые мы ведем, пока папа на работе.

— Он психиатр, правда? — Они никогда не врали мне.

— Да, дорогая. (Это уже папа.)

Думаю, именно в этот момент я возненавидела свое отражение в их глазах, и тогда же мне, к сожалению, перестала нравиться их компания.

Кабинет мистера Бартона представлял собой комнатку размером со стенной шкаф: в ней хватало места как раз для двух кресел. Я выбрала то, что с грязной оливково-серой бархатной обивкой и подлокотниками из темного дерева, а не покрытое коричневым бархатом в пятнах. Оба кресла, похоже, изготовили в сороковые годы и с тех пор ни разу не чистили и не выносили из маленькой комнатки. Крохотное окошко на задней стенке, расположенное очень высоко, позволяло разглядеть только небо. Когда я пришла к мистеру Бартону в первый раз, оно было светло-голубым. Время от времени по нему проплывали облака и затопляли своей белизной все окошко, а потом исчезали из виду.

На стенах висели плакаты со школьниками: они казались счастливыми и сообщали пустой комнате, что говорят «нет» наркотикам и хулиганству, рассказывали, как борются с экзаменационными стрессами, неправильным режимом питания и обидами, давали ясно понять, что достаточно умны и потому у них не может быть проблем с подростковой беременностью — ведь они не занимаются сексом. Впрочем, на случай, если все же вдруг займутся, имелся еще один плакат: на нем те же самые девочка и мальчик объясняли, как использовать презервативы. В общем, святые или типа того. Да и от самой комнаты веяло такой положительностью, что я испугалась, как бы мне ракетой не вылететь из своего кресла. Наверняка всем этим персонажам помог сам мистер Бартон Великолепный.

Я ожидала, что он окажется мудрым старцем с густой седой шевелюрой, с моноклем в глазу и в длинном сюртуке, из кармана которого свешивается цепочка от часов. И что его мозги просто лопаются от знаний, накопленных за долгие годы изучения человеческого разума. Представляла, как встречу укутанного в плащ мудрости западного гуру, который будет говорить загадками и постарается убедить меня в том, что я обладаю огромной внутренней силой.

Когда реальный мистер Бартон вошел в комнату, во мне забурлили смешанные чувства. Любопытная часть моего «я» испытала разочарование, тогда как жившая во мне четырнадцатилетняя девочка затрепетала от немыслимого восторга. Он был скорее Грегори, чем мистер Бартон. Молодой и красивый, сексапильный и соблазнительный. В джинсах и футболке, с модной стрижкой, он выглядел так, будто только сегодня закончил колледж. Я, как обычно, быстренько прикинула в уме: по всей видимости, он ровно вдвое старше меня. Всего несколько лет — и я достигну совершеннолетия, да и школу к тому времени закончу. Я успела распланировать всю свою дальнейшую жизнь еще до того, как он закрыл за собой дверь.

— Привет, Сэнди. — У него был веселый и бодрый голос.

Он пожал мне руку, и я поклялась себе, что оближу ее, как только вернусь домой, и никогда больше не буду мыть. Мистер Бартон сел напротив меня в коричневое бархатное кресло. Готова поспорить: все эти барышни на плакатах просто выдумывали себе проблемы, чтобы иметь предлог явиться к нему в кабинет.

— Надеюсь, тебе удобно в этом авангардном дизайнерском кресле? — Он сморщил нос от отвращения, устраиваясь на сиденье с прорванной сбоку обивкой, из которой торчал поролон.

Я засмеялась. О да, он крут.

— Спасибо, удобно. Я хотела бы знать, что вам рассказал обо мне выбор кресла.

— Ладно, — улыбнулся он. — Твой выбор свидетельствует об одном из двух.

Я внимательно слушала.

— Во-первых, о том, что ты не любишь коричневый цвет. Или, во-вторых, о том, что ты любишь зеленый.

— А вот и нет, — улыбнулась я, — мне просто захотелось сесть напротив окна.

— Ага, — подхватил он, — значит, ты — из тех, кого мы в лаборатории называем «сидящими лицом к окну».

— Угу, я одна из таких.

Он секунду поглядывал на меня с любопытством, потом положил на колени ручку и блокнот, а на подлокотник диктофон:

— Не возражаешь, если я буду записывать?

— А зачем?

— Чтоб запомнить все, что ты говоришь. Иногда мне не удается толком понять какую-нибудь деталь, пока я еще раз не прокручу запись разговора.

— Ладно. А зачем тогда ручка и блокнот?

— Чтобы рисовать чертиков. На случай, если мне надоест тебя слушать.

Он нажал кнопку диктофона и назвал сегодняшнюю дату и время.

— Я себя чувствую в ожидании допроса в полицейском участке.

— С тобой такое уже случалось?

Я кивнула:

— Когда пропала Дженни-Мэй Батлер, нас всех в школе просили сообщить все, что мы об этом знали.

Как быстро мы заговорили о ней. Она бы пришла в восторг от такого внимания.

— Ага, — кивнул он. — Дженни-Мэй была твоей подругой, да?

Я напрягла мозги. Рассматривала висящие на стене плакаты против хулиганства и размышляла, как ответить. Мне не хотелось, сказав «нет», оказаться бесчувственной в глазах этого соблазнительного мужчины, но ведь она не была моей подругой. Дженни-Мэй ненавидела меня. Тем не менее она пропала, и, наверное, мне не следовало плохо говорить о ней, потому что все считают ее ангелом. Мистер Бартон ошибочно принял мое молчание за знак печали, что смутило меня, а следующий вопрос задал таким сочувственным тоном, что я едва не расхохоталась.

— Ты скучаешь по ней?

Я обдумала и эту версию. Вы бы скучали по ежедневной пощечине? Я чуть не задала ему этот вопрос, но, как и раньше, не захотела, чтобы он счел меня бессердечной, и потому не ответила «нет». А то он никогда не влюбится в меня и не заберет из Литрима.

Он наклонился ко мне. Ах, какие синие у него глаза.

— Твои мама с папой говорили, что ты хочешь найти Дженни-Мэй. Это правда?

Ну и дела! Чем дальше, тем больше путаницы. Я помотала головой: ладно, хватит притворяться.

— Мистер Бартон, не хочу показаться жестокой и бесчувственной, потому что, как известно, Дженни-Мэй пропала без вести и все этим опечалены, однако... — Тут я замолчала.

— Давай-давай, — подбодрил он, и мне захотелось вскочить, обнять и расцеловать его.

— Ну, ладно. Мы с Дженни-Мэй никогда не были подругами. Она меня ненавидела. Мне жалко ее — в том смысле, что вот она пропала, но я вовсе не хочу ее возвращения. Я нисколько по ней не скучаю и не собираюсь ее искать. Мне просто интересно знать, где она сейчас. Этого бы мне хватило.

Он приподнял брови.

— Ну вот, вы точно решили: раз Дженни-Мэй была моей подругой и она пропала, то теперь, если я что-то теряю — ну, там носок, — то ищу его потому, что как бы тем самым пытаюсь найти Дженни-Мэй и вернуть ее обратно.

Он приоткрыл рот.

— Конечно, это разумное предположение, мистер Бартон. Но это не про меня. Я совсем не такая сложная. Просто мне действует на нервы, что вещи пропадают, а я не знаю, куда они делись. Взять хоть скотч с рисунком. Вчера вечером мама собралась упаковать подарок ко дню рождения тети Дидры, но никак не могла его найти. Но дело в том, что мы всегда оставляем его во втором ящике сверху, сразу под столовыми приборами. Он всегда там лежит, мы никогда не кладем его в другое место, и мама с папой хорошо знают, как я отношусь к таким вещам, и потому обязательно все всегда кладут на место. У нас совсем маленький дом, и, честно говоря, это не тот случай, когда вещи пропадают из-за вечного беспорядка. По-любому, я брала скотч в субботу, когда делала домашнюю работу по изо — за нее, между прочим, мне сегодня влепили несчастный трояк, а Трейси Тинслтон поставили пятерку за какую-то фигню вроде раздавленной мухи на оконном стекле, и еще сказали, что это — «настоящее искусство», — так вот, клянусь, я положила моток на место в ящик. Папа его не брал, мама тоже, и я на все сто уверена, что никто не забирался в дом специально, чтобы спереть моток скотча. Поэтому я искала его весь вечер. Но так и не нашла. Так где он?

Мистер Бартон не издал ни звука, только медленно откинулся на спинку кресла и устроился в нем поудобнее.

— Ладно, давай сформулирую прямо и коротко, — задумчиво произнес он. — Ты не скучаешь по Дженни-Мэй Батлер.

Мы оба захохотали, и я впервые за все это время перестала испытывать угрызения совести.

— Зачем, по-твоему, ты пришла сюда? — серьезно спросил мистер Бартон, когда мы отсмеялись.

— Потому что мне нужны ответы.

73

— Какие ответы?

Я постаралась сформулировать:

— Где находится скотч, который мы так и не нашли прошлым вечером? Куда делась Дженни-Мэй Батлер? Почему один из моих носков вечно пропадает в стиральной машине?

— И ты полагаешь, я смогу тебе сказать, где все эти вещи?

— Не конкретно о каждой, но некие общие указания меня бы устроили, мистер Бартон.

Он улыбнулся:

— Позволь мне задать несколько вопросов, и, быть может, в твоих ответах мы вместе отыщем то, что ты хотела бы выяснить.

— О'кей. Если считаете, что это поможет, давайте попробуем.

— Зачем тебе знать, куда деваются вещи?

— Мне это необходимо.

— Почему тебе кажется, будто это необходимо?

— А почему вам кажется, что вы должны задавать мне вопросы?

Мистер Бартон моргнул и помолчал на секунду дольше, чем ему бы хотелось, — так мне показалось.

— Это моя работа, мне за нее деньги платят.

— Платят деньги?! — Я выкатила глаза. — Мистер Бартон, вы могли бы заняться любой простой работой и получать за нее деньги, но все же решили проучиться — сколько же, десять миллионов лет? — чтобы получить все эти бумажки, которыми украсили стены. — Я бросила взгляд на его дипломы в рамочках. — То есть я хочу сказать, что вы прошли всю эту бесконечную учебу, сдали все экзамены, задали все вопросы не только потому, что за это платят.

Он усмехнулся и посмотрел на меня. Похоже, не знал, что ответить. Поэтому мы молчали минуты две. В конце концов он взял ручку и блокнот, пододвинул их мне и снова облокотился на колени.

— Мне нравится разговаривать с людьми, всегда нравилось. По моим наблюдениям, рассказывая о себе, они узнают вещи, которых до того не знали. Это нечто вроде самолечения. Я задаю людям вопросы, потому что мне нравится им помогать.

— Так и я.

— Ты считаешь, что, задавая вопросы о Дженни-Мэй, ты помогаешь ей или, может, ее родителям? — Он постарался скрыть смущение, притаившееся у него в глазах.

— Нет, я помогаю самой себе.

— Каким образом? Разве тот факт, что ты не находишь ответов, не разочаровывает тебя еще больше?

— Иногда мне удается отыскать какую-то вещь, мистер Бартон. Я нахожу то, что просто положили не на то место.

— Разве не все потерянное лежит не на своем месте?

— Положить что-то не туда, куда надо, — значит временно потерять это, потому что ты забыл, где оно лежит. А я всегда помню, что и куда кладу.

Но я-то пытаюсь отыскать не те вещи, которые лежат не на своем месте, а те, у которых выросли ноги, и они взяли да и ушли себе. Именно из-за них я расстраиваюсь.

— Ты не считаешь, что кто-то другой, не ты, мог переложить их?

— Кто, например?

— Вопрос задал я.

— Хорошо. В случае со скотчем ответ однозначный: нет. В случае с носками ответ тот же: нет. Разве что кто-то забирается в стиральную машину и вынимает их из нее. Мистер Бартон, родители хотят помочь мне. Не думаю, чтобы они стали перекладывать вещи, а потом забывали об этом. Если они что-то переложат, то еще лучше запоминают, куда именно.

— Тогда какие у тебя версии? Куда, по-твоему, все эти вещи деваются?

— Мистер Бартон, если бы у меня было хоть одно предположение на этот счет, я бы не пришла сюда.

— То есть никаких идей? Тебе ничего не приходит в голову даже в самых безумных мечтах, даже в минуты самых больших огорчений, даже когда ты отчаянно размышляешь ранним-ранним утром в поисках ответа и никак не можешь его найти? Ну, хоть какая-нибудь идея по поводу того, куда деваются пропавшие вещи?

Н-да, он наверняка узнал обо мне от родителей гораздо больше, чем я предполагала. Если я отвечу на этот вопрос честно, боюсь, он уже никогда не влюбится в меня. И тем не менее я глубоко вздохнула и выложила всю правду:

— В такие минуты я полагаю, что они очутились в том месте, куда попадает все, что пропало.

Он и глазом не моргнул:

— Ты считаешь, и Дженни-Мэй там? Тебе так легче — представлять, будто она там?

— Господи! — Я тяжко вздохнула. — Если кто-то ее убил, значит, так тому и быть, мистер Бартон. Я не пытаюсь создавать вымышленный мир, чтобы мне стало легче.

Он отчаянно старался, чтобы ни один мускул лица не дрогнул.

— Но скажите мне, почему полицейские не могут найти ее ни живой, ни мертвой?

— А тебе не полегчает, если ты признаешь, что временами случается нечто необъяснимое?

— Ну, вы же так не думаете. Почему я должна в это верить?

— А почему ты решила, будто я так не думаю?

— Вы — психотерапевт. Вы считаете, что каждое действие вызывает определенную реакцию, и все такое. Я кое-что почитала, перед тем как прийти сюда. Все, что со мной сейчас происходит, — результат того, что произошло некое событие, или кто-то что-то сказал, или сделал. Вы считаете, что на все можно найти ответ и так или иначе решить любую задачу.

— Это не совсем так, Сэнди. Я не могу все заново сложить и склеить.

— А меня вы можете склеить?

— Ты же не сломана, Сэнди.

— Таков ваш медицинской диагноз?

— Я не врач.

77

— Но вы же «лекарь разума», разве не так? — Я изобразила пальцами в воздухе кавычки и сделала большие глаза.

Тишина.

— Что ты ощущаешь, когда ищешь и ищешь, но никак не можешь найти то, что тебе нужно?

Полагаю, это была самая странная беседа, которую он когда-либо вел.

— У вас есть девушка, мистер Бартон?

Он наморщил лоб:

— По-моему, Сэнди, в данном случае это не имеет значения.

Поскольку я промолчала, он вздохнул и ответил:

— Нет, у меня нет девушки.

— А вы хотите, чтобы была?

Он задумался:

— Ты имеешь в виду, что ощущения, которые испытываешь во время поисков пропавшего носка, похожи на те, что испытываешь, когда ищешь любовь? — Он попытался сформулировать вопрос так, чтобы сказанное мною звучало не так глупо, однако ему это не удалось.

Я снова выкатила глаза. Что-то слишком часто он вынуждал меня делать это.

— Нет, это такое чувство, когда ты знаешь, что чего-то в твоей жизни не хватает, но никак не можешь это отыскать, сколько ни стараешься.

Он смущенно прочистил горло, схватил карандаш и бумагу и сделал вид, будто что-то записывает.

Явно пришло время рисовать чертиков.

— Я вам действую на нервы, да?

Он улыбнулся, и его улыбка разрядила напряжение.

Я попыталась объяснить еще раз:

— Может, будет понятнее, если я скажу, что, когда ты не можешь найти пропажу, это примерно то же самое, когда ты вдруг не в состоянии вспомнить слова любимой песни, которую давно знаешь наизусть. Или когда неожиданно забываешь имя человека, которого очень хорошо знаешь и с которым встречаешься каждый день, или название знаменитой группы, которая поет какой-нибудь хит. Это так напрягает, что крутишь и крутишь такие мысли в голове, потому что знаешь: ответ наверняка существует, но никто и никогда тебе его не подскажет. И эта мысль долбит и долбит тебя и не дает успокоиться, пока не найдешь ответ.

— Я понимаю, — проговорил он мягко.

— Хорошо, тогда умножьте это чувство на тысячу.

Он задумался:

— Ты очень зрелый человек для своего возраста, Сэнди.

— Забавно. Потому что я-то надеялась, что вы знаете гораздо больше в вашем возрасте.

Он хохотал, пока время сеанса не истекло.

Этим вечером за ужином папа спросил меня, как все прошло.

— Он не смог ответить на мои вопросы, — сказала я, хлебая суп.

Похоже было, что папу вот-вот хватит удар.

— Значит, ты к нему больше не пойдешь?!

— Пойду! — быстро возразила я, и мама попыталась скрыть улыбку, сделав глоток воды.

Папа переводил взгляд с меня на нее и обратно, на его лице застыл вопрос.

— У него красивые глаза, — предложила я объяснение, снова зачерпывая суп.

Папины брови поползли вверх, и он вопросительно покосился на маму, на лице которой расцвела широкая улыбка.

— Это правда, Гарольд. У него очень красивые глаза.

— А, ну тогда все в порядке. — Он поднял обе руки вверх. — Если у мужчины очень красивые глаза, то кто я такой, чтобы спорить, черт подери!

Поздно вечером я лежала в постели и размышляла о своем разговоре с мистером Бартоном. Возможно, у него не нашлось для меня ответов, но от поисков одной вещи он меня точно излечил.

Глава одиннадцатая

Я приходила к мистеру Бартону еженедельно, пока училась в средней школе Святой Марии. Мы встречались даже в каникулы, когда школа открывала свои двери для летних мероприятий горожан. В последний раз я пришла к нему в тот день, когда мне исполнилось восемнадцать. Год назад я сдала экзамены на аттестат зрелости, а в то утро узнала, что меня приняли в гарда шихана. Через несколько месяцев мне предстоял переезд в Корк для учебы в Темплмо.

— Здравствуйте, мистер Бартон, — поздоровалась я, когда он вошел в маленький кабинет, который совершенно не изменился со дня нашей первой встречи.

Мой консультант оставался таким же молодым и красивым, и я любила в нем каждый дюйм.

— Сэнди, повторяю в сотый раз: перестань называть меня мистером Бартоном. Я кажусь себе стариком.

— А вы и есть старик, — поддразнила его я.

— Тогда ты — старуха, — небрежно бросил он, и между нами вклинилась тишина. — Ну ладно, — деловым тоном изрек он, — о чем ты размышляла на этой неделе?

— Сегодня меня приняли в полицию.

Он остолбенел. От счастья? От огорчения?

— Здорово, Сэнди! Мои поздравления. Тебе это удалось. — Он подошел и крепко обнял меня.

Мы не двигались на секунду дольше, чем должны бы.

— Как мама с папой отнеслись к этому?

— Они еще не знают.

— Наверное, расстроятся из-за твоего отъезда.

— Так будет лучше. — Я смотрела в сторону.

— Знаешь, тебе не удастся оставить все свои проблемы в Литриме, — мягко произнес он.

— Не удастся. Но я оставлю здесь людей, которые о них знают.

— Собираешься время от времени приезжать погостить?

Я посмотрела ему прямо в глаза. Мы все еще говорим о родителях?

— Как только смогу.

— А часто сможешь?

Я пожала плечами.

— Они всегда тебя поддерживали, Сэнди.

— Я не могу стать такой, как им хочется, мистер Бартон. Им со мной некомфортно.

Он бросил на меня выразительный взгляд, а потом понял, что я использовала это обращение сознательно, пытаясь возвести между нами стену.

— Они всего лишь хотят, чтобы ты была самой собой, и ты это знаешь. Тебе нечего себя стыдиться. Они тебя любят такой, какая ты есть.

Он смотрел на меня так, что я снова засомневалась, о родителях ли мы сейчас говорим.

Я оглядела комнату. Он знал обо мне все, совершенно все, а я безошибочно чувствовала абсолютно все, что касалось его. Он по-прежнему оставался холостяком, жил один, невзирая на то, что за ним охотились все девушки Литрима. Неделя за неделей он пытался уговорить меня принимать вещи такими, какие они есть, и послушно следовать движению жизни, но если существовал мужчина, наглухо заперший на замок собственную жизнь в ожидании неизвестно чего или кого, то это был именно он.

Он прочистил горло.

— Я слышал, в выходные ты гуляла с Энди Маккарти.

— Ну и что?

Он устало потер лицо и снова позволил тишине разделить нас. Мы оба это отлично умели. Нас научили четыре года психотерапии, когда я обнажала перед ним свою душу, но при этом каждое новое произнесенное слово еще на шаг отдаляло меня от обсуждения единственной темы, поглощавшей все мои мысли почти в каждый момент почти каждого дня.

— Тогда расскажи, — мягко попросил он.

Это был наш последний сеанс, и я больше ни о чем не могла думать. У него по-прежнему не находилось для меня ответов.

— Ты пойдешь в пятницу на маскарад? — Он уловил мое настроение.

— Да, — ухмыльнулась я, — не представляю лучшего способа распрощаться с этим городом, чем пройтись по нему, переодевшись кем-нибудь другим.

— И кем ты собираешься нарядиться?

— Носком.

Он громко засмеялся:

— Энди не пойдет с тобой?

— А разве мои носки всегда ходят парой?

Он приподнял бровь, показывая, что хотел бы услышать больше.

— Он не понял, почему я перевернула его квартиру вверх дном, когда пыталась найти приглашение.

— А где оно лежит, как ты думаешь?

— Там же, где и все остальное. Вместе с моей головой. — Я устало потерла глаза.

— С ней все в порядке, Сэнди... Итак, ты идешь работать в полицию. — Он неуверенно улыбнулся.

— Вас беспокоит будущее нашей страны?

— Нет, — засмеялся он. — По крайней мере, теперь я уверен, что мы в надежных руках. Своими вопросами ты уж точно затерзаешь преступников до смерти.

— У меня прекрасный учитель. — Я заставила себя тоже усмехнуться.

Мистер Бартон пришел в пятницу на маскарад. В костюме носка, что меня очень насмешило. Вечером он отвез меня домой, и в машине мы все

время молчали. После стольких лет беспрерыв-
ных разговоров ни один из нас не знал, что сказать. Возле дома он наклонился и поцеловал меня
в губы — жадным и долгим поцелуем. Это было
так, будто мы одновременно говорили друг другу
«здравствуй» и «прощай».

— Как жаль, что мы с вами скроены по разным
лекалам, Грегори. Из нас могла бы получиться хорошая пара, — грустно промолвила я.

Я ждала, что он ответит: из нас получится самая идеальная неправильная пара. Но он, наверное, согласился с моими словами, потому что сел
в машину и уехал.

Чем больше у меня было партнеров, тем
больше я убеждалась в том, что мы с Грегори — самая лучшая из всех возможных пар. Выходит дело,
ломая голову над самыми трудными вопросами,
которые ставила передо мной жизнь, я ухитрилась
проглядеть самые очевидные ответы, — а они лежали у меня прямо перед носом.

Глава двенадцатая

Хелена с любопытством разглядывала меня сквозь янтарное пламя костра, а тени от огня плясали над ней и облизывали ее лицо. Остальные члены группы продолжали предаваться воспоминаниям о славном рок-н-ролльном прошлом Дерека, радуясь возможности сменить тему и не возвращаться к моему вопросу о том, где же мы все-таки находимся. Оживленный разговор возобновился, но без меня, и не только. Не без труда оторвав взгляд от усыпанной пеплом земли, я позволила ему встретиться с глазами Хелены.

Она дождалась, пока у костра установится тишина, а потом спросила меня:

— Чем вы зарабатываете на жизнь, Сэнди?

— Ой, да, — возбужденно подхватила Джоана, согревая руки чашкой с чаем. — Расскажите нам.

Все внимание было обращено на меня, и я задумалась над вариантами ответа. Зачем врать?

— Я руковожу агентством, — начала я и остановилась.

— Каким? — спросил Бернард.

— Модельным, да? — спросила Джоана уверенным тоном. — С такими ногами, как у вас, это наверняка модельное агентство, готова спорить. — Чашку она держала совсем рядом с губами, отставив мизинец, который торчал вверх и походил на сделавшую стойку охотничью собаку.

— Джоана, она сказала, что руководит агентством, а не работает в нем. — Бернард покачал головой, и его подбородок тут же задрожал.

— На самом деле это агентство по розыску лиц, пропавших без вести.

Наступила тишина. Они пристально всматривались в мое лицо, а потом переглянулись и громко расхохотались. Все, кроме Хелены.

— Ох, Сэнди, классная шутка. — Бернард вытер уголки глаз носовым платком. — Так что же это за агентство, если серьезно?

— Актерское, — выскочила с ответом Хелена, опередив меня.

— Как ты догадалась? — спросил Бернард, слегка обиженный тем, что она о чем-то узнала раньше него. — Ты же сама первая спросила, где она работает.

— Она шепнула мне, пока вы все хохотали. — Хелена махнула рукой, как бы подводя черту.

— Актерское агентство! — Джоана смотрела на меня, широко раскрыв глаза. — Вот здорово! Мы поставили несколько отличных спектаклей в зале «Финбар», — пояснила она. — Помните? — повернулась она к друзьям. — «Юлий Цезарь», «Ромео и Джульетта»... И это только великие пьесы Шекспира. А Бернард был...

Бернард громко закашлял.

— Ох, прости, — покраснела Джоана, — Бернард — фантастический актер. Он так убедительно играл Основу в «Сне в летнюю ночь». Вы в своем агентстве, несомненно, были бы счастливы работать с ним.

И они опять принялись болтать, вспоминая разные старые истории. Хелена обошла костер и села рядом со мной.

— Должна заметить, вы преуспели в своей специальности, — фыркнула она.

— Зачем вы это сделали? — спросила я, имея в виду ее вмешательство.

— О, им нельзя этого говорить. Особенно Джоане, у которой такой тихий голосок, что она все время старается кому-нибудь что-нибудь рассказать, с единственной целью — убедиться, что ее слышат, — съязвила она, но при этом взглянула на подругу с нежностью. — Если кто-то узнает, что вы руководите агентством по розыску пропавших без вести лиц, вас замучают вопросами. Все решат, будто вы прибыли сюда, чтобы отвести нас домой.

Было не очень понятно, шутка это или вопрос. В любом случае, она не улыбнулась, а я не ответила.

— А кому тут можно что-то рассказать? — Я уставилась на молчаливый черный лес.

За два дня я не встретила ни одной живой души.

На лице Хелены по-прежнему читалось любопытство.

— Сэнди, здесь есть и другие люди, чтоб вы знали.

Мне с трудом верилось, что в этой темной и молчаливой глуши может кто-то жить. Разве что лешие.

— Вы же знаете нашу историю, правда? — Хелена продолжала говорить тихо, чтобы остальные не услышали.

Я кивнула, набрала побольше воздуха в легкие и начала:

— «Пятеро учеников числятся пропавшими без вести. Они исчезли во время школьного турпохода в Раундвуд в графстве Уиклоу. Шестнадцатилетние Дерек Каммингс, Хелена Диккенс, Маркус Флинн, Джоана Хэтчард и Бернард Линч из средней школы Святого Кевина для девочек и мальчиков в Блэкроке собирались посетить Глендалу, однако сегодня утром исчезли из своих палаток».

Глаза Хелены были полны слез и такого по-детски настойчивого любопытства и внимания, что я почувствовала себя обязанной процитировать газетную статью слово в слово, тщательно подбирая правильную интонацию. Мне хотелось передать чувства, охватившие страну в самую первую неделю, я стремилась точно выразить всю любовь и поддержку, которую демонстрировали по отношению к пятерке пропавших школьников абсолютно чужие люди. Я ощущала, что просто обязана это сделать — ради всех, кто молился за их возвращение. И считала, что Хелена должна это услышать — она это заслужила.

— «Как заявили сегодня в полиции, проверены все версии, хотя не исключено, что что-то пока упущено. Просьба ко всем, кто располагает хоть какой-нибудь информацией, обращаться в полицейские участки Раундвуда или Блэкрока. Все ученики школы Святого Кевина собрались, чтобы вместе помолиться за своих товарищей, а местные жители принесли к месту происшествия цветы».

Я замолчала.

— Что у тебя с глазами, Хелена? — заботливо спросил Бернард.

— Да так, — шмыгнула носом Хелена, — ерунда. Просто искра от костра попала. — Она промокнула их уголком шали.

— Дай-ка посмотрю, — воскликнула Джоана, подходя поближе и вглядываясь. — Да нет, вроде все в порядке, глаз только покраснел и слезится. Наверно, из-за дыма.

— Все нормально, спасибо, — проговорила Хелена, смущенная их заботой, и болтовня вокруг костра продолжилась.

— С такими талантами можете поступать на работу в мое агентство.

Хелена усмехнулась и снова замолчала. Я почувствовала, что должна что-то сказать:

— Знаете, они так и не перестали вас искать.

Она издала какой-то тихий звук. Сдержать его она не смогла — он вырвался прямиком из сердца.

— Ваш отец осаждал каждого вновь назначенного комиссара полиции и министра внутренних дел. Стучался в каждую дверь и искал вас под каждой травинкой. Лично убедился в том, что всю местность прочесали густым гребнем. Что же касается мамы, вашей удивительной мамы...

Хелена улыбнулась, услышав это.

— Она создала организацию, помогающую советами семьям, у которых пропал кто-то из близких. Она называется «Свет над крыльцом», потому что многие такие семьи оставляют гореть лампочку над входной дверью — как маяк — в надежде, что однажды их любимые вернутся. Она неутомимо занимается благотворительностью, открывает отделения организации по всей стране. Ваши родители никогда, никогда не сдавались. Ваша мать и сейчас не сдается.

— Она жива? — Ее глаза снова наполнились слезами.

— Мне горько говорить об этом, но ваш отец скончался несколько лет назад. — Я подождала, давая ей время переварить печальную новость, а потом продолжила: — Ваша мать по-прежнему активно работает в «Свете над крыльцом». Я была на их ежегодном обеде в прошлом году и имела удовольствие встретиться с ней и сказать ей, что она необыкновенная женщина. — Я опустила взгляд на руки и прочистила горло: роль вестника оказалась не из легких. — Она говорила, что я должна продолжать работу, и выразила надежду, что мне когда-нибудь удастся отыскать ее любимую дочь.

Голос Хелены звучал едва слышным шепотом:

— Расскажите мне о ней.

И я позабыла о собственных невзгодах и поудобнее устроилась у костра, готовая выполнить ее просьбу.

— ...Я не хотела ни в какой турпоход, — горячо говорила Хелена, взволнованная всем, что я рассказала ей о матери. — Просила их не отправлять меня.

Все это я знала, но слушала, ловя каждое слово, — ведь впервые прекрасно известную мне историю излагал один из ее главных персонажей. Как будто моя любимая книга оживала на сцене.

— Мне хотелось вернуться домой на выходные. Был один мальчик... — Она подмигнула мне. — Разве не всегда все дело в мальчике?

Я не была в этом уверена, но все равно улыбнулась в ответ.

— В соседний дом переехал новый мальчик. Сэмюель Джеймс, так его звали. Самое красивое создание на свете. — Ее глаза блестели, словно искры от костра зажгли зрачки. — Я встретилась с ним тем летом, сразу влюбилась, и мы сказочно проводили время вместе. Грешили... — Она приподняла брови, а я усмехнулась. — Последние два месяца, с тех пор как начался новый учебный год, я ужасно скучала по нему. Рыдала и умоляла родителей забрать меня из школы, но все впустую. Они меня наказывали, — произнесла она с горькой ухмылкой. — На экзамене по истории у меня отняли шпаргалку и на той же неделе поймали с сигаретой во дворе за школой. Недопустимо — даже по моим меркам. Вот и пришлось мне тащиться в этот поход, потому что они решили: стоит разлучить меня с лучшими друзьями, и я сразу превращусь в ангела. В конце концов, я действительно оказалась наказанной. Только не уверена, что по заслугам.

— Конечно нет, — активно запротестовала я. — Как вы сюда попали?

Хелена вздохнула:

— Мы с Маркусом договорились встретиться вечером, когда все уйдут спать. Он единственный припас пачку сигарет, поэтому еще два мальчика увязались за ним, ну и Джоана, конечно. — Хелена нежно взглянула на подругу, сидящую по другую сторону от костра. — Она боялась оставаться в палатке одна. Мы отошли от лагеря, чтобы учителя не увидели огоньки сигарет и не учуяли запах. Шли совсем недолго, всего несколько минут, однако очутились именно здесь. — Она пожала плечами. — Другого объяснения у меня нет.

— Наверное, ужасно испугались?!

— Не больше, чем вы. — Она подмигнула. — К тому же мы были вместе. Не знаю, как бы я со всем этим справилась в одиночку.

Она ждала, что я что-нибудь отвечу, но я молчала. Не в моем характере изливать душу. Если только не перед Грегори.

— Вы, наверное, еще не родились, когда мы пропали. Откуда вам столько известно?

— Я росла крайне любознательным ребенком.

— Любознательным — это точно. — Она снова принялась изучать меня, и я отвела взгляд, посчитав ее внимание излишне назойливым.

— Вы что-то знаете о семьях остальных? — Она кивнула на сидящих у костра.

— Да. — Я по очереди взглянула на каждого и увидела за ними лица их родителей. — Знать — это стало делом всей моей жизни. Я годами изучала историю каждого из вас и мечтала, что когда-нибудь мне доведется узнать, что хоть кто-то вернулся домой.

— Что ж, спасибо. Теперь благодаря вам мне кажется, что я пусть всего на шаг, но стала ближе к дому.

Мы помолчали. Хелена погрузилась в воспоминания.

Потом она снова заговорила:

— Моя бабушка была гордой женщиной, Сэнди. Она вышла замуж за дедушку в восемнадцать лет, и они родили шестерых детей. Ее младшая сестра, которую никак не удавалось выдать замуж, спуталась с каким-то загадочным мужчиной, чье имя так и осталось тайной, и ко всеобщему потрясению родила мальчика. — Хелена фыркнула. — То, что ребенок оказался почти точной копией моего дедушки, не прошло для бабушки незамеченным. Как и шиллинги, исчезавшие из семейной шкатулки в тот же самый день, когда у мальчика появлялась новая одежда. Конечно, все это чистое совпадение, — монотонно пробубнила она, укладывая ногу на ногу, — ведь в стране много голубоглазых мужчин с каштановыми волосами, а дедушкина слабость к выпивке хорошо объясняла дыры в семейном бюджете. — Ее глаза сверкнули.

Я смущенно посмотрела на нее.

— Прошу прощения, Хелена, но не очень понимаю, зачем вы мне все это рассказываете.

Она улыбнулась:

— Ваше появление здесь, перед нами, тоже можно счесть одним из величайших совпадений.

Я кивнула.

— Только моя бабушка никогда не верила в совпадения. Как и я. Вы здесь по какой-то причине, Сэнди.

Глава тринадцатая

Хелена подбросила в угасающий костер очередную ветку, под весом которой по стенкам пылающей башенки скатился свежий пепел. Тлеющие угольки вспыхнули с новой силой, и пламя сонно поползло вверх по сучьям, посылая нам с Хеленой свое тепло.

Мы проговорили с ней несколько часов. Я посвятила ее в мельчайшие детали жизни ее семьи. Как только я поняла, в какой компании оказалась, меня начало охватывать странное чувство. Оно подступало очень медленно, накатывало волнами, и после каждой такой волны веки все больше наливались тяжестью, мысли текли медленнее, а мышцы расслаблялись. Все это происходило постепенно, но, поверьте, достаточно ощутимо.

Всю жизнь окружающие твердили мне, что вопросы, которые я задаю людям, лишены смысла, а от чрезмерного интереса, который я питаю к пропавшим, никакой практической пользы. И вдруг здесь, в этом лесу, выясняется, что каждый мой глупый, бестактный, бессмысленный и ненужный вопрос, касавшийся Хелены Диккенс, лично для нее имел огромное значение. А мне стало ясно, что и у бесконечного поиска, и у нескончаемых вопросов, задаваемых себе и другим, есть вполне реальная причина. Но еще больше потрясло меня то, что эта причина была не единственной, — рядом со мной у костра сидели еще четыре такие же.

Ох, какое облегчение. Его-то я и почувствовала. Впервые с того дня, как мне исполнилось десять лет, тяжесть, постоянно давившая мне на плечи, исчезла.

Над соснами посветлело, в верхушках зажглось солнце, день прогонял ночь, и небо постепенно окрашивалось прохладной голубизной. Птицы, молчавшие все темное время суток, теперь разогревали голосовые связки, и это походило на звучащий вразброд оркестр, настраивающий перед началом концерта инструменты. Бернард, Дерек, Маркус и Джоана заснули в спальных мешках, укрывшись одеялами, и выглядели так же, как в ту памятную ночь школьного турпохода. Интересно, тогда они тоже спали или бродили по лесу? И что им снилось все эти годы? Может, хотя бы во сне они снова обнимали своих близких? Или потайная дверца в наш мир захлопнулась за ними раз и навсегда?

Случайно мы все здесь очутились или нет? Может, мы попали в трещину, возникшую при сотворении Земли, провалились в черную дыру на ее поверхности? Или все это — некая часть жизни, о которой на протяжении столетий никто ни разу не догадался? Может, мы заблудились и пропали без вести, а может, наоборот, мы — выходцы из здешних мест и наша так называемая нормальная жизнь на самом деле — всего лишь чья-то ошибка? Вдруг это место предназначается для тех, кто считает себя неудачником, и только тут наконец-то чувствует облегчение? Несмотря на то что я вроде бы избавилась от гнетущей тяжести, вопросы продолжали сыпаться. Мир вокруг стал другим, но что-то в нем осталось неизменным.

— Вы здесь счастливы? — Я окинула взором спящих. — Каждый из вас?

Хелена мягко улыбнулась.

— Все мы задавались вопросом, почему это с нами произошло, но так и не нашли ответа. Да, мы счастливы. У каждого из нас жизнь, полная счастья. — Она помолчала, потом снова заговорила, поглядывая на меня с каким-то загадочным и одновременно довольным выражением лица, будто радовалась понятной только ей шутке. — Вы можете верить или не верить, Сэнди, но мы все очень счастливы. Мы прожили тут гораздо больше лет, чем в том, другом мире. Для нас прошлое — приятное, но далекое воспоминание.

Я окинула взглядом местность вокруг костра. У них ничего не было. Только маленькие дорожные сумки, а в них — чайные пакетики, фарфоровая посуда, совершенно здесь неуместная, и печенье. Еще одеяла и спальные мешки, свитера и теплые шарфы. Неподалеку я заметила еще кое-что из одежды, сложенной в стопки. Пять человек спали под открытым небом, завернувшись в одеяла, и единственными источниками тепла и света им служили солнце и костер. И так на протяжении сорока лет. Как они могли быть по-настоящему счастливы? Не рваться отчаянно назад, к нормальной жизни, в которой существуют принадлежащие нам вещи и желанное общество других людей?

Я разглядывала все, что меня окружает, и качала головой.

Хелена приподняла брови.

— Что вас удивляет?

— Извините. — Я смутилась. Она поймала меня на том, что жизнь, которая их вроде вполне устраивает, показалась мне жалкой. — Просто сорок лет — такой долгий срок, чтобы провести его... — я подняла глаза на поляну, — чтобы провести его здесь.

На лице Хелены вспыхнуло изумление.

— Ох, простите, простите, пожалуйста. — Я смутилась еще больше. — Мне вовсе не хотелось вас обидеть...

— Сэнди, Сэнди, — прервала она меня. — Но это вовсе не весь наш мир.

— Знаю, знаю, — закивала я. — Вы есть друг у друга, и потом...

— Да нет же. — Хелена засмеялась и одновременно залилась краской смущения. — Извините, я думала, вы знаете. Каждый год мы вместе отправляемся в лес к костру, чтобы отметить годовщину нашего исчезновения. Я решила, что вы вспомните дату. Именно на эту поляну мы попали в самом начале, сорок лет назад. Точнее, именно в этом месте мы впервые осознали, что уже не дома. В остальное время мы тоже поддерживаем отношения, однако у каждого из нас более или менее самостоятельная жизнь.

— Как это? — растерялась я.

— Люди все время пропадают без вести, вы же знаете. И там, где они собираются, начинается жизнь, зарождается цивилизация. Сэнди, в пятнадцати минутах ходьбы отсюда лес заканчивается и начинаются совершенно новые края.

Я была потрясена. Открывала и закрывала рот, но не могла произнести ни слова.

— Интересно, что вы попали сюда именно сегодня, а не в какой-то другой день, — задумчиво сказала Хелена.

Я вскочила:

— Вставайте же, быстрее. Покажите мне эти места, о которых вы говорите. Не будем никого будить.

— Нет. — Голос Хелены стал жестким, а улыбка быстро увяла.

Она протянула руки и схватила меня за запястья. Я попыталась вырваться, потому что контакт мне не понравился, но это ее не остановило. Я не могла пошевельнуться — так крепко она меня держала. Ее лицо окаменело.

— Мы не бросаем друг друга, не исчезаем и не уходим без предупреждения. Будем сидеть здесь, пока они не проснутся.

Она отпустила меня и покрепче укуталась в палантин, снова становясь той самой осторожной женщиной, какой была вечером. Потом пристально оглядела своих друзей, словно стояла на часах, и я вдруг поняла, что она бодрствовала всю ночь вовсе не из-за меня. Просто подошла ее смена.

— Мы останемся здесь, пока они не проснутся, — повторила она твердо.

Джек сидел на краю кровати и смотрел на Глорию, которая спала с легкой улыбкой на лице. Было раннее утро понедельника, и он как раз вернулся домой. Напрасно прождав Сэнди Шорт, так и не явившуюся на встречу, он весь день объезжал окрестные мотели и гостиницы, чтобы выяснить, не остановилась ли она там. Существовало столько причин, способных помешать ей прийти в кафе: он убедил себя, что ее отсутствие вовсе не означает прекращение поисков. Она могла просто проспать или задержаться в Дублине и не попасть в Лимерик. Вдруг у нее умер кто-то из родственников или какое-то другое дело срочно увлекло ее из Лимерика? Может быть, именно сейчас она едет к нему, сквозь ночь пробираясь к Глайну. Он изобретал самые разные теории, но мысль о том, что она сознательно бросила его, не посетила Джека ни разу.

Произошла какая-то ошибка, вот и все. Сегодня в обеденный перерыв он вернется в Глайн и узнает, не приехала ли она. Семь дней он жил в ожидании этой встречи и не собирался сдаваться. За неделю телефонных переговоров Сэнди дала ему гораздо больше надежды, чем кто бы то ни было за весь прошедший год. Их беседы поддерживали в нем уверенность, что она его не оставит.

Он собирался все рассказать Глории, действительно собирался. Уже протянул руку, чтобы дотронуться до ее плеча и осторожно потрясти, но рука остановилась на полпути. Наверное, лучше подождать, пока он не встретится с Сэнди. Глория сонно вздохнула, подтянула колени к груди и перевернулась на другой бок.

Она удобно угнездилась под одеялом, повернувшись спиной к Джеку и его протянутой руке.

Глава четырнадцатая

Ровно за неделю до того дня, когда Сэнди не пришла на назначенную встречу, Джек осторожно закрыл дверь спальни, примыкающей к гостиной, чтобы не потревожить спящую Глорию. На диване валялись открытые «Желтые страницы», настойчиво следившие за ним, пока он двигался по дальней стороне комнаты, посматривая поочередно то на телефонную книгу, то на дверь спальни. Он остановился и повел пальцем по странице, пока не нашел нужную строчку. Организация «Свет над крыльцом», помощь родным и близким пропавших без вести. После исчезновения Донала Джек вместе с сестрой Джудит пытались уговорить мать обратиться в «Свет над крыльцом», но та отказалась — помешала въевшаяся ирландская привычка никогда не обсуждать свои проблемы с посторонними. Под объявлением значился также телефон агентства по розыску пропавших лиц и имя — Сэнди Шорт. Он

взял мобильный и на всякий случай включил телевизор, чтоб заглушить разговор, — вдруг Сэнди
не спит и возьмет трубку. Набрал номер, который
записал в телефон, когда впервые наткнулся на
объявление. Звонок прозвучал дважды, а потом
женский голос ответил:

— Алло!

Джек вдруг позабыл, что собирался сказать.

— Алло! — на этот раз голос звучал мягче. —
Грегори, это ты?

— Нет. — Он наконец-то вновь обрел дар
речи. — Меня зовут Джек, Джек Раттл. Я нашел
ваш номер в «Желтых страницах».

— Ох, извините! — Женщина вновь заговорила деловым тоном: — Я ждала другого звонка.
Меня зовут Сэнди Шорт, — представилась она.

— Здравствуйте, Сэнди. — Джек расхаживал
по маленькой гостиной, пробираясь между не-
ровно разложенными разномастными ковриками,
покрывающими старые деревянные половицы. —
Извините, что так поздно звоню. — Проходя
мимо спальни, он ускорил шаг.

— Не беспокойтесь. Звонок в ночной час —
сладкий сон страдающего бессонницей, извините
за каламбур. Чем могу помочь?

Он остановился и схватился за голову. Что он
делает?

Голос Сэнди снова стал мягким:

— Кто-то из ваших близких пропал?

— Да, — только и смог ответить Джек.

— Сколько времени прошло с тех пор? — Он
слышал, как она ищет бумагу.

— Год. — Джек присел на валик дивана.

— Как зовут этого человека?

— Донал Раттл. — Он проглотил комок в горле.

Сэнди помолчала, потом повторила:

— Да, Донал, — в голосе прозвучало узнавание. — Вы его родственник?

— Брат... — Голос Джека сорвался, и он понял, что не сможет продолжать.

Нужно сделать паузу, а потом начать жить снова, как все остальные члены семьи. Что за глупость — решить, будто женщина из телефонной книги, страдающая бессонницей, женщина, которой просто некуда девать время, сможет добиться успеха в деле, оказавшемся не по зубам полиции.

— Извините, мне действительно очень неловко. Зря я вас потревожил, — с трудом выдавил он. — Простите, что потратил ваше время.

Он быстро прервал связь и плюхнулся на диван, прямо на свои папки, смущенный и выдохшийся, роняя на пол фотографии улыбающегося Донала.

Через минуту мобильный зазвонил. Он быстро протянул за ним руку, испугавшись, как бы звонок не разбудил Глорию.

— Донал? — выдохнул он, вскакивая.

— Джек, это Сэнди Шорт.

Молчание.

— Вы всегда так отвечаете на звонки? — спокойно спросила она.

Он не находил слов.

— Если да и вы все еще ждете, что брат позвонит, значит, вы обратились по адресу. Вы так не считаете?

Сердце колотилось у него в груди.

— Как вы узнали мой номер?

— По определителю.

— Мой номер не определяется.

— Я ищу людей, Джек. Это моя работа. И есть шанс, что мне удастся разыскать Донала.

Он взглянул на разбросанные вокруг фотографии. Младший брат дерзко улыбался ему со всех сторон, как в детстве, словно приглашал сыграть в прятки.

— Вы вернулись? — спросила она.

— Да, я слушаю, — ответил он, направляясь на кухню, чтобы налить себе кофе и приготовиться к долгому бдению.

На следующую ночь, ровно в два часа, когда Глория спала, Джек, разложив перед собой сотни страниц полицейских отчетов, прилег на диван и набрал номер Сэнди.

— Вижу, вы разговаривали с друзьями Донала, — сказала Сэнди, и Джек услышал, как она листает страницы, которые он прислал ей днем по факсу.

— По многу раз, — ответил он устало. — На самом деле я собираюсь еще раз поговорить с одним из них в субботу, когда буду в Трали. Я там записался на прием к стоматологу, — добавил он неожиданно для самого себя и тут же удивился, зачем это сделал.

— Стоматолог — бр-р-р, пусть мне лучше выколют глаза, — пробормотала она.

Джек рассмеялся.

— Что, в Фойнсе нет зубных врачей?

— Мне нужен специалист.

Он различил в ее голосе улыбку.

— А в Лимерике специалистов нет?

— Ладно, ладно, — сдался он, — вообще-то я хотел задать другу Донала еще несколько вопросов.

— Трали, Трали, — повторила она, листая бумаги. — Ага. — Шелест листов прекратился. — Эндрю из Трали, приятель по колледжу, работает веб-дизайнером.

— Да, он.

— Вряд ли Эндрю известно что-то еще, Джек.

— Откуда вы знаете?

— Сужу по его ответам на вопросы полиции.

— Я их вам не присылал, — насторожился Джек.

— Когда-то я сама работала в полиции. Так сложилось, что это практически единственное место, где мне удалось найти друзей.

— Мне нужно видеть это досье. — Сердце Джека учащенно забилось.

Появилось что-то новое, неизвестные ему сведения, и их можно анализировать долгими ночами.

— Мы можем встретиться в ближайшее время. — Она вежливо ушла от ответа. — Полагаю, еще один разговор с Эндрю не повредит.

Он услышал, как она снова листает страницы.

— Что вы ищете?

— Фотографию Донала.

Джек вынул ее из кучи бумаг и тоже стал на нее смотреть. Он уже привык к ней, и с каждым днем она становилась все больше похожа просто на снимок, а не на его брата.

— Симпатичный парень, — сделала комплимент Сэнди. — У него красивые глаза. Вы с ним похожи?

Джек засмеялся:

— После ваших слов мне хочется ответить «да».

Они продолжили изучать бумаги.

— Вы не спите? — спросила Сэнди.

— Нет. С тех пор, как пропал Донал. А вы?

— Я никогда не была соней.

Джек прыснул.

— В чем дело? — вскинулась Сэнди.

— Да ни в чем. Просто мне понравилось, как вы сказали «соня», — ответил он весело, подгребая листы бумаги на колени.

В глубокой тишине дома он вслушивался в дыхание и голос Сэнди и пытался представить себе, как она выглядит, где находится и о чем думает.

После продолжительного молчания ее голос прозвучал спокойнее:

— Я держу в уме множество данных о пропавших без вести. Мне приходится много размышлять, заглядывать в разные углы и задавать кучу вопросов, и потому сон с трудом пробивается ко мне. Во сне никого не отыщешь.

Джек взглянул на закрытую дверь спальни и согласился с Сэнди.

— Вот только зачем я все это вам рассказываю — сама не знаю, — проворчала она сквозь шелест бумажных листов.

— Скажите честно, Сэнди, какой у вас процент успеха?

Шелест стих.

— Это зависит от того, насколько сложное дело. Не хочу обманывать: случай Донала — трудный. Широкомасштабные поиски уже провели, и ничего не нашли. В подобных ситуациях у меня немного шансов. Обычно я нахожу примерно сорок процентов пропавших без вести. Но вы должны знать, что не все, кого мне удается отыскать, возвращаются к семьям. К этому нужно быть готовым.

— Я готов. Если Донал лежит где-то в яме, я хочу вернуть его, чтобы мы могли нормально похоронить его и устроить поминки.

— Я не это имела в виду. Иногда люди сознательно исчезают.

— Донал так бы не сделал, — возразил Джек, вздохнув с облегчением.

— Может, и нет. Но я знаю случаи, когда люди, очень похожие на Донала, из семей, очень похожих на вашу, по собственной воле ломали привычную жизнь, ни словом не предупредив близких.

Джек медленно переваривал услышанное. Ему не приходило в голову, что Донал мог решиться на такое. Нет, это в высшей степени неправдоподобно.

— Вы мне скажете, где он, если найдете его?

— Если он не захочет, чтобы его нашли? Нет, не скажу.

— Но что нашли его, сообщите?

— Это зависит от вашей готовности согласиться, что никогда не узнаете, где он.

— Я только хочу знать, что он жив, здоров и счастлив, где бы он ни был.

— Что ж, тогда я вам скажу.

После долгого молчания Джек спросил:

— У вас много работы? Разве в тех редких случаях, когда люди пропадают без вести, их близкие не обращаются в полицию?

— У меня и впрямь немного таких сложных дел, как исчезновение Донала, но всегда есть, кого или что искать. Кроме того, есть исчезновения, которыми полиция не может и не хочет заниматься.

— Например?

— Вы и вправду хотите это знать?

— Я хочу знать все. — Джек посмотрел на часы: полтретьего ночи. — К тому же мне все равно нечего делать.

— Ладно, слушайте. Иногда я нахожу людей, с которыми давно утрачены все контакты — забытых дальних родственников, бывших школьных друзей… Иногда приемные дети пытаются отыскать своих биологических родителей, ну и прочее в том же духе. Я сотрудничаю с Армией спасения, стараюсь отслеживать человеческие судьбы. Но есть гораздо более серьезные случаи, например, когда люди исчезают по собственному желанию, и семьи просто хотят узнать, где они.

— Но откуда полицейским известно, что человек пропал по собственной воле?

— Некоторые оставляют записки, сообщают, что не хотят возвращаться. — Он услышал, как зашуршала бумага. — Иногда берут с собой личные вещи, а кто-то перед уходом выражает недовольство тем, как ему жилось.

— Что вы едите?

— Шоколадный бисквит, — ответила она с полным ртом, прожевала и проглотила кусок. — Извините, вы хорошо меня слышите?

— Ну да, вы едите шоколадный бисквит.

— Нет, я не про это, — усмехнулась она.

Джек уточнил:

— Значит, люди приходят к вам, когда полиция отказывается заниматься их делом.

— Именно. С помощью других ирландских агентств по поиску пропавших лиц я веду много дел, которые в полиции квалифицируются как неопасные. Если человек оставил дом по собственному желанию, его не могут признать пропавшим без вести. Правда, родственники и друзья от этого беспокоятся не меньше.

— То есть об этих людях просто забывают?

— Нет, в участке регистрируют заявление, но масштаб розыскных мероприятий оставляют на усмотрение местной полиции.

— А что, если человек, чувствовавший себя невероятно несчастным, решил немножко побыть в одиночестве, упаковал чемоданы, а потом взял и пропал по-настоящему? Никто не станет искать его только потому, что он выражал недовольство своей жизнью? Но ведь мы все время от времени жалуемся на жизнь, разве нет?

Сэнди молчала.

— Я не прав? Вот вы, разве вы не хотели бы, чтобы вас нашли?

— Джек, я скажу вам одно. Единственная вещь, которая приводит в отчаяние больше, чем невозможность кого-то отыскать, — это когда не могут найти тебя. Я бы очень хотела, чтобы меня кто-нибудь нашел. Больше всего на свете хотела бы, — твердо сказала она.

Они оба помолчали в задумчивости.

— Пожалуй, я уже пойду, — зевнул Джек. — Мне через несколько часов на работу. А вы собираетесь ложиться спать?

— Попозже. Сначала еще раз прочитаю досье.

Джек озадаченно покачал головой.

— Хочу, чтоб вы знали: даже если вы скажете, что никого никогда не найдете, я все равно буду ждать вашего звонка.

Она ответила не сразу:

— А я, даже если действительно никого не найду, буду ждать вашего.

Глава пятнадцатая

Д жек проснулся раньше Глории, как обычно. Ее голова покоилась у него на груди, длинные каштановые волосы рассыпались и щекотали ребра. Он тихо и осторожно отодвинулся и выскользнул из постели. Глория сонно мяукнула и устроилась поудобнее. Он принял душ, оделся и вышел из дома, а она все еще спала.

По утрам он всегда просыпался первым, чтобы к восьми успеть на работу. Глория, водившая экскурсии по плавучему кораблю-музею Фойнса, начинала не раньше десяти. Музей, главная туристическая достопримечательность городка, был посвящен истории Фойнса в 1939–1945 годы, когда здесь находился авиационный центр мира, потому что через здешний аэродром шло воздушное сообщение между США и Европой. Говорливая и дружелюбная Глория, владевшая несколькими иностранными языками, с марта по октябрь работала здесь гидом.

Помимо музея, городок славился еще изобретением айриш-кофе[1]. В промозглую погоду людям, мерзнущим на аэродроме в ожидании самолета, требовалось что-нибудь покрепче обычного кофе. Так и появился кофе по-ирландски.

Еще несколько дней, и в Фойнс съедутся музыкальные группы для участия в летнем Фестивале айриш-кофе, фермеры устроят на музейной площади рынок, соберутся участники и болельщики регаты, дети разрисуют городской асфальт. А спонсором праздничного фейерверка выступит, как всегда, компания Шеннон-Фойнс-Порт, куда этим утром и направлялся Джек.

Джек поздоровался с коллегами, перебросился кое с кем из них парой слов, устроился в гигантском металлическом кране и приступил к погрузке корабля. Он любил свою работу. Ему нравилось думать, что где-то на чужой земле кто-то такой же, как он, будет выгружать старательно уложенные им контейнеры. Ему нравилось ставить вещи на место. Он верил, что у всего на свете должно быть свое место: у каждой единицы груза, хранящегося на складе в доке, у каждого мужчины и каждой женщины, работающих вместе с ним. Свое место, своя роль в жизни. Весь день он занимался одним и тем же делом: перемещал предметы на правильное место.

В ушах у него снова и снова звучал голос Сэнди: «Единственная вещь, которая приводит

---

1 Айриш-кофе — кофе по-ирландски, горячий напиток из крепкого кофе, сахара, ирландского виски и взбитых сливок.

в отчаяние больше, чем невозможность кого-то отыскать, — это когда не могут найти тебя. Я бы очень хотела, чтобы меня кто-нибудь нашел. Больше всего на свете хотела бы».

Он аккуратно установил груз на корабль и спустился вниз, где под удивленными взглядами коллег снял шлем, бросил его на землю и побежал прочь. Одни смотрели на него с недоумением, другие — со злостью, и только самые близкие из работавших с ним поняли, в чем дело. Они начали догадываться еще год назад: Джеку больше невмоготу сидеть на своем насесте высоко над землей. Так высоко, что кажется, будто видишь все графство и всех, кто его населяет. Всех, кроме брата.

Что же касается самого Джека, то он мчался к своей машине и думал лишь о том, что должен найти Сэнди. А уж она-то сумеет доставить Донала обратно, в то самое место, которое принадлежит ему и только ему.

Назойливые расспросы Джека о Сэнди Шорт в гостиницах и мотелях округи начали вызывать недоумение. Служащие, поначалу настроенные дружелюбно, становились все более раздражительными, а когда он пытался связаться по телефону с кем-нибудь из начальства, его все чаще обрывали, даже не дослушав. Теряясь в догадках — куда могла запропаститься Сэнди, — Джек вышел на берег Шеннона и глубоко вдохнул свежий речной воздух. Эта река играла в его жизни выдающуюся роль. С самого детства он хотел работать в Шеннон-Фойнс-Порт. Ему нравилась суматоха шумных доков с их машинами-монстрами, которые выстраивались вдоль берега, словно металлические цапли с длинными стальными ногами и клювами.

Он всегда ощущал свою связь с рекой и хотел быть причастным ко всему, что она трудолюбиво переносила на своих водах. Как-то родители вывезли семью на лето в Литрим, и эти каникулы запомнились Джеку как никакие другие. Донал тогда еще не родился, а Джеку не исполнилось и десяти лет. Именно тем летом он узнал, где берет начало широкая река, медленно и спокойно текущая по графству Каван, чтобы потом, вобрав в себя из прибрежной почвы все секреты окрестных земель, напитавшись их духом, устремиться вперед все быстрей и быстрей. Ее притоки, словно артерии, связавшие ее с самым сердцем страны, загадочно и возбужденно журча, нашептывали ей свои тайны, а она принимала их и несла дальше, в Атлантический океан, где они растворялись и терялись без следа — вместе со всеми надеждами и сожалениями большого мира. Это было похоже на игру в «испорченный телефон», когда тихий и еле различимый шепот, усиливаясь от игрока к игроку, в устах последнего превращается в громкий крик. Так почти неслышный плеск, с каким свежеокрашенные деревянные лодки скользили по поверхности воды у городка Каррик-он-Шеннон, постепенно набирал мощь благодаря стальным громадам кораблей, лязганью высоченных кранов и яркой суматохе складов. Это и был Шеннон-Фойнс-Порт — место, где робкие речные звуки разрастались до грохота.

Джек бесцельно брел вниз по безлюдной дороге вдоль устья Шеннона, радуясь ее тишине и покою. Замок Глайна вскоре исчез за деревьями. Вспышка яркого красного света озарила зеленоватое небо над темной зоной, которая когда-то использовалась как автостоянка, а теперь превратилась в место прогулок и наблюдений за птицами. Бетонное покрытие стало неровным, белые линии на нем выцвели, а сквозь многочисленные трещины пробивалась трава. Там приткнулась старая красная «фиеста» — побитая, исцарапанная, давно растерявшая весь свой блеск. Джек резко остановился, сразу же узнав машину, которая прошлым утром у автозаправки проглотила длинноногую красавицу, словно хищная мухоловка.

Его сердце забилось быстрее, и он огляделся вокруг, надеясь увидеть девушку, но вокруг не было ни души. На приборной доске пластиковый стаканчик с кофе, на пассажирском сиденье — сложенные стопкой газеты, рядом — полотенце... Воображение Джека неожиданно забурлило. Может, она совершает пробежку где-то неподалеку? Он отошел, опасаясь, что она застанет его у машины, пялящимся в окна. Удивительное совпадение — вторая встреча в другой, но тоже пустынной местности — пробудило любопытство, которое мешало ему развернуться и уйти. И возможность еще раз крикнуть ей «Привет!» наполняла его радостью, особенно желанной в такой неудачный день, как сегодня.

После сорокапятиминутного ожидания на Джека навалились огорчение и разочарование.

Машина выглядела так, будто проторчала на пустыре много лет, но он-то точно знал, что еще вчера утром она катилась себе по дороге. Он подошел поближе и прижался лицом к стеклу.

Сердце его едва не остановилось. Он покрылся гусиной кожей, по телу пробежала дрожь.

На приборной доске, рядом со стаканчиком кофе и мобильным телефоном, на экране которого мигало напоминание о пропущенных вызовах, лежала толстая коричневая папка. Сделанная четким почерком надпись на обложке гласила: «Донал Раттл».

Глава шестнадцатая

Носком ботинка я как бы случайно ударила по блюду, на котором раньше лежало шоколадное печенье, и по поляне разнеслось громкое эхо. На усыпанной хвоей почве лежали в ленивых позах четыре спящих тела, и храп Бернарда набирал силу с каждой минутой. Я глубоко вздохнула, ощущая себя несносной девочкой-подростком, ошалевшей от гормонов и не знающей, куда себя девать. Хелена, с которой за последний час мы не обменялись ни словом, приподняла брови и недоуменно посмотрела на меня, стараясь показать, будто не замечает моих мучений, хотя было видно, что они ее забавляют. За прошедший час я уже «случайно» задевала фарфоровый чайник, роняла на Джоану пачку печенья и довольно громко кашляла. Но они продолжали спать, а Хелена ни за что не хотела проводить меня или хотя бы подсказать дорогу туда, где за лесом начиналась другая жизнь.

Услышав вдали смех, я попыталась сама выбраться из леса, но, потыкавшись в стройные ряды совершенно одинаковых сосен, в конце концов решила, что хватит с меня того, что я потерялась один раз. Заблудиться снова, тем более в таких обстоятельствах, было бы верхом глупости.

— Сколько они обычно спят? — громко и раздраженно спросила я, надеясь, что мой голос их потревожит.

— Не меньше восьми часов.

— А они едят?

— Три раза в день, и довольно плотно. Дважды в сутки я их выгуливаю. Бернард предпочитает поводок. — Хелена рассеянно улыбнулась, словно что-то припоминая. — Ну и, разумеется, время от времени я их по очереди вычесываю, — заключила она.

— Я имела в виду, собираются ли они завтракать здесь, — сказала я, с отвращением озирая поляну и уже не думая о том, как бы не оскорбить их традицию ежегодного юбилейного пикника. Сдерживать возбуждение не получалось, но мне не нравилось, когда меня на этом ловили. Обычно я поступала в жизни, как хотела, не оглядываясь на окружающих. Даже в доме собственных родителей никогда не задерживалась надолго: едва приехав погостить, хватала сумку и убегала. Но здесь бежать было некуда.

Где-то вдалеке снова раздался смех.

— Что это за шум?

— По-моему, люди называют это смехом. — Сидя на спальном мешке, Хелена казалась непринужденной и одновременно собранной.

— У вас часто бывают проблемы в отношениях с людьми?

— А у вас?

— Да, — твердо ответила я, а она улыбнулась.

Я перестала хмуриться.

— Просто я просидела в этом лесу уже два дня.

— Это извинение?

— Обычно я не извиняюсь. Только если действительно есть за что.

— Вы мне напоминаете меня саму, когда я была молодой. Моложе то есть. Потому что я все еще молодая. Что же вас в вашем юном возрасте так раздражает?

— Я чувствую себя некомфортно в обществе людей. — Я снова услышала обрывок смеха и оглянулась.

Хелена продолжила как ни в чем не бывало:

— Ну, конечно, вам некомфортно с людьми. Вы ведь тратите большую часть своего времени на их розыск.

Я решила не реагировать на это заявление.

— Вы что, не слышите эти звуки?

— Я выросла возле железнодорожной станции. Когда друзья оставались у меня ночевать, они спать не могли из-за шума. А я так привыкла, что ничего не слышала. Зато от скрипа деревянных ступенек, по которым родители поднимались утром ко мне в спальню, сразу просыпалась. Вы замужем?

Я удивленно вытаращила глаза.

— Будем считать, что это означает «нет». У вас есть друг?

— Временами.

— А дети?

— Дети меня не интересуют. — Я потянула носом воздух. — Чем это пахнет? И кто это смеется? Рядом кто-то есть?

Я безостановочно вертела головой, как собака, пытающаяся поймать муху. Я не могла понять, откуда прилетают все эти звуки. Стоило мне подумать, что они раздаются где-то за спиной и обернуться, как звук тут же менял направление.

— Они повсюду, — лениво пояснила Хелена. — Новенькие обычно сравнивают это со стереосистемой. Наверное, вам это сравнение понятнее, чем мне.

— Кто производит весь этот шум? И кто здесь курит сигару? — Я снова потянула воздух носом.

— Вы задаете много вопросов.

— А вы не задавали, когда очутились здесь? Хелена, я не знаю, где нахожусь и что происходит, а вы даже не пытаетесь мне помочь.

Наконец-то она спохватилась и смущенно вскинула ресницы.

— Извините. Забыла, как это бывает. — Она замолчала, прислушиваясь к звукам. — Смех и эти запахи — часть здешней атмосферы. Кстати, что вам известно о людях, которые оказываются здесь?

— Что они пропали без вести.

— Вот именно. Точно так же сюда попадают исчезнувшие смех, плач и запахи.

— Как это? — спросила я, окончательно растерявшись.

— Иногда у людей пропадает нечто большее, чем носки, Сэнди. Вы можете просто забыть, куда их положили. Когда вы что-то забываете — это как бы пропажа частички вашей памяти, вот и все.

— Но можно же потом вспомнить.

— Конечно. Только нельзя вспомнить все. И вам не удается найти все вещи. Те, что вы не находите, как раз и попадают сюда. Так же как и чье-то прикосновение или запах, точное воспоминание о чьем-то лице или звуке голоса.

— Странно, — покачала я головой, не в состоянии осмыслить услышанное.

— На самом деле все очень просто, если объяснять это таким образом. Подумайте, у всего на свете есть собственное место, и, когда вещь его покидает, она неизбежно должна оказаться где-то еще. Здесь как раз и находится то самое место, куда переходят такие вещи. — Она широко развела руки, чтобы обозначить все, что нас окружало.

Неожиданно меня озарила догадка.

— И вам удалось услышать собственный смех или слезы?

Хелена печально кивнула:

— Очень часто.

— Очень часто? — изумленно переспросила я.

Она улыбнулась:

— Понимаете, мне повезло — меня любило много людей. А чем больше людей тебя любит, тем больше частичек их памяти попадает сюда. Не делайте такое лицо, Сэнди. Все не так безнадежно, как кажется. Люди вовсе не хотят утрачивать память. Хотя, конечно, есть вещи, которые мы предпочли бы забыть. — Она подмигнула мне. — Вполне возможно, что настоящий звук моего смеха подменило новое воспоминание о нем. Или же мой запах, оставшийся в спальне или на одежде, запах, который они так старались запомнить, стал другим через несколько месяцев после моего исчезновения, потому что память о нем все же утрачена. Подозреваю, что мое сегодняшнее представление о мамином лице сильно отличается от ее действительного облика. Но ведь прошло сорок лет, и у меня ни разу не было возможности проверить свои воспоминания, — как же я могу быть в чем-то уверена? Нельзя навсегда удержать при себе все вещи, как за них ни цепляйся.

Я представила себе день, когда услышу проплывающий надо мной звук собственного смеха, и поняла, что со мной такое может произойти всего один раз. Потому что на свете существует лишь один человек, которому известен мой настоящий смех и плач.

— И точно так же, — Хелена подняла полные слез глаза к небу, которое стало уже совсем светлым, — иногда веришь, будто удалось схватить их и забросить обратно, туда, откуда они прилетели. Наша память — единственный контакт, который у нас сохранился. В памяти мы можем снова и снова обнимать и целовать близких, смеяться и плакать вместе с ними. Это самая главная наша ценность.

Сдавленный смех, свист, сопение и хихиканье просачивались сквозь воздух, вплывали с ветром в уши, легкий бриз доносил до нас слабые запахи — вроде с детства позабытого аромата родного дома или кухни, где весь день пекли пироги. Там был и улетучившийся из материнской памяти запах ее ребенка, ставшего взрослым: смесь детской присыпки, крема и сладко пахнущей леденцами младенческой кожи. И более старые, затхлые запахи вещей любимой бабушки или дедушки: бабушкиной лаванды, дедушкиной сигары, сигарет и трубки. Проплывали запахи бывших любовников: сладковатые духи и лосьон после бритья, аромат утреннего сонного забытья или же просто не поддающийся описанию слабый запах, который каждый оставляет за собой в доме. Личные ароматы столь же драгоценны, как и сами их владельцы. Все запахи, которые человек теряет за свою жизнь, собрались здесь. Я могла лишь прикрыть веки, и вдыхать их, и смеяться в ответ наплывающим на меня звукам.

Выводя меня из транса, зашевелилась в своем спальном мешке Джоана. Сердце снова громко забилось в предвкушении того, что я вот-вот увижу за лесом.

— Доброе утро, Джоана, — пропела Хелена так громко, что ей удалось заодно разбудить и Бернарда.

Он вскочил, поднял голову, пряди-макаронины упали с лысины и рассыпались. Он сонно огляделся, нащупывая рядом очки.

— Доброе утро, Бернард! — Громкое приветствие Хелены заставило открыть глаза и Маркуса с Дереком.

Я подавила смех.

— Ну вот, давайте, глоток хорошего горячего кофе, и вы окончательно проснетесь. — Она придвинула к ним дымящиеся кружки.

Они сонно и растерянно смотрели на нее. Не дав им сделать и по глотку, Хелена сбросила одеяло и вскочила на ноги.

— Ладно, хватит тянуть, пойдемте! — Она аккуратно сложила свое одеяло и принялась упаковывать посуду.

— Почему ты так громко разговариваешь и из-за чего вся эта суматоха? — полузадушенным голосом прошептала Джоана, подняв помятое сном лицо.

— Настал новый день, так что пейте быстрее кофе. Как только все будут готовы, мы отправляемся в путь.

— Зачем? — спросила Джоана, быстро отхлебывая кофе.

— А завтрак? — жалобно, словно ребенок, протянул Бернард.

— Позавтракаем, когда вернемся. — Хелена отобрала у него кружку, плеснула остаток кофе через плечо и засунула ее в сумку. Я упорно глядела в сторону, чтобы не расхохотаться.

— К чему такая спешка? — спросил Маркус. — Что-то случилось? — Он пристально смотрел на нее, все еще не до конца веря в мое присутствие.

— Все в порядке, Маркус. — Она заботливо положила ему руку на плечо. — Просто у Сэнди здесь дела, — улыбнулась она мне.

У меня дела?

— Ой, как здорово. Вы будете ставить пьесу? У нас так давно не было спектаклей, — возбужденно воскликнула Джоана.

— Надеюсь, вы раздадите нам тексты заранее, до прослушивания, чтоб мы могли подготовиться, — озабоченно произнес Бернард.

— Не беспокойтесь, — вскочила на ноги Хелена. — Она все сделает.

Я открыла рот, но Хелена подняла руку, останавливая мои возражения.

— А вы не хотите поставить мюзикл? — спросил Дерек, вешая на плечо гитару. — Было бы здорово поучаствовать в мюзикле!

— Вполне возможно, — произнесла Хелена, словно успокаивая ребенка.

— А групповые прослушивания будут? — слегка запаниковав, спросил Бернард.

— Нет-нет, — возразила Хелена, и я наконец-то догадалась, что она придумала. — Полагаю, Сэнди захочет позаниматься с каждым наедине. Ну, ладно, — она сняла с плеч Бернарда одеяло и стала складывать, а он застыл, разинув рот, — давайте быстренько соберемся и покажем Сэнди все, что тут есть. Ей нужно найти подходящее место для спектакля.

Через минуту Бернард и Джоана были готовы.

— Кстати, вылетело из головы, — прошептала Хелена. — Вы над чем-то работали, когда появились здесь?

— Что вы имеете в виду?

— Расследовали очередное дело? Может, шли по следу пропавшего человека? Это очень важный вопрос, а я позабыла его задать.

— И да, и нет, — ответила я. — Я совершала пробежку на берегу Шеннона, когда очутилась здесь, но причина, по которой я находилась в это время в Лимерике, связана с работой. Пять дней назад я как раз взялась за одно дело. — Я вспомнила ночной телефонный звонок Джека Раттла.

— Спрашиваю, чтобы понять, чем именно этот конкретный человек отличался от всех остальных пропавших, которых вы разыскивали, то есть что именно привело вас сюда. Вы тесно связаны с ним?

Я покачала головой, но подумала, что это не совсем правда. Ночные телефонные беседы с Джеком Раттлом сильно отличались от моего общения с остальными клиентами. Его звонкам я радовалась и с ним могла говорить о самых разных вещах, а не только о деле. Симпатия к Джеку заставляла меня работать усерднее, чтобы разыскать его брата. Кроме него, в моей жизни был только один человек, вызывавший похожие чувства.

— Как звали пропавшего?

— Донал Раттл, — ответила я, вспомнив задорные голубые глаза на фото.

Хелена задумалась.

— Хорошо, можем начать прямо сейчас. Кто-нибудь из вас знает Донала Раттла? — Она оглядела присутствующих.

Глава семнадцатая

Д жек прошелся вдоль красного «форда-фиесты», испытывая смесь нетерпения, разочарования и волнения. В какой-то момент ему остро захотелось остановиться и сверлить взглядом окно у пассажирского сиденья до тех пор, пока дверь сама не откроется, чтобы тут же схватить папку и жадно проглотить ее всю до последней страницы. Потом он успокоился и снова стал расхаживать взад-вперед, не удаляясь от машины. Он поглядывал по сторонам: вдруг Сэнди Шорт вернется. Как бы она не уехала без него.

Джек никак не мог поверить в то, что Сэнди Шорт и есть та женщина с автозаправки. Они прошли друг мимо друга, словно чужие, хотя, как и во время телефонных разговоров, он что-то такое почувствовал, увидев ее. Нечто, что связывало их. В тот момент он объяснил это тем, что они оказались вдвоем на абсолютно пустой бензоколонке в столь ранний час, но теперь знал, что эта связь гораздо прочнее. Кстати, и сейчас он наткнулся на нее в спрятанном от чужих глаз и пустынном месте. Что-то притягивало его к Сэнди. Что-то подсказывало, что с ней он сможет поговорить о Донале. Итак, она все же прибыла в Глайн. Он ведь знал, что Сэнди его не бросит, и она действительно ехала сквозь ночь, как обещала. Найденный автомобиль только добавил новых вопросов. Если она побывала в Глайне, то куда подевалась в субботу, когда они договаривались встретиться?

Джек посмотрел на часы. Прошло три часа с тех пор, как он обнаружил машину, а она так и не появилась. В его измученной голове возник еще один, гораздо более важный вопрос: где Сэнди сейчас?

Он присел на разбитый бордюр неподалеку от машины и занялся тем, к чему за прошедший год привык. Стал ждать. И не собирался сдвинуться ни на дюйм, пока Сэнди Шорт не вернется к своему автомобилю.

Я следовала за группой между деревьями, и мое сердце стучало так громко, что я с трудом различала слова Бернарда, который без умолку рассказывал о своем многолетнем актерском опыте. Время от времени, ощутив на себе его взгляд, я кивала. К моему разочарованию, никакой реакции на имя Донала не последовало: все просто пожали плечами и пробормотали: «Нет, не знаю». Однако сама я реагировала весьма бурно: стоило мне услышать, как Хелена произносит его имя, как все события начали обретать реальность. Возможно, скоро я увижу людей, поисками которых занималась долго-долго, годами.

Мне вдруг показалось, что вся моя жизнь представляла собой дорогу к этому мгновению. Бессонные ночи, нежелание сближаться с потенциальными друзьями, холодок в отношениях с родителями, которые меня любили, — все это сделало мою жизнь одинокой, но мне это даже нравилось. Одновременно она была наполнена дружбой и отношениями с людьми, которых я никогда не встречала, но знала о них все: любимые цвета, имена лучших друзей, любимую музыку. И вот теперь я чувствовала, как с каждым шагом приближаюсь к давно утраченным приятелям, родителям, которых мне так не хватало, дядям, тетям и вообще всем членам семьи. Анализ нахлынувших эмоций привел меня к выводу, что я постепенно превратилась в полностью изолированный остров. Ни один из этих пропавших без вести, к которым я относилась с такой нежностью, даже не слышал обо мне. Когда их взгляд упадет на меня, они увидят абсолютно чужую женщину, тогда как моему взору откроется совсем иное. Несмотря на то что мы никогда не встречались, семейные фото с рождественских вечеринок, дней рождения и свадеб, первых школьных дней и первых балов прочно отпечатались в моей памяти. Я сидела с плачущими родственниками и изучала фотографии, которые они мне показывали, перелистывая альбом за альбомом. Но при этом не могла припомнить дня, когда бы делала то же самое с собственными родителями. Люди, ради которых я жила, даже не подозревали о моем существовании, а я не знала ничего о тех, кто жил ради меня.

В какой-то момент я догадалась, что деревья скоро закончатся. Лес становился все реже, а шум, движение и краски — интенсивнее. Как много людей. Я застыла на месте, хотя группа продолжала двигаться вперед, и ухватилась трясущейся рукой за ствол сосны.

— С вами все в порядке, Сэнди? — спросил Бернард, направляясь ко мне.

Они остановились и оглянулись на меня. Я была не в состоянии даже улыбнуться. Как тут скажешь, что все в порядке?! Спец по вранью сам запутался в собственноручно сплетенной паутине лжи. Хелена отделилась от группы и бросилась ко мне.

— Идите дальше, — махнула она рукой, отпуская их, — встретимся позже.

Никто не двинулся с места.

— Идите, идите, — повторила она.

Тогда они медленно повернулись и нехотя вышли из тени на свет.

— Сэнди, — мягко положила руку мне на плечо Хелена, — вы дрожите. — Она обняла меня и притянула к себе. — Все в порядке, бояться нечего. Здесь абсолютно безопасно.

Меня волновала вовсе не опасность, и не из-за нее я дрожала. Дело в том, что я никогда не считала, будто где-то существует мое собственное место. Я жила, старательно отстраняясь от любого, кто хотел стать мне ближе, уходя от друзей и любовников, потому что они никогда не отвечали на мои вопросы, то ли не желая мириться с моей вечной погруженностью в поиски, то ли не понимая их смысла. Из-за них я все время чувствовала, что не права и даже немножко безумна, хоть они и не подозревают об этом. И все равно моей главной страстью было искать и находить. То, что я нашла это место, стало одним большим ответом на вопрос длиною в жизнь, который заставил меня пожертвовать абсолютно всем. Ради того, чтобы помочь тем, кого я могла никогда не увидеть, я больно ранила тех, кто меня любил, и вот теперь, когда мне предстояла встреча с пропавшими, я опять боялась подпустить их к себе. Я привыкла думать, что я святая — совсем как Дженни-Мэй Батлер в девятичасовых выпусках новостей. Мне казалось, будто я — мать Тереза с досье пропавших без вести в руках, которая жертвует всем, чтобы помогать людям. В действительности я не пожертвовала ничем. Просто вела себя так, как мне нравилось и как было удобно. Мне и только мне.

Здесь собрались люди, за которых я цеплялась. Когда я подхватывала свою дорожную сумку в дверях родительского дома в Литриме, то делала это ради них. И ради них разрывала отношения или отказывалась от приглашений на вечеринки.

И вот теперь, когда я их наконец-то нашла, у меня не было ни малейшей идеи, что мне дальше делать.

Глава восемнадцатая

Из темноты тенистого леса мы с Хеленой вышли в разноцветный мир, и у меня перехватило дыхание. Как будто поднялся большой красный занавес, открыв передо мной такую грандиозную сцену, что я была не в состоянии сконцентрироваться на отдельных деталях. Передо мной раскинулось шумное поселение, собравшее представителей самых разных наций. Кто-то шел по улице один, некоторые собирались по двое и по трое, группами, толпой. Вид разнообразных национальных костюмов, звуки разноязыкой речи, ароматы кухни всего мира затопили меня. Зрелище было пестрым и многоликим, взрывающимся красками и звуками, как если бы мы проследовали по маршруту, отмечаемому ударами пульса, чтобы в конце концов добраться до сердца того леса, откуда вышли. А оно горячо билось, качая кровь, и люди все прибывали, подходя с разных сторон.

Улицу обрамляли замысловатые постройки из дерева с украшенными резьбой дверями и окнами. Каждое здание было сделано из другой породы древесины, своего цвета, своей текстуры. Дома начинались прямо от опушки и в своем разнообразии как бы продолжали лес — в результате он казался почти единым целым с поселком. Солнечные батареи окаймляли крыши — сотни крыш. Повсюду вокруг торчали ветряные двигатели высотой до сотни футов, их лопасти безостановочно вращались в голубом небе, а темные тени от них ложились на коньки крыш и на мостовую. Поселение уютно угнездилось среди деревьев, холмов и ветряков. Передо мной предстали сотни людей в национальных костюмах со всех уголков планеты: они жили в этом затерянном месте, которое выглядело как настоящее и пахло тоже как настоящее, а когда я протянула руку, чтобы потрогать одежду одного из прохожих, обнаружилось, что и ткань настоящая. Чтобы поверить во все это, мне пришлось выдержать серьезную внутреннюю битву.

Все на этой сцене казалось одновременно и знакомым, и незнакомым, так как состояло из известных вещей, которые использовались совсем по-другому. Не то чтобы мы продвинулись вперед или отступили назад, нет, мы просто вдруг очутились в совершенно ином измерении. В огромном плавильном котле смешались нации, культуры, рисунки и звуки, чтобы образовать новый мир. Дети играли, вдоль улиц стояли рыночные прилавки, и между ними бродили покупатели. В этом месте собралось столько красок, столько новых звуков, что оно совсем не походило ни на что виденное мною раньше. Надпись рядом с нами гласила: «Здесь».

Хелена взяла меня под руку. Я не сделала попытки высвободиться, так как просто физически нуждалась в поддержке. Я была ошеломлена. Ощущала себя Али-Бабой, наткнувшимся на пещеру с сокровищами, или Галилеем, узревшим в свой телескоп новую истину. Больше того: я ощущала себя десятилетней девочкой, которая нашла все свои носки.

— Рынок у нас работает каждый день, — спокойно объясняла Хелена. — Некоторым нравится выменивать найденное на другие ценные вещи. Порой такой обмен лишен всякого коммерческого смысла, но у нас торговля на рынке стала своего рода спортом. Деньги не имеют здесь ценности: все, что нужно, мы находим в готовом виде прямо на улице, поэтому нам ни к чему зарабатывать. Правда, мы обязаны работать на нужды самого поселения, если позволяют возраст, здоровье и другие личные обстоятельства. У нас тут скорее общественные работы, чем труд для заработка.

Потрясенная, я рассматривала то, что меня окружало. Хелена продолжала тихонько объяснять, склонившись к уху и держа меня за руку, потому что дрожь никак не оставляла в покое мое тело.

— Энергию нам поставляют ветряки, которые вы видите там, вдали, в полях. У нас много ветряных электростанций, большинство из которых находится в горах. Они производят электроэнергию. Один двигатель за год дает столько электричества, что его хватает на четыре сотни домов. Солнечные батареи на крышах домов тоже вырабатывают энергию.

Я слушала ее, но едва ли понимала хоть слово. Мои уши ловили обрывки разговоров, доносящихся со всех сторон, и шум огромного ветряка, чьи лопасти месили воздух. Нос привыкал к хрустящей свежести воздуха, который мощно врывался в легкие с каждым самым маленьким вдохом. Вдруг мое внимание привлек прилавок рядом с нами.

— Это сотовый телефон, — объяснял британский джентльмен пожилому владельцу прилавка.

— А зачем мне сотовый телефон? — Выходец с Карибских островов улыбнулся и снисходительно покачал головой. — Знаю я эти штуки — они здесь не работают.

— Да, он не работает, но...

— И никаких но. Я пробыл здесь сорок пять лет, три месяца и десять дней, — он гордо вскинул голову, — и с какой стати я буду менять эту музыкальную шкатулку на неработающий телефон.

Покупатель успокоился и посмотрел на него с уважением.

— Ну да, я здесь всего четыре года, — вежливо согласился он, — так что разрешите мне показать вам, на что сегодня способны телефоны.

Он держал мобильник на весу, направив его на продавца, и щелчками нажимал на кнопки. Потом продемонстрировал ему экран.

— Ага, — засмеялся тот. — Это же камера! Почему вы сразу не сказали?

— Ну да, это телефон с фотокамерой, но не только. Человек, которому он принадлежал, сделал уйму снимков — себя самого, своих близких и разных стран, где он жил. — Он прокрутил фото.

Владелец прилавка осторожно взвесил телефон на руке.

— Кто-нибудь из здешних, возможно, знает этих людей, — тихо произнес он.

— Да, конечно, — спокойно подтвердил продавец, кивая. — И впрямь очень ценная вещь.

— Пошли, нам пора, — прошептала Хелена и потянула меня за руку.

Я двигалась, словно на автопилоте, уставившись с разинутым ртом на людей, которые нас окружали. Мы прошли мимо владельца прилавка и его клиента, они оба кивнули нам и улыбнулись:

— Добро пожаловать!

Я снова уставилась на них.

Две девочки, игравшие в «классы», остановились, услышав приветствие.

— Добро пожаловать, — хором пропели они, растянув губы в беззубой улыбке.

Хелена вела меня сквозь толпу, которая сопровождала нас словами приветствия и дружелюбными кивками. Она вежливо благодарила всех от моего имени. Мы прошли по улице к большому трехэтажному деревянному зданию с навесом над крыльцом. Дверь была украшена замысловатой резьбой, в завитках которой угадывались гусиные перья. Хелена распахнула дверь, и резные завитки разошлись в стороны, словно приглашая нас войти.

— Это бюро регистрации. Все приходят сюда, как только появляются у нас, — терпеливо объяснила Хелена. — Имена и другие сведения о каждом содержатся в этих книгах, так что мы всегда можем узнать, кто есть кто и сколько нас всего.

— На случай, если кто-то пропадет, — пошутила я.

— Надеюсь, вы сами убедитесь в том, что здесь ничего не пропадает, Сэнди, — серьезно ответила Хелена. — Вещам больше некуда идти, поэтому они остаются здесь.

Намеренно не замечая прохладности тона и неприятного подтекста, я еще раз безуспешно призвала на помощь чувство юмора:

— Чем же мне здесь заняться, если никого не надо искать?

— Будете делать то, о чем всегда мечтали: встретитесь с теми, кого разыскивали. Закончите начатую вами работу.

— А потом?

Она молчала.

— А потом вы поможете мне вернуться домой? — спросила я довольно напряженным голосом.

Она ничего не ответила.

— Хелена, — позвал ее симпатичный дядька, сидевший за столом. Перед ним лежали какие-то папки с цифрами.

Рядом с входной дверью висела доска со списком всех стран мира и их языков. О некоторых из них я никогда даже не слышала. Напротив каждой страны стояла цифра. Я увидела на столе папку с номером, соответствующим строчке из списка: «Страна — Ирландия. Языки — гаэльский, английский».

— Привет, Теренс. — Хелена, похоже, обрадовалась, что наш разговор прервали.

В этот момент я впервые по-настоящему рассмотрела огромную комнату. В ней стояли десятки столов с такими же папками, и за каждым сидел человек другой национальности. Перед столами толпились люди. В комнате стояла напряженная тишина. Сотни только что прибывших растерянных людей нервно озирались и отчаянно старались сохранять хоть какое-то внешнее спокойствие.

Хелена прошла вперед и подсела к столу Теренса.

Пока я шла к столу, он не сводил с меня глаз.

— Добро пожаловать, — мягко произнес он.

Я различила в голосе симпатию, а акцент выдал его ирландские корни.

— Сэнди, это Теренс О'Мэйли. Теренс, это Сэнди. Теренс здесь уже... черт, сколько лет, Теренс? — спросила Хелена.

«Одиннадцать», — вспомнила я.

— Уже почти одиннадцать, — с улыбкой ответил он.

— Теренс работал...

— Библиотекарем в Баллине, — закончила я, не подумав.

Даже через столько времени в нем легко было узнать одинокого 55-летнего библиотекаря, ко-

торый одиннадцать лет назад исчез, возвращаясь
с работы домой.

Хелена нахмурилась, а на лице Теренса появилось смущение.

— Ах да, я же рассказала вам о нем, когда мы
шли сюда, — решительно вмешалась Хелена. —
Совсем забыла. Старею, наверное, все у меня вылетает из головы. — Она пожала плечами.

— Знаю я это чувство, — улыбнулся Теренс,
поправляя сползающие очки.

Мне всегда казалось, что у него точно такой
же нос, как у его сестры. Я пригляделась повнимательнее.

— Ну ладно. — Похоже, Теренсу стало неуютно под моим пристальным взглядом, и он обернулся за поддержкой к Хелене. — Давайте займемся делом, хорошо? Присаживайтесь, Сэнди, а
я помогу вам заполнить этот бланк. На самом деле
все очень просто.

Я уселась на стул. От моего внимания не
ускользнуло, что возле соседних столов выстроились очереди. Справа от меня женщина занималась маленьким мальчиком.

— Permettimi di aiutarti a sederti e mi puoi
raccontare tutto su come sei arrivato fin qui. Avresti
voglia di un po' di latte con biscotti?[1]

Он поднял на нее большие, как у потерявшегося щенка, карие глаза и кивнул. Она сделала

---

1 Давай помогу тебе сесть, а ты мне расскажешь, что случилось и как ты оказался здесь. Хочешь молока с печеньем? *(ит.)*

кому-то находившемуся за ней знак, человек исчез за дверью в глубине комнаты и через минуту вернулся со стаканом молока и тарелкой печенья.

Слева от меня подошла очередь смущенного мужчины. Сотрудник за столом, где стояла табличка с именем «Мартин», ободряюще подмигнул ему:

— Nehmen Sie Doch Platz, bitte, dann helfe ich Ihnen mit den Formularen[1].

— Сэнди, Сэнди, — позвали Теренс и Хелена.

— Да? Что? Извините! — Я вышла из транса.

— Теренс спрашивает, откуда вы родом.

— Из Литрима.

— Вы там жили?

— Нет, в Дублине. — Я увидела, как в комнату с растерянным видом входят все новые люди.

— То есть вы пропали в Дублине, — уточнил Теренс.

— Нет, в Лимерике. — Я старалась говорить спокойно, хотя мысли в голове гремели все громче и настойчивей.

— Вы знаете Джима Гэннона... из Литрима?..

— Да, — ответила я, рассматривая молодую африканку.

Поплотнее запахнув свое ярко-желтое одеяние, та со страхом изучала странные декорации, в которых оказалась. Ее руки украшали широкие браслеты из меди, плетеной травы и бусин. Наши глаза на мгновение встретились, и она тут же от-

---

1 Присаживайтесь, а я помогу вам заполнить формуляр (*нем.*).

вела взгляд. Я продолжала разговаривать с Теренсом, витая мыслями где-то далеко.

— Джиму принадлежит скобяная лавка. Его сын учил меня географии.

Теренс тихо засмеялся:

— Как тесен мир.

— Он гораздо больше, чем я думала, — возразила я, и мне померещилось, будто кто-то другой произнес это моим голосом.

Слова Теренса звучали в голове, пока я рассматривала окружающие меня лица, всех этих людей, которые еще минуту назад шли на работу или в магазин и вдруг очутились здесь.

— ...работаете?

— Она связана с театром, Теренс. У нее актерское агентство.

Я слышала какие-то обрывки фраз и пыталась понять их смысл.

— ...верно, Сэнди? Вы руководите собственным агентством?

— Да, — рассеянно ответила я, уставившись на мальчонку, которого кто-то из взрослых вел за руку к двери, расположенной за столом регистрации итальянцев.

Он все время смотрел на меня своими огромными грустными глазищами. Я улыбнулась ему, и его нахмуренное лицо разгладилось. Дверь за ним захлопнулась.

— Куда ведет эта дверь? — неожиданно оборвала я очередной вопрос Теренса.

Он остановился:

— Которая?

Я оглядела комнату и только сейчас заметила, что за каждым столом располагалось по двери.

— Все. Куда они ведут? — едва слышно спросила я.

— Там консультанты кратко рассказывают новичкам о том, что нам всем известно, то есть где мы находимся и как здесь живем. Им предлагают вакансии и вообще любую помощь, какая может понадобиться.

Я мазнула взглядом по массивной дубовой двери и ничего не сказала.

— Поскольку вы уже встретили Хелену, она будет вашим гидом, — ласково произнес Теренс. — Нам осталось ответить на последние вопросы, и вы сможете уйти отсюда, о чем, уверен, мечтаете.

Входная дверь открылась, и солнце снова залило комнату. Все увидели вошедшую — маленькую, не старше десяти лет, голубоглазую девочку с мягкими золотыми кудряшками. Она шмыгала носом и вытирала слезы, следуя за провожатым.

— Дженни-Мэй, — прошептала я, и у меня снова закружилась голова.

— А брата вашего как зовут? — спросил Теренс, успевший заполнить почти весь формуляр.

— Эй, подожди минутку: у нее нет сестры, — остановила его Хелена. — Она говорила, что единственный ребенок в семье.

— Да нет же, — возбужденно возразил Теренс. — Я спросил, есть ли у нее сестра, и она ответила: Дженни-Мэй.

— Наверное, она тебя неправильно поняла, Теренс, — спокойно произнесла Хелена. Все, что они говорили потом, слилось для меня в невнятное бормотание.

Мой взгляд продолжал следовать за девочкой, которую вели по комнате, сердце билось все сильнее, как это случалось всякий раз, когда Дженни-Мэй оказывалась в паре метров от меня.

— Может, вы проясните ситуацию, — попросил Теренс.

Его лицо неожиданно выплыло прямо передо мной, а затем снова ушло в нерезкость.

— Похоже, она себя плохо чувствует, Теренс. Смотри, совсем бледная. — Теперь ее голос раздавался возле самого моего уха. — Сэнди, хотите…

А потом все исчезло.

Глава девятнадцатая

— Сэнди...

Я услышала свое имя и ощутила на лице тепло дыхания. Его запах показался мне знакомым: сладкий кофе, от которого мое сердце привычно затрепетало, тело ощутило прилив сил, а по коже прокатились волны приятной дрожи.

Рука Грегори ласково убрала с моего лица упавшие пряди волос, словно бережно, слой за слоем снимая наслоения почвы в надежде раскопать под ней нечто более ценное, чем я. По сути, он и был археологом, сумевшим разгрести все, под чем давно погребены мои самые сокровенные мысли. Одна рука осторожно поддерживала меня сзади за шею, словно самую хрупкую вещь на свете, а другая что-то мягко чертила по моему подбородку, временами забредая на щеку или в волосы.

— Сэнди, милая, открой глаза, — прошептал голос у самого моего уха.

— Отойдите все, отодвиньтесь, — более громко и агрессивно прозвучало где-то рядом. — С ней все в порядке? — Агрессивный голос стал громче и приблизился.

Успокаивающая рука перебралась от волос к моей кисти и крепко сжала ее, а большой палец продолжал поглаживать ладонь. Его владелец спокойно произнес:

— Она не отвечает. Вызовите «скорую помощь». — Слова звучали искаженно и отдавались эхом у меня в голове.

А она болела.

— О Матерь Божья, — пробормотал голос.

— Шон, уведи детей обратно в школу. Не нужно им этого видеть, — спокойно произнес мой спаситель.

«Шон, Шон, Шон...» Я знала это имя.

— Откуда столько крови? — запаниковал тот.

— Из головы. Уведи детей. — Мою руку сжали сильнее.

— Он ее сильно покалечил, мерзавец.

— Знаю, я все видел. Я смотрел в окно. Вызови «скорую».

Шон закричал на детей, приказывая им уйти, потом его голос затих вдали, и я снова осталась в наполненной эхом тишине, вместе со своим ангелом-хранителем. Я ощутила на руке мягкое прикосновение губ.

— Открой глаза, Сэнди, — прошептал он. — Пожалуйста.

Я сделала усилие, но мои веки оставались склеенными, словно цветок лотоса, угнездивше-

гося в тине и пытающегося развернуть лепестки
раньше положенного срока. Голова отяжелела,
мысли ворочались в ней медленно и неуклюже,
а кровь под защищающей мою голову надежной
рукой билась сильными толчками. Я лежала на
чем-то холодном и шершавом. Бетон. Почему я на
бетоне? Попыталась встать, но тело сопротивля-
лось, не желая двигаться, а глаза по-прежнему не
открывались. Потом я услышала вдалеке сирену
«скорой» и снова принялась отчаянно сражаться
с непослушными веками. Они чуть-чуть приот-
крылись. Ага, мистер Бартон. Мой спаситель. Он
обнимал меня и смотрел на меня так, будто только
что углядел в литримском асфальте золото. На его
сорочке была кровь. Он ранен? Мистер Бартон
всматривался в мое лицо и казался озабоченным.
Я вдруг вспомнила о прыще, который сегодня
утром обнаружила на щеке. Хотела поднять руку,
чтобы прикрыть его, но рука казалась погружен-
ной в мокрый бетон и не желала двигаться.

— Слава богу, — прошептал он, покрепче
сжимая меня. — А теперь не шевелись. «Скорая»
сейчас будет.

Мне обязательно нужно спрятать прыщ. Надо
же: после четырех лет ожидания наконец-то очутиться так близко к мистеру Бартону, и при этом
выглядеть пугалом. Мои семнадцатилетние гор-
моны уничтожили момент, о котором я столько
мечтала. Держись, сказал он, «скорая» вот-вот
подъедет. Что же случилось? Я попыталась заговорить, но из горла вырвалось только хриплое кар-
канье.

— Все будет хорошо, — ободряюще прошептал он, приблизив свое лицо к моему.

Я поверила ему, на минуту забыла о боли, и тут же вполне осмысленно ощутила торчащий на щеке прыщ.

— Знаю, что ты пытаешься сделать, Сэнди, так что прекрати. — Грегори попробовал слегка улыбнуться, осторожно отводя мою руку от лица.

Я что-то прохрипела — со словами у меня пока не получалось.

— Он не такой уж страшный, знаешь ли. Его зовут Генри, и он все время оставался со мной, когда ты вдруг собралась умирать. Генри, представляю тебе Сэнди. Сэнди, познакомься с Генри. Впрочем, не думаю, что он слишком желанный гость.

Грегори провел пальцем по моей щеке, слегка погладив прыщ, как если бы он был самой красивой деталью моего лица.

Итак, из головы у меня текла кровь, на щеке красовался прыщ по имени Генри, а лицо пылало так, что я могла бы сжечь весь город. Глаза снова начали закрываться. Ослепительная небесная голубизна ввинчивалась в зрачки и пронзала меня насквозь, от пальцев ног до макушки, в которой угнездилась и не желала уходить жгучая боль.

— Не закрывай глаза, Сэнди, — повысил голос Грегори.

Я приоткрыла их и поймала на его лице выражение беспокойства, которое он напрасно пытался скрыть.

— Устала, — прошептала я еле слышно.

— Знаю, знаю. — Он обнял меня крепче. — Но, пожалуйста, не спи, побудь немного со мной. Поддержи компанию, пока «скорая» не подъедет, — попросил он. — Пообещай мне.

— Обещаю, — прошептала я, перед тем как снова захлопнуть веки.

Снова загудела сирена. Возле нас остановилась машина. Я почувствовала, как вибрирует бетон возле моей головы, и испугалась, что на меня наедут колеса. Двери открылись и со стуком захлопнулись.

— Полиция! Он здесь! — Это кричал вернувшийся Шон. — Он сбил ее и даже не взглянул. — В его голосе звучала истерика. — Вот этот человек все видел.

Когда Шон замолчал, я услышала, как кто-то плачет. Потом до меня донеслись успокаивающие голоса полицейских, треск и попискивание раций. Потом Шона увели. Ко мне приблизились чьи-то шаги, и кто-то озабоченно бормотал что-то насчет моей головы. Все это время Грегори нашептывал мне на ухо прекрасные слова, которые легко преодолевали звон в ушах. Эти слова перекрывали вой сирены, крики страха, возгласы паники и злости, ощущение холодного бетона и холодной влаги, стекающей вдоль уха.

Когда завывание «скорой» раздалось совсем близко, голос Грегори зазвучал еще настойчивее, и я обмякла в его руках.

— С возвращением!

Я пришла в себя и увидела озабоченное лицо Хелены, которая поднесла к моему лицу вентилятор.

Я застонала, и рука потянулась к голове.

— У вас там жуткая шишка, так что трогать не рекомендую, — спокойно предостерегла она.

Моя рука продолжила движение.

— Я же сказала, не на...

— Ай!

— Делайте как знаете, — надменно произнесла она и отошла.

Я изучала незнакомую комнату, ощупывая выросшую возле виска шишку размером с куриное яйцо. Я лежала на диване, а Хелена стояла возле раковины напротив окна. Яркий свет заливал ее с ног до головы, образуя вокруг сияние, похожее на нимб.

— Где мы?

— У меня дома. — Она не повернула головы, продолжая споласкивать тряпку.

Я осмотрелась по сторонам.

— Зачем у вас на кухне диван?

Хелена усмехнулась.

— Из всех вопросов, которые можно было задать, именно этот вы выбрали в качестве первого.

Я промолчала.

— Это не кухня, а общая комната, — ответила она. — Я здесь не готовлю.

— Не думала, что у вас есть электричество.

— Когда вы снова сможете выйти на улицу и уделить внимание пейзажу, — проворчала она, — то, вероятно, заметите, что мы пользуемся системой, которую называем солнечными батареями. — Она тянула каждое слово, словно разговаривала с тупицей. — Они похожи на те, что мы нашли в карманных калькуляторах, и генерируют электричество из солнечного света. В каждом доме есть собственная система электропитания. — В ее голосе слышалось возбуждение.

Я почувствовала головокружение и снова улеглась, прикрыв веки.

— Мне известно, как работают солнечные батареи.

— Они и там есть? — удивленно спросила она.

Я проигнорировала вопрос.

— Как я сюда попала?

— Вас перенес мой муж.

Мои глаза открылись, и я постаралась справиться с болью. Хелена все еще стояла спиной ко мне, и вода продолжала течь.

— Муж? Вы здесь можете вступать в брак?

— Вступить в брак можно где угодно.

— Формально нет, — слабо запротестовала я. — Господи, электричество и брак. Слишком много для меня, — прошептала я, и потолок надо мной начал вращаться.

Хелена присела рядом на диван и положила мне на лоб и глаза холодную влажную салфетку. Холод успокаивал пульсирующую, горящую голову.

— Мне приснился ужасный кошмар. Будто я попала в очень странное место, где собираются потерявшиеся люди и вещи со всего света, — пробормотала я. — Пожалуйста, скажите, что это был сон или хотя бы нервный срыв. Нервный срыв я как-нибудь вынесу.

— Что ж, если можете справиться с ним, то стерпите и правду.

— Так это правда?

Она молча посмотрела на меня, а потом вздохнула:

— Правда вам известна.

Я отвернулась, изо всех сил стараясь не заплакать.

Хелена схватила мою руку, сжала ее, наклонилась ко мне, и в ее голосе зазвучала настойчивость:

— Потерпите, Сэнди. Еще немного, и вы со всем разберетесь.

Вряд ли, подумала я.

— Если вам от этого будет легче, знайте: я никому не рассказала то, что вы мне сообщили. Никому.

Мне действительно стало легче. Представляю, как бы я сама поступила в подобной ситуации.

— Кто такая Дженни-Мэй? — с любопытством спросила Хелена.

Я зажмурилась и забормотала, припоминая сцену в бюро регистрации:

— Никто. Ну, не никто, есть одна такая. Мне почудилось, что я увидела ее в бюро регистрации, вот и все.

— Это была не она?

— Разве что она перестала расти в тот самый день, когда попала сюда. Сама не понимаю, как мне такое пришло в голову. — Я снова дотронулась до пульсирующего виска и сморщилась от боли.

В дверь тихонько постучали, и она приоткрылась, пропуская мужчину — такого высокого и широкого, что он заслонил собой весь дверной проем. Сквозь зазоры, которые ему не удалось перекрыть, нетерпеливо пробился белый свет, бросая мне в лицо отблески настоящих солнечных лучей. Примерно одного возраста с Хеленой, с кожей цвета черного дерева и яркими антрацитовыми глазами. Несмотря на мои шесть футов и один дюйм, он был заметно выше меня, и уже по этой причине я его немедленно полюбила. Он заполнил собой всю комнату, но принес в нее ощущение безопасности. Легкая улыбка открыла белоснежные зубы, а белки, похожие на рафинированный сахар, сверкали на фоне черных кофейных зерен радужки. У него была мощная фигура с мягкими очертаниями. Высокие скулы гордо выделялись на лице, а квадратная челюсть помогала широким губам выталкивать слова и выпускать их в мир.

— Как дела у нашей девочки-кипепео? — Ритмичное звучание слов выдавало африканские корни говорившего.

Я смущенно взглянула на Хелену, а она посмотрела на мужчину с удивлением. Ее поразило не его неожиданное появление, а произнесенные им слова, в этом я не сомневалась. Она знала этого человека и, наверное, поняла, что он имел в виду, — в отличие от меня. Однако я догадалась, что это ее муж. Наши глаза встретились, и я почувствовала, как его пристальный взгляд притягивает меня. Я погрузилась в его глаза, а он — в мои, будто там прятались магниты, неудержимо тянущиеся друг к другу. В больших руках он держал деревянную доску. К его белой льняной одежде прилипли опилки.

— Что такое «кипепео»? — спросила я у комнаты.

Комната молчала, хотя явно знала ответ.

— Сэнди, это мой муж Иосиф, — представила Хелена. — Он — плотник, — добавила она, показывая на доску у него в руках.

Необычное знакомство с плотником Иосифом было прервано появлением в кухне маленькой девочки, которая вприпрыжку проскользнула между расставленных ног Иосифа. Ее кудрявые черные волосы взлетали вверх в такт каждому прыжку. Она с криком подбежала к Хелене и обхватила ее ногу.

— А это кто такая? Ваш плод непорочного зачатия? — спросила я, чувствуя, как вопли девочки болью отдаются в моей несчастной голове.

— Почти, — усмехнулась Хелена. — Это плод непорочного зачатия нашей дочери. Поздоровайся, Ванда. — Она погладила девочку по голове.

Меня одарили беззубой улыбкой, и Ванда, засмущавшись, тут же выскользнула между ног своего деда из комнаты. Я проследила за ней, а потом снова сосредоточила внимание на Иосифе. Он по-прежнему рассматривал меня. Хелена переводила взгляд с него на меня — не с подозрением, а с... Нет, я так и не смогла расшифровать, что читалось на ее лице.

— Вы должны поспать. — В подтверждение своих слов он кивнул.

Под пристальными взглядами Хелены и Иосифа я закрыла лицо салфеткой и позволила себе уплыть в сон. На этот раз я слишком устала, чтобы задавать вопросы.

— Вот и она. — Голос отца приветствовал меня так, будто я вдруг вынырнула из-под толщи воды.

Приглушенные до сих пор звуки постепенно обретали ясность, размытые лица становились узнаваемыми. Я словно возрождалась, возвращалась в знакомый мир, глядя на лица близких с больничной койки.

— Привет, милая. — Мать наклонилась ко мне и взяла меня за руку.

Ее лицо приблизилось настолько, что потеряло резкость и походило на голубоватое пятно с четырьмя глазами.

— Как ты себя чувствуешь?

Поскольку никак себя почувствовать я пока не успела, то сконцентрировалась и постаралась найти ответ. Он мне не слишком понравился.

— Все в порядке, — промямлила я.

— Бедная моя девочка. — Ее размытое лицо снова замаячило надо мной, когда она наклонилась, чтобы поцеловать меня в лоб.

Прикосновение гладких губ оставило на коже ощущение липкости и щекотки. Когда она отошла, я увидела отца, который мял в руках шапку и выглядел гораздо старше, чем раньше. Наверное, я пробыла под водой дольше, чем думала. Я подмигнула, и на его лице нарисовалось облегчение. Забавно, выходило, будто работа пациентов заключается в том, чтобы помогать посетителям чувствовать себя лучше. Мне казалось, будто я на сцене, и сейчас — мой выход. В этих больничных стенах все мы чувствовали себя неловко и с трудом подыскивали слова, как если бы сегодня встретились впервые в жизни.

— Что произошло? — спросила я, потянув через соломинку воду из чашки, которую протянула медсестра.

Явно нервничая, они переглянулись. Первой решилась мама.

— Тебя сбила машина, милая. Ты как раз переходила через дорогу, возвращаясь из школы. Он выскочил из-за угла... Молодой парень, только что получил временные права. Его бедная мать даже не знала, что он взял машину. К счастью, мистер Бартон наблюдал за всем, что произошло, и смог дать полиции исчерпывающие показания. Славный человек этот мистер Бартон, правда же? — улыбнулась она и добавила специально для меня: — Грегори.

Ее голос теперь звучал чуть спокойнее. Я тоже улыбнулась.

— Он все время оставался с тобой до самой больницы.

— Ох, моя голова, — прошептала я. Резкая боль затопила все тело, как будто, услышав рассказ, вспомнила, что пора приниматься за работу.

— У тебя сломана левая рука. — Мамины блестящие губы посверкивали под лампой, когда она открывала и закрывала рот. — И левая нога. — Ее голос слегка дрогнул. — Но если не считать этого, тебе очень повезло.

Только в этот момент я увидела, что моя рука на перевязи, а нога — в гипсе, и меня развеселило, что они считают, будто мне повезло. Я начала смеяться, но боль быстро остановила мой порыв.

— Да-да, только у тебя еще трещина в ребре, — быстро добавил отец извиняющимся тоном, как бы прося прощения за недостаточное внимание.

Когда они ушли, Грегори осторожно поскребся в дверь. С усталыми, озабоченными глазами и спутанными волосами, которые, как я себе представила, растрепал, расхаживая в волнении по коридору, он казался еще соблазнительней, чем всегда. Грегори всегда ерошил волосы, когда нервничал.

— Привет! — Он вошел в палату и поцеловал меня в лоб.

— Привет, — прошептала я в ответ.

— Как ты себя чувствуешь?

— Как если бы меня сбил автобус.

— А вот и нет, это была всего лишь малолитражка. Нечего пытаться привлечь к себе внимание. — Усмешка приподняла уголки его рта. — Плохие новости ты уже слышала, полагаю?

— Что мне придется сдавать выпускные экзамены устно? — Я приподняла левую руку, которая покоилась на перевязи. — Ничего, в полицию меня все равно возьмут, — ухмыльнулась я.

— Нет, — серьезно возразил он и присел на кровать. — В «скорой» мы потеряли Генри. Полагаю, его убила кислородная маска.

Я захихикала, но была вынуждена тут же остановиться.

— Блин, извини! — Он заметил, что мне больно смеяться.

— Спасибо, что вы остались со мной.

— Спасибо, что ты осталась со мной, — ответил он.

— Ну, я же обещала. — Мне удалось улыбнуться. — К тому же в моих планах на ближайшее будущее исчезновение не значится.

Глава двадцатая

Джек присел на гравий рядом с машиной, которую теперь считал брошенной. Он напряженно размышлял над тем, где сейчас могла находиться Сэнди Шорт, почему ее автомобиль стоит под деревьями на старой парковке, по какой причине она вчера не пришла на назначенную встречу и почему в течение суток не вернулась к своей машине. Ничего не прояснялось. Весь день он не отходил от красного «форда». Беглые поиски в окрестностях ничего не дали — никаких следов Сэнди и вообще никаких следов он не обнаружил. День клонился к вечеру. Лес почернел, и только от огней на кораблях далеко в море и от замка Глайна, спрятавшегося за высокими соснами, пробивался свет. Джек не видел ничего уже в дюйме от собственного носа. Чернота ночи была густой и засасывающей, но он боялся уходить: вдруг она вернется и он пропустит ее, или кто-то заберет машину. Тогда Донал отодвинется еще дальше, а его последние следы затеряются.

Папка по-прежнему лежала на приборной доске. В темноте мигал единственный слабый огонек: это ее сотовый каждые несколько секунд вспыхивал, подавая сигнал о том, что батарея разряжена. Похоже, Сэнди не собирается появиться у автомобиля в ближайшее время. Значит, Джеку необходимо добраться до ее мобильника, просмотреть список последних звонков и, если повезет, отыскать в записной книжке кого-то, кто поможет найти ее. Если батарея полностью разрядится, он, скорее всего, не сумеет снова включить телефон без пин-кода.

Зазвонила его собственная трубка: не иначе Глория. Было одиннадцать часов, и он не мог заставить себя ответить — просто не знал, что сказать. Врать не хотелось, и потому в последнее время он вообще избегал разговоров с ней: уходил из дому, пока она еще не проснулась, а возвращался, когда она уже спала. Он понимал, что такое поведение не может не огорчать ее — милую, терпеливую Глорию, которая никогда не придиралась и не ворчала, как подруги его приятелей. Она доверяла ему и давала необходимую свободу, так как была достаточно уверена в себе и потому знала, что он не станет ей изменять. Но в данный момент он делал это — изменял ее терпению и, возможно, даже отдалялся от нее. Может, именно этого он и хотел. А может, нет. Он знал одно: исчезновение Донала положило конец разговорам о женитьбе, которые раньше казались Джеку такими важными. Вернее, им обоим. Сейчас он как будто отодвинул Глорию в сторону и сосредоточил все силы на попытках пробиться к пропавшему брату. Ему почему-то казалось, что, найдя Сэнди, он хоть на шаг подойдет ближе к Доналу. Но, возможно, это просто предлог, очередная уловка, чтобы ничего не менять в своей жизни и не обсуждать с Глорией отношения, которых он теперь сам толком не понимал.

Джек сделал единственное, что сумел придумать. Взял телефон и позвонил Грэхему Тернеру — полицейскому, с которым он сам и его семья познакомились во время поисков Донала.

— Алло, — ответил Грэхем.

В трубке слышался шум — крики, обрывки разговора и смех. Типичный шум паба.

— Грэхем, это Джек, — закричал Джек в тишине леса.

— Алло, — снова рявкнул Грэхем.

— Это Джек, — проорал он еще громче, пугая зверей и птиц, которые, возможно, прятались неподалеку в зарослях.

— Не вешайте трубку, я выйду на улицу, — крикнул Грэхем.

Голоса и шум начали стихать — телефон покидал пивную. Наконец воцарилась тишина.

— Алло, — уже спокойнее произнес Грэхем.

— Грэхем, это Джек. — Он заговорил тише. — Извините за столь поздний звонок.

— Нет проблем. У вас все в порядке? — спросил Грэхем обеспокоенно, хотя и привык за последний год к поздним ночным звонкам Джека.

— Ну да. Все нормально, — солгал Джек.

— Нет новостей о Donale?

— Ничего нового. Но сейчас я звоню по другому поводу.

— Что случилось?

Как, черт возьми, он сможет все это объяснить?

— Я просто немного беспокоюсь об одном человеке. Мы должны были встретиться вчера утром в Глайне, но этот человек не пришел.

Молчание.

— Понимаю.

— Перед выездом из Дублина мне на автоответчик пришло сообщение, что человек едет на встречу. Но он так и не появился. Автомобиль стоит на парковке у реки.

Молчание.

— Так-так.

— Я забеспокоился, понимаете?

— Да, да, понимаю. В вашей ситуации...

После этой фразы Джек вдруг почувствовал себя параноиком в бреду. Возможно, он им и был.

— Я понимаю, это кажется ерундой, но на самом деле, думаю, это вовсе не ерунда. Вы меня понимаете?

— Да, да, конечно, — торопливо ответил Грэхем. — Простите, можете подождать минутку? — Он прикрыл рукой трубку, потому что голос зазвучал приглушенно. — Да, еще пинту. Привет, Дэмиен. Я скоро вернусь, только докурю, — сказал он, а потом снова заговорил в трубку: — Извините, я вас слушаю.

— Ничего страшного. Я все понимаю, уже поздно, и вы не на работе. Простите за звонок, — Джек схватился за голову, ощущая себя безумцем.

Его история звучала в высшей степени глупо, а беспокойство за Сэнди стало казаться неоправданным, как только он заговорил о нем вслух. Тем не менее в глубине души Джек был абсолютно уверен, что что-то здесь не так.

— Неважно. О чем вы хотели меня попросить? Как зовут того парня? Я расспрошу людей.

— Сэнди Шорт.

— Сэнди Шорт? Вот как! Получается, «тот человек» — это женщина?!

— Ну да.

— И вы должны были встретиться?..

— Вчера, в Глайне. Мы пересеклись на автозаправке Ллойда, знаете, на той, что…

— Да, знаю.

— Ну вот, мы случайно встретились там около пяти тридцати утра, а потом она не пришла на встречу тем же утром, но позднее.

— Когда вы встретились, она не говорила, куда направляется?

— Нет, мы едва перекинулись парой слов.

— Как она выглядит?

— Очень высокая, кудрявые черные волосы… — Он запнулся, неожиданно поняв, что не имеет представления, как выглядит Сэнди Шорт. Более того, у него не так много оснований полагать, что женщина, встреченная на бензозаправке, — это действительно Сэнди Шорт.

Единственным доказательством оставалась папка на приборной доске с именем Донала на обложке. Водителем мог оказаться кто угодно. Он аккуратно подогнал все детали одна к другой, даже не задумываясь о том, что получится в итоге, и теперь до него вдруг дошло, что никакого итога как раз и нет.

— Джек, — позвал его Грэхем.

— Да?

— Она высокая и с кудрявыми черными волосами. Еще что-то о ней знаете? Возраст, или откуда она, или еще что-нибудь?

— Нет. Не знаю, Грэхем, я даже не совсем уверен, что она выглядит именно так. Вообще-то мы с ней говорили только по телефону. И у меня нет полной уверенности в том, что на автозаправке была она. — Неожиданно ему в голову пришла мысль. — Она когда-то работала в полиции. В Дублине. Ушла оттуда четыре года назад. Вот все, что мне известно. — Он сдался.

— О'кей. Ладно, сделаю пару-тройку звонков и перезвоню вам.

— Спасибо. — Джеку стало стыдно: в его истории было полно дыр. — Пусть это останется между нами, хорошо? — торопливо попросил он.

— Договорились. С Глорией все в порядке? — в голосе прозвучали обвинительные нотки.

А может, и нет, в последние дни Джек как-то все понимал неправильно.

— Да, отлично, спасибо.

— Хорошо. Передавайте ей привет. Она у вас — святая, Джек.

— Я знаю, — напрягся он.

Тишина. Потом в трубке снова возникли звуки паба.

— Я свяжусь с вами, Джек, — прокричал Грэхем, и трубка замолчала.

Джек стукнул кулаком по голове, ощущая себя полным идиотом.

В полночь, когда он водил пальцем по холодному металлу автомобиля, вышагивая рядом с ним взад-вперед, телефон зазвонил. Он уже отправил Глории эсэмэску, сообщая, что вернется поздно, и потому был уверен, что это не она.

— Джек, это Грэхем. — Голос звучал дружелюбнее, чем раньше. — Послушайте, я сделал несколько звонков, поспрошал ребят насчет Сэнди Шорт.

— Ну и?.. — Его сердце заколотилось.

— Вы должны были меня предупредить, Джек, — мягко сказал Грэхем.

Джек кивнул головой в темноте, хотя тот и не мог его видеть.

Грэхем продолжал:

— Похоже, вам нечего о ней беспокоиться. Она многим хорошо известна. — Он хихикнул, но тут же оборвал смех. — Все говорят, что она постоянно исчезает, никого не предупредив. Отшельница: живет сама по себе, приходит и уходит, когда заблагорассудится, но всегда возвращается — через неделю или около того. Я бы не волновался за нее, Джек. Эта история вполне согласуется с ее обычным поведением.

— А как же машина?

— Красный «форд-фиеста» 1991 года выпуска?

— Ну да.

— Тогда это ее. Не беспокойтесь, наверное, она где-то неподалеку, что-нибудь ищет. Парни говорят, она — большая любительница бега трусцой, так что могла просто бросить машину и с утра отправиться побегать, или же машина не заводилась, или возникла еще какая-нибудь столь же пустяковая помеха. В любом случае, прошло всего чуть больше суток с вашей несостоявшейся встречи, так что повода для паники нет.

— Я всегда думал, что первые сутки — самые важные, — выдавил Джек, скрипнув зубами.

— Так и бывает в случае пропажи без вести, Джек, но эта Сэнди Шорт, она не пропала. Ей нравится постоянно исчезать. Из слов ее бывших коллег следует, что через несколько дней она непременно свяжется с вами. Похоже, именно таков ее стиль работы. Мне говорили, что даже ее семья никогда не знает, где она. Несколько лет назад родители трижды обращались в участок, но с тех пор перестали беспокоить полицейских. Она всегда возвращается.

Джек молчал.

— Не очень-то много я могу сделать. Нет оснований что-либо предпринимать или полагать, будто ей угрожает опасность.

— Знаю, знаю. — Джек устало потер глаза.

— Если позволите дать вам совет, будьте осторожны с подобными людьми. Знаете ли, агентства вроде того, что у Сэнди Шорт, только тем и занимаются, что выкачивают из простаков деньги. Не удивлюсь, если окажется, что она просто сбежала. Они не могут сделать ничего такого, чего мы бы уже не предприняли. Нет таких мест, которые мы бы не проверили.

Сэнди не заикалась об оплате. Джек пока не потратил ни цента.

— Я должен что-то сделать, — пробормотал он и замолчал.

Ему не понравилось, как Грэхем говорит о Сэнди. Он не верил в ее алчность, как не верил и в то, что можно вести расследование, бросив свой телефон, папку, ежедневник и автомобиль. Что касается пробежки в полночь, это и вовсе выглядело диким. Слова Грэхема не имели никакого смысла. Впрочем, как и то, что успел выложить ему Джек. Он следовал интуиции, но на нее серьезно повлияли исчезновение Донала и неделя ночных телефонных бесед с женщиной, которую он никогда не видел.

— Понимаю, — ответил Грэхем. — Наверное, я поступил бы так же, окажись на вашем месте.

— А как быть с бумагами, запертыми в ее машине? — Джек рискнул сблефовать.

— С какими бумагами?

— Я послал ей досье Донала и еще кое-что. Они лежат на сиденье автомобиля. Если она намерена забрать мои деньги и сбежать, то мне нужно хотя бы получить обратно свои документы.

— Ничем не могу помочь, Джек, но, если к утру вы вернете себе свои вещи, я не стану задавать вопросов.

— Спасибо, Грэхем.

— Не за что. Всегда рад быть полезным.

Через несколько часов, когда солнце поднималось над рекой, раскрашивая оранжевыми мазками черную рябь лесных зарослей, Джек сидел в машине Сэнди, листал досье Донала и просматривал бесконечные страницы полицейских отчетов — только Сэнди могла их раздобыть благодаря своим связям. Из ее ежедневника следовало, что она собиралась сегодня отправиться в Лимерик, чтобы встретиться с одним из друзей Донала, Аланом О'Коннором, который провел с ним вечер перед исчезновением. Снова забрезжила надежда. Застоявшийся воздух в автомобиле был пропитан тошнотворным духом сладкой ванили от освежителя воздуха, свисающего с зеркала над приборным щитком, с примесью запаха остывшего кофе в пластиковом стаканчике, который стоял рядом. В машине не оказалось ничего, способного подсказать ему, что за человек Сэнди. Никаких брошенных оберток, никаких дисков или кассет, которые бы выдали ее музыкальные пристрастия. Всего лишь холодный старый автомобиль с рабочими документами и выдохшимся кофе.

Сэнди не оставила здесь ни частички своего сердца. Она унесла его с собой целиком.

Глава двадцать первая

Я проснулась не знаю через сколько часов и увидела маленькую девочку с взлохмаченными черными кудряшками, которая взгромоздилась на валик моего дивана и уставилась на меня такими же яркими черными глазищами, как у деда.

Я подскочила.

Она улыбнулась. На желтых щеках появились ямочки, а радужки посветлели, стали темно-коричневыми.

— Привет, — прочирикала она.

Я огляделась: в комнате воцарилась смоляная чернота, если не считать узкой оранжевой полоски света, пробивавшегося из-под кухонной двери. И комнату, и девочку, низко склонившуюся надо мной, я не столько видела, сколько угадывала. Небо за окном над раковиной было черным. Звезды, те самые, на которые дома я никогда не обращала ни малейшего внимания, висели высоко, словно рождественские гирлянды, украшающие игрушечную деревню.

— Ну, ты когда-нибудь скажешь «Привет»? — радостно прощебетал голосок.

Я вздохнула: мне никогда не хватало времени на детей, и даже собственное детство не вызывало у меня никакого интереса.

— Привет, — ответила я равнодушно.

— Вот видишь! Разве это трудно?!

— Мучительно! — Я зевнула и потянулась.

Она вскочила с диванного валика и плюхнулась рядом со мной, изрядно придавив мне ноги.

— Ух ты, — простонала я, подтягивая их повыше.

— Не притворяйся, тебе же не больно. — Она склонила голову набок и посмотрела на меня с сомнением.

— Тебе сколько лет? Сто девяносто? — спросила я, поплотнее укутываясь одеялом, словно пытаясь отгородиться от нее.

— Если бы мне было сто девяносто, я бы уже умерла. — Она широко распахнула глаза.

— Вот ужас!

— Я тебе не нравлюсь, правда?

Я задумалась:

— Вообще-то нет.

— А почему?

— Потому что ты уселась мне на ноги.

— Я тебе не понравилась еще до того.

— Ты права.

— А все считают, что я симпатичная, — задумчиво произнесла она.

— Так уж и все? — спросила я с насмешливым удивлением. — Мне, например, так не показалось.

— А почему? — Похоже, она не обиделась, просто ей стало еще интереснее.

— Потому что в тебе три фута росту и нет передних зубов. — Я зажмурилась, мечтая, чтобы она ушла, а моя голова вернулась на подушку.

Стук в висках прекратился, но щебет в углу дивана вполне мог вернуть его в полном объеме.

— Ну, я же не останусь такой навсегда, — возразила она, стараясь понравиться мне.

— Надеюсь. Для твоей же пользы.

— Я тоже, — вздохнула она и положила голову на диван, подражая мне.

Я молча уставилась на нее, надеясь, что она поймет намек и уйдет. Она заулыбалась.

— У многих складывается впечатление, что я совсем не хочу с ними разговаривать, — намекнула я совсем грубо.

— Правда? А у меня такое впечатление не складывается, — старательно повторила она, с трудом выговаривая слова своим беззубым ртом.

Я засмеялась:

— Сколько тебе лет?

Она подняла руку с растопыренными пальцами и отставленным в сторону большим.

— Четыре пальца и еще большой? — спросила я.

Она наморщила лоб и снова посмотрела на свою руку, шевеля губами и считая.

— Разве нет такой специальной школы, куда дети ходят, чтобы научиться считать? — снова спросила я. — Разве ты не можешь просто ответить «пять»?

— Я могу ответить «пять».

— То есть, по-твоему, лучше показать мне руку с растопыренными пальцами?

Она пожала плечами.

— А где все?

— Спят. А у тебя был телевизор? У нас тут есть телевизоры, но они не работают.

— Не повезло вам.

— Да, не повезло. — Она театрально вздохнула, но не думаю, чтобы это ее и впрямь расстраивало. — Бабушка говорит, что я задаю много вопросов. Только ты, мне кажется, задаешь еще больше.

— Ты любишь задавать вопросы? — Мне вдруг стало интересно. — А какие?

Она пожала плечами:

— Нормальные вопросы.

— О чем?

— Обо всем.

— Продолжай задавать их, Ванда, и, может быть, ты выберешься отсюда.

— О'кей.

Она помолчала.

— А зачем мне выбираться отсюда?

Не такой уж нормальный вопрос, пришло мне в голову.

— Тебе здесь нравится?

Она оглядела кухню.

— Я больше люблю свою комнату.

— Нет, это место, сам поселок. — Я ткнула пальцем в окно. — То, где ты живешь.

Она кивнула.

— Чем ты занимаешься весь день?

— Играю.

— Устаешь, наверное.

Она кивнула.

— Иногда. Скоро я пойду в школу, знаешь?

— А здесь есть школа?

— Не здесь.

Кажется, она по-прежнему имела в виду эту комнату.

— А что делают твои родители?

— Мама работает с дедушкой.

— Она тоже плотник?

Она покачала головой:

— У нас нет плота.

— А чем занимается твой папа?

Она снова пожала плечами.

— Мама и папа больше не любят друг друга. А у тебя есть дружок?

— Нет.

— Никогда не было?! Ни одного?!

— Был, и не один.

— В одно и то же время?

Я не ответила.

— А почему сейчас ни одного?

— Потому что я их разлюбила.

— Всех-всех?

— Почти всех.

— Ой, это совсем не здорово.

— Нет... — Я заколебалась. — Думаю, что нет.

— Тебе поэтому грустно? Мама из-за этого грустит.

— Нет, мне не грустно. — Я неловко усмехнулась, почувствовав себя неуютно под ее взглядом и градом вопросов.

— Ты выглядишь печальной.

— Как это я могу выглядеть печальной, если улыбаюсь?

Она в очередной раз пожала плечами. Вот за что я не люблю детей: у них в мозгах слишком много пустых мест и слишком мало ответов. Именно по этой причине я ненавидела себя, когда была ребенком. Мне всегда не хватало информации о том, что происходит, и редко доводилось встретить взрослого, который мог бы просветить меня на этот счет.

— Послушай, Ванда, для человека, который задает много вопросов, у тебя, похоже, маловато ответов?

— Я задаю не такие вопросы, как ты, — нахмурилась она. — И знаю много ответов.

— Например?

— Ну, например... — Она напряженно размышляла. — Например, мистер Нгамбао из соседнего дома не работает в поле, потому что у него болит спина.

— А где здесь поля?

Она показала на окно:

— Вон там. Там растет наша еда, а туда все ходят в столовую три раза в день, чтобы кушать.

— Вся деревня? Все вместе?

Она кивнула.

— Там работает мама Петры, а я не хочу там работать, когда вырасту, и в полях не хочу. Я хочу с Бобби, — пропела она мечтательно. — Папа моей подруги Лэйси работает в библиотеке.

Я прикинула, насколько важно то, что она мне сообщила, и пришла к выводу, что совсем не важно.

— А никто никогда не задумывался о том, чтобы потратить время на более разумные вещи? Вроде того, как бы, черт возьми, выбраться отсюда? — язвительно спросила я, адресуя вопрос в первую очередь себе.

— Некоторые пытаются выйти, — ответила она, — но не могут. Отсюда нет выхода. Но мне тут нравится, поэтому я не расстраиваюсь. — Она зевнула. — Устала, пойду спать. Спокойной ночи.

Она соскользнула с дивана и направилась к двери, таща за собой скрученную простыню.

— Это твое? — Она остановилась, наклонилась, подняла что-то с пола и протянула это мне.

Я увидела, как эта штука заблестела в свете, просачивающемся из-под двери.

— Да, — вздохнула я, беря у нее из рук свои часы.

Дверь открылась, оранжевый свет наполнил комнату, вынудив меня закрыть глаза, а потом я услышала, как дверь снова захлопнулась, и осталась одна в темноте, а слова пятилетней девочки стучали у меня в ушах: «Некоторые пытаются выйти, но не могут. Отсюда нет выхода».

И еще одно мне не нравится в детях: в какой-то момент они обязательно произнесут то, что ты и так в глубине души знаешь, но ни за что не хочешь признавать. И еще больше не хочешь услышать.

Глава двадцать вторая

—Итак, Иосиф — плотник. А чем вы занимаетесь, Мария? — спросила я Хелену, когда мы прогуливались по пыльной деревенской дороге.

Она усмехнулась, но промолчала.

Мы прошли весь поселок насквозь, а теперь вышли в поля, сверкающие яркими золотыми и зелеными красками. В них трудились люди всех национальностей, выращивая все, о чем я когда-либо слышала, а также то, о чем я не слышала никогда. Вокруг тянулись десятки теплиц, так как жители использовали любую возможность, чтобы получить урожай. С пестротой людей спорила и природа, попавшая сюда как есть, во всех своих ярких и противоречивых проявлениях. Всего за несколько дней я успела испытать на себе и изнуряющий зной, и ужасную грозу, и весенний бриз, и зимнюю стужу. Непостоянством климата, думаю, объяснялось необычное многообразие трав, деревьев, цветов и кустарников, которые с успехом прижились здесь и прекрасно сосуществовали друг с другом. Аналогичного объяснения относительно людей я пока не нашла. Похоже, в этом месте не существовало правил, которым подчинялась бы природа. Смена четырех времен года в течение одного дня считалась явлением приемлемым и даже приятным, — во всяком случае, таким, к которому ничего не стоит привыкнуть. Сейчас, когда мы шагали бок о бок, было снова тепло, и я чувствовала, что вернулась к жизни, за одну ночь проспав без просыпу столько, сколько в жизни не спала — не считая детства. С тех пор, как Дженни-Мэй...

— С тех пор, как Дженни-Мэй что? — должен был бы спросить меня Грегори. — С тех пор, как она пропала?

— Нет, с тех пор, как Дженни-Мэй, и точка, — ответила бы я, если бы он наконец-то спросил.

Этим утром я встретила человека, которого разыскивала двенадцать лет. Хелена подтолкнула меня вперед, заставив захлопнуть разинутый рот, и пощелкала пальцами перед моими остекленевшими глазами. Ее присутствие начинало на меня давить, а ведь раньше никто не позволял себе со мной ничего подобного. Я была ошеломлена, чего прежде со мной тоже не случалось. Еще я вдруг почувствовала себя одинокой, и это ощущение опять-таки было мне в новинку. Впрочем, в последнее время происходило много необычного. После стольких лет поисков увидеть наяву лица, которые снились мне во сне, и при этом остаться столь же безмятежной, как Хелена, — нет, на такое я не способна.

— Сохраняйте спокойствие! — эти слова Хелена не раз и не два шептала мне сегодня на ухо.

Первым из призраков явилась Робин Герэйти. Мы сидели в «столовой», удивительном двухуровневом здании из дерева, окруженном со всех четырех сторон балконами, с которых открывался великолепный вид на лес, горы и поля. Никакого сходства с тесной рабочей столовкой, которую нарисовало мое воображение. В этом красивом здании местные жители собирались на завтрак, обед и ужин, — так им было проще распределять выращенную и собранную еду. Как я узнала, деньги здесь не имели хождения, несмотря на то что время от времени на пороге домов появлялись туго набитые бумажники. «Зачем тратиться на то что и так ежедневно поступает в избытке?» В вопросе, заданном Хеленой, содержалось исчерпывающее объяснение.

Фасад столовой, как и вход в бюро регистрации, покрывала искусная деревянная резьба. Учитывая разнообразие языков, на которых говорили жители поселка, это оказался самый эффективный и красивый способ обозначить назначение зданий. Вход украшали огромные виноградные лозы, бокалы вина и буханки хлеба. Они выглядели настолько соблазнительно, что моя рука сама потянулась, чтобы погладить мягкие изгибы деревянной ягоды.

Я как раз возвращалась из похода к стойке-буфету, когда увидела Робин и чуть не уронила поднос с пончиками и фраппачино. К моему удовольствию, именно в это утро из грузовика поставщиков «Криспи Крим» потерялась коробка с едой, которая и появилась в окрестностях поселка. Я живо представила себе курьера с планшетом в руках, который, не обращая внимания на крики разгневанного менеджера, недоуменно чешет в затылке и пересчитывает коробки в кузове грузовика, припаркованного в проезде, полном машин, возле задней двери магазина в центре Нью-Йорка. А в это самое время я и другие голодные жители поселка по очереди запускают руку в корзину с булочками. Увидев Робин, я едва не обожглась, как если бы мой фраппачино тоже испугался и выпрыгнул из чашки.

Робин Герэйти исчезла, когда ей исполнилось шесть лет. Ровно в одиннадцать утра она вышла погулять в садик перед своим домом в пригороде Северного Дублина, но, когда в одиннадцать ноль пять ее мать выглянула, чтобы проверить, все ли в порядке, девочки уже не было. Все — я действительно подразумеваю всех — родственники, соседи, полицейские, включая меня, потому что я тогда работала в гарда шихана, обвиняли соседа из ближайшего дома. Пятидесятипятилетний Денис Фармен, странный одинокий человек, не общался ни с кем, кроме Робин: всякий раз, когда она проходила мимо, заговаривал с ней, что не могло не обеспокоить родителей.

Он утверждал, что не делал этого. Клялся мне, что это не он. Все время повторял, что девочка — его друг, и он никогда не захотел бы и не смог причинить ей вреда. Никто ему не верил, я тоже не верила, однако отыскать улики нам не удалось.

Тело мы так и не нашли. А мужчину так достали соседи, журналисты, постоянные допросы полицейских, что он покончил с собой. И это стало для родителей и вообще для всех надежным доказательством его вины. Так что, когда девятнадцатилетняя Робин прошла мимо меня к стойке, мне стало нехорошо.

Хотя Робин исчезла в шестилетнем возрасте, я, едва подняв жадный взор от пончиков на проходящую мимо молодую женщину, сразу поняла, что это она. Ее портрет, составленный компьютером, был в свое время опубликован и обновлялся каждые несколько лет. Я запомнила его, так как ежедневно использовала для своих привычных мысленных сверок, встречая лица, казавшиеся знакомыми. И вот этот оживший портрет вдруг приблизился ко мне. Компьютерная картинка не сильно отличалась от оригинала, хотя в жизни ее лицо было полнее, волосы — темнее, бедра — круче, а во взгляде появилось некое новое знание, как если бы все, ею увиденное, полностью изменило глаза, оставив нетронутым только их цвет. То есть имелись детали, которые никакая фотография не в силах передать. Но все-таки это была она.

Я не могла притронуться к завтраку и просто сидела в оцепенении за столом вместе с семьей Хелены, а Ванда внимательно следила за мной и упорно повторяла каждое мое движение. Я не обращала внимания на ее несмолкающий щебет о ком-то по имени Бобби и не могла заставить себя оторваться от Робин, одновременно пытаясь проанализировать свое впечатление от встречи с девушкой, которая на протяжении последних двенадцати лет жила собственной жизнью. Я испытывала противоречивые чувства — к счастью примешивался осязаемый оттенок горечи: конечно, меня окружали люди, которых я так упорно искала, однако я не могла не понимать, что истратила колоссальный кусок своей жизни на поиски не там, где нужно. Такое происходит, когда вдруг встречаешь своего кумира или когда неожиданно осуществляются все твои желания, — в подобные моменты всегда испытываешь в глубине души тайное разочарование.

Мы с Хеленой остановились посреди необработанного разноцветного поля, заросшего яркожелтыми лютиками, голубым и сиреневым молочаем, маргаритками, одуванчиками и высокой травой. Их сладкий запах напомнил мне о последних нескольких глотках воздуха в Глайне.

— Что это там? — Вдалеке, за рощицей серебристых берез и дубов, я заметила дома, красиво выделяющиеся на их ярком черно-белом фоне.

— Еще один поселок, — ответила Хелена. — Каждый день появляется столько новеньких, что мы не в состоянии разместить всех в нашем маленьком городке. Кроме того, здесь есть представители разных культур, и не все хотят или могут ужиться в пределах одного поселения. Они строят свои жилища в других местах. — Она качнула головой в направлении дальних деревьев и гор.

Такого я не предполагала:

— Значит, здесь есть и другие люди, которых я разыскивала?

— Вполне возможно, — согласилась она. — У всех существуют такие же бюро регистрации, как у нас, так что все данные записаны. Правда, я не уверена, что они станут делиться информацией, потому что она считается конфиденциальной и предоставляется только в экстренных случаях. К счастью, нам не придется за ней обращаться. Они сами придут к вам.

Я усмехнулась, в очередной раз отметив комизм ситуации.

— Ну и в чем состоит ваш хитроумный план?

— Сейчас расскажу, — улыбнулась она, и в ее глазах появился лукавый блеск. — По списку, который вы ей передали, Джоана сейчас назначает индивидуальные прослушивания для новой постановки ирландской пьесы. Они начнутся примерно через... — Она приподняла мою кисть и взглянула на часы. — Через два часа.

Вероятная встреча с людьми вроде Робин обеспокоила меня, но план Хелены развеселил.

— Наверняка можно было организовать все гораздо проще.

— Безусловно. — Хелена перекинула лимонную шаль через правое плечо. — Но так гораздо интереснее.

— А почему вы думаете, что кто-то из списка захочет прийти на прослушивание?

— Шутите? — Похоже, она удивилась. — Вы что, не видели Бернарда и Джоану? Большинство местных жителей любят участвовать в разных мероприятиях, особенно в тех, которые организуют соотечественники.

— А вдруг неирландцы начнут завидовать? — полушутя заметила я. — Не хотелось бы, чтобы они решили, будто я не желаю допускать их к своему великому проекту.

— Нет, — улыбнулась Хелена. — Когда состоится спектакль, вместе с нами смогут повеселиться все желающие.

— Спектакль? Вы хотите сказать, что мы действительно будем ставить пьесу? — изумилась я.

— Непременно! — засмеялась Хелена. — Не вытащим же мы на прослушивание двадцать человек, чтобы потом сообщить им, что никакой постановки не будет. Насчет выбора пьесы решим позже.

У меня снова разболелась голова.

— Как только я сегодня поговорю с ними, они сразу поймут, что я такая же глава актерского агентства, как Бернард — кандидат на главную роль.

Хелена опять засмеялась.

— Не беспокойтесь, они ничего не заподозрят, а даже если заподозрят, то не будут возражать. Здешние жители пытаются заново создать себя: они используют то, что с ними случилось, в качестве второго шанса в жизни. Даже если там вы не владели актерским агентством, никто не удивится, когда вы откроете его здесь. Чем дольше вы тут пробудете, тем лучше почувствуете, какие у нас замечательные взаимоотношения и какая приятная атмосфера.

Я уже почувствовала. Атмосфера действительно была непринужденной, люди — миролюбивыми, и они выполняли свои повседневные обязанности добросовестно и без лишней суеты. Здесь легко дышалось, все всё успевали, в том числе просто посидеть и подумать, не говоря уже о полезных делах. Однажды потерявшись, люди предпочитали тратить свое время на размышления, любовь, привязанности и воспоминания. Принадлежность к команде считалась важной вещью, даже если это означало участие в безнадежном театральном проекте.

— А Иосиф не обидится, что его не позвали?

— Ни капельки, — ответила Хелена.

— Он из Кении?

— Да. — Мы повернули назад и пошли к поселку. — С побережья Ватаму.

— А как он вчера меня назвал? Что значит это слово?

Выражение лица у нее изменилось, и я догадалась: сейчас она прикинется непонимающей.

— Вы о чем?

— Да ладно, Хелена, я видела ваше лицо, когда он назвал меня этим словом. Вы удивились. Не помню само слово... Кипа... Каппа... Что-то вроде этого... Что это такое?

Она наморщила лоб, притворяясь смущенной:

— Извините, Сэнди, не имею представления, о чем вы. Честно, не помню.

Я не поверила.

— Вы сказали ему, чем я на самом деле занимаюсь?

На ее лице опять сменилось выражение — оно стало таким же напряженным, как во время нашей вчерашней сцены на кухне.

— Да, конечно, теперь он знает, но тогда не знал.

— Когда тогда?

— Когда встретился с вами.

— Понятное дело, не знал. Я и не думаю, что Иосиф ясновидящий, просто хотела узнать, как он меня назвал. — От огорчения я даже остановилась. — Хелена, пожалуйста, не лукавьте со мной, я не умею разгадывать загадки.

Она покраснела.

— Придется вам спросить у него, потому что я не знаю. Наверное, он говорил на диалекте кисуахили, а я в нем ни бум-бум.

Стало окончательно ясно, что она лжет, и путь мы продолжили в молчании. Я снова взглянула на часы, волнуясь из-за того, что вскоре мне придется передавать разным людям послания из дома, от членов их семей. Послания, которые они каждую ночь составляли в молитвах. Послания, которые в конце концов будут доставлены адресатам. Смогу ли я точно передать их чувства, вот в чем вопрос. Накануне я сказала Хелене правду: я необщительный человек. То, что я занимаюсь розыском людей, вовсе не означает, что мне нравится проводить с ними время. Мне, конечно, хотелось узнать, куда подевалась Дженни-Мэй, но я вовсе не стремилась отправиться вслед за ней и не мечтала о ее возвращении.

Хелена, как всегда, инстинктивно поняла, что я чувствую.

— Так здорово было впервые за долгие годы рассказать Иосифу о моей семье, — тихо проговорила она. — Мы проговорили о родителях, пока меня не сморил сон, и они снились мне до самого восхода солнца. Я видела мать, и ее организацию, и отца, и как он искал меня... — Она опустила ресницы. — Сегодня утром я проснулась, толком не соображая, где нахожусь, потому что во сне несколько часов провела там, где выросла.

— Простите, если огорчила вас, — извинилась я. — Не совсем понимаю, как сообщить людям, что именно их близкие хотели бы им передать.

Мы шли по дороге, и я крутила часы вокруг запястья, словно пытаясь повернуть время вспять, но оно продолжало равномерно тикать у меня на руке.

Хелена шире раскрыла глаза, и я увидела, что у нее на нижних ресницах дрожат слезинки, медленно собираясь в одну большую.

— Не принимайте это на свой счет, Сэнди. После ваших слов на меня снизошло умиротворение — а как могло быть иначе?! — Ее лицо просияло. — Я проснулась, зная, что у меня есть мать, которая по-прежнему беспокоится обо мне. Сегодня я чувствую себя защищенной, словно укутанной в невидимое одеяло. Знаете, вы не единственная, кто получил ответы на вопросы, мучавшие вас всю жизнь. Я как будто вижу их на фотографиях. Целый фотоальбом — и всего за одну ночь.

Я просто кивнула. Что тут скажешь?!

— Вы сумеете поговорить с ними. Я знаю, у вас получится даже лучше, чем просто хорошо. Сколько там осталось до встречи?

Я взглянула на запястье.

— Полтора часа.

— Ну вот, значит, ровно через девяносто минут они все будут здесь, мечтая, что проживут маленький кусочек своей жизни, подзывая с балкона Ромео, или убегут от обыденности, изображая великих лицедеев.

Я усмехнулась.

— А все, что они услышат сверх того, будет бонусом, и не важно, как вы это сформулируете.

— Спасибо, Хелена.

— Не за что. — Она ободряюще похлопала меня по руке, и я попыталась окончательно справиться со страхом.

Потом сосредоточилась на своей одежде.

— Есть еще одна проблема. Я уже несколько дней хожу в этом спортивном костюме, так что мне бы надо переодеться. Можно у вас что-нибудь одолжить?

— Об этом не беспокойтесь, — ответила Хелена, направляясь к деревьям. — Подождите, я вернусь через минуту.

— Куда вы?

— Минутку... — Голос ее исчез в темноте, а вместе с ним черные волосы с проседью и трепещущая лимонная шаль.

Я нетерпеливо постукивала ногой, пытаясь угадать, куда она ушла. Нельзя сейчас потерять Хелену. Далеко впереди я углядела огромную фигуру Иосифа, выходившего из леса с поленьями в одной руке и топором в другой.

— Иосиф! — позвала я.

Он заметил меня и помахал топором: не сказать, чтобы жест был очень ободряющим. Впрочем, он зашагал ко мне. Лысая голова сияла, словно полированный черный мрамор, а безупречная кожа делала его моложе своих лет.

— Все в порядке? — озабоченно спросил он.

— Да, думаю, в порядке... А вообще-то не знаю, — смущенно добавила я. — Хелена только что исчезла в лесу, и...

— Что? — Его глаза потемнели.

— Нет-нет, я вовсе не хотела сказать, что она исчезла. — Я осознала свою ошибку. — Она ушла, пошла между деревьями пару минут назад.

Здесь никто никогда не исчезал, поэтому неудивительно, что Иосиф встревожился.

— Она велела мне ждать ее.

Он положил топор и взглянул на лес.

— Она вернется, девочка-кипепео. — Его голос звучал ласково.

— Что это значит?

— Это значит, что она придет сюда, — улыбнулся он.

— Нет, я не об этом. Что значит это кенийское слово?

— Это вы, — лениво протянул он, не отрывая взгляда от деревьев.

— То есть?

Не успел он ответить, как снова появилась Хелена, таща за собой что-то похожее на дорожную сумку.

— Вот, нашла для вас. Ой, привет, любимый. Мне казалось, что я слышу, как ты где-то там стучишь по деревьям. На чемодане написано «Барбара Лэнгли из Огайо». Будем надеяться, что вам повезло, и у Барбары из Огайо длинные ноги. — Она опустила чемодан возле меня и отряхнула руки.

— Что это? — изумилась я, изучая багажную бирку на ручке. — Это должно было улететь в Нью-Йорк больше двадцати лет назад.

— Класс, у вас будет отличный наряд в стиле ретро, — пошутила Хелена.

— Не могу носить чужие вещи, — запротестовала я.

— Почему бы и нет? Вы же собирались надеть мои, — усмехнулась Хелена.

— Но вас я знаю!

— Зато не знаете человека, который носил их до меня, — поддразнила она, увлекая меня за собой. — Пошли, пошли. Сколько времени у нас осталось? Пора уже двигаться на прослушивание. — Она объяснила Иосифу, в чем дело, и он торжественно кивнул, а потом снова взял топор в руки.

Я подняла руку. Часы пропали.

— Черт, — проворчала я, ставя чемодан на землю и высматривая их под ногами.

— Что случилось? — Хелена и Иосиф остановились и повернулись ко мне.

— Снова часы свалились, — пробормотала я и пошла назад, разглядывая дорогу и траву рядом с ней.

— Опять?

— У них замок сломан. То и дело расстегивается, и часы сваливаются. — Мой голос звучал приглушенно, потому что я опустилась на колени и внимательно осматривала почву поблизости.

— Да ладно, они были у вас на руке минуту назад, так что никуда не делись. Просто поднимите чемодан, — спокойно посоветовала Хелена.

Я заглянула под чемодан.

— Забавно. — Хелена подошла поближе ко мне и нагнулась к земле, высматривая часы. — Вы куда-нибудь отходили, пока меня не было?

— Нет, никуда. Я ждала прямо здесь, вместе с Иосифом. — Я растянулась на земле и стала шарить руками в пыли.

— Они не могли пропасть, — сказала Хелена, абсолютно не взволнованная случившимся. — Отыщутся. Мы всегда находим вещи. Здесь.

Мы не двигались с места и внимательно осматривали пятачок, который я не покидала в течение пяти минут. Не было здесь такого уголка, куда часы могли закатиться. Я встряхнула рукава, вывернула карманы и проверила чемодан — может, зацепились. Пусто. Абсолютно ничего, нигде.

— Да куда же, черт возьми, они могли завалиться? — пробормотала Хелена, пристально изучая землю.

Иосиф, который едва ли вымолвил хоть слово с тех пор, как присоединился к нам, стоял на месте, не двигаясь. Его черные как уголь глаза, казалось, вобрали в себя весь свет. И все это время они были направлены на меня.

Он просто смотрел.

Глава двадцать третья

Ближайшие полчаса я провела на дороге, стараясь найти свои часы, скрупулезно повторяя проделанный путь снова и снова, — мой обычный метод. Прочесала густую траву по краям необработанного поля, руками обшарила рыхлую лесную почву. Часов не было нигде, но этот факт странным образом успокоил меня. На какое-то время улетучились мысли о том, где я очутилась и что вообще произошло, и я снова стала самой собой, как всегда, устремленной к четкой и однозначной цели. Найти. Как в десятилетнем возрасте, когда я в любой момент чувствовала готовность начать охоту за носком, который в моих глазах имел ценность редчайшего бриллианта. Впрочем, на этот раз все обстояло иначе — часы все-таки стоили побольше носка.

Иосиф и Хелена озабоченно смотрели на меня, пока я с корнем выдирала траву, а потом переворачивала дерн. Я искала свою драгоценность, проболтавшуюся на моем запястье последние тринадцать лет. Неспособность этих часов долго находиться на одном месте точно соответствовала неустойчивости моих отношений с человеком, их подарившим. Сколько раз они, щелкнув замком, улетали в сторону, противоположную той, куда перемещалась я сама, но мне и в голову не приходило махнуть на них рукой. Я не собиралась с ними расставаться, они были нужны мне. Опять-таки полное совпадение с нашими отношениями.

Хелена и Иосиф не притворялись заинтересованными, как это обычно делали родители, когда я выходила на охоту. У них на лицах действительно была написана озабоченность, и для этого имелись все основания: они утверждали, что здесь никогда ничего не пропадает, так что теперь им, похоже, предстояло взять свои слова обратно. Так, по крайней мере, думала половина моего разума, преследуемая навязчивыми идеями. Вторая, рациональная, половина допускала, что причина их озабоченности кроется во мне самой — стоящей на четвереньках, перепачканной влажной землей, с налипшими на одежду травинками.

— Послушайте, наверное, хватит искать. — Хелену, судя по всему, ситуация начала забавлять. — В Доме коммуны вас ждут люди — много людей, а вам еще надо принять душ и переодеться.

— Подождут, — возразила я, продираясь сквозь траву и чувствуя, как под ногти набивается грязь.

— Они уже достаточно долго ждали, — решительно заявила Хелена. — Да и вы, честно говоря, тоже. Хватит уклоняться от неизбежного. Пошли!

Я прекратила ползать по полю. Это слово — «уклоняться» — так часто звучало в устах Грегори. «Перестань уклоняться, Сэнди...» Но разве я когда-нибудь уклонялась? Как я могла, если полностью концентрировалась на чем-то одном и отказывалась бросить начатое? Это всегда было выше моего понимания. Ведь уклоняться значит двигаться в другую сторону. Если кто и уклонялся, то как раз они — Грегори, мои родители, теперь вот и Хелена с Иосифом. Это они не желали взглянуть в лицо фактам и признать, что вещь пропала и ее невозможно найти. Я покосилась на Хелену, которая рядом с огромным Иосифом походила на куклу.

— Но мне действительно нужно отыскать эти часы.

— И найдете. — Такое спокойствие было в ее голосе, что я сразу поверила. — Здесь вещи всегда находятся. Иосиф обещал поискать, и, может, Бобби что-то разузнает.

— Кто этот Бобби, о котором я только и слышу? — спросила я, поднимаясь на ноги.

— Он работает в бюро находок, — объяснила Хелена и протянула мне чемодан, который я бросила посреди дороги.

— Бюро находок, — засмеялась я и покачала головой.

— Удивляюсь, почему вас до сих пор не выставили в тамошней витрине, — съехидничала Хелена.

— Вы имеете в виду Амстердам? — ухмыльнулась я.

Она наморщила лоб.

— Амстердам? О чем это вы?

Отряхиваясь, я покинула место поисков.

— Вам еще предстоит многое узнать, Хелена.

— Особенно приятно слышать это от человека, который последние полчаса ползал на четвереньках в грязи.

Мы оставили Иосифа посреди дороги. Он стоял подбоченившись и, опустив на землю бревна и топор, пристально вглядывался в пыльную тропинку.

В Дом коммуны я явилась в наряде Барбары Лэнгли из Огайо. Похоже, у нее были не такие уж длинные ноги, к тому же она питала явное пристрастие к мини-юбкам и легинсам, которые я даже не решилась примерить. Еще среди вещей, которые она, к сожалению, не надела, собираясь лететь в Нью-Йорк, оказались полосатые свитера с подплечниками, щекотавшими мочки ушей, и пиджаки, украшенные значками с символами мира, эмблемами инь и ян, желтыми смайликами и американскими флагами. Я и в первый-то раз ненавидела восьмидесятые, так что переживать их заново мне хотелось меньше всего.

Хелена расхохоталась, увидев меня в обтягивающих вареных джинсах, едва доходивших до лодыжек, белых носках, моих собственных кроссовках и черной майке с улыбающейся желтой рожицей.

— Как по-вашему, Барбара Лэнгли была членом клуба «Завтрак»[1]? — спросила я, нехотя по-

---

1 «Клуб «Завтрак» — популярный фильм американского режиссера Джона Хьюза, вышел в 1985 г.

кидая ванную комнату, словно ребенок, которого ради воскресного обеда со скучными родственниками заставили поменять привычную и удобную одежду на ненавистное нарядное платье.

Хелена растерялась.

— Понятия не имею, в каких клубах она состояла. Хотя я встречала здесь людей, которые носят такую одежду.

В результате я дошла до того, на что, как думала, никогда не решусь: стыдясь самой себя, набрала несколько более-менее приличных тряпок, лежавших вдоль дороги, по которой мы шли в поселок.

— Потом мы сможем зайти к Бобби, — попыталась подбодрить меня Хелена. — У него куча одежды, и всегда можно что-то выбрать. Да и портные у нас есть.

— Возьму пару-тройку вещей секонд-хенд, — предпочла я. — Не оставаться же здесь, пока мне сошьют полный гардероб.

В ответ она только хмыкнула, что мне совсем не понравилось.

Дом коммуны оказался величественным зданием из дуба с широкой двустворчатой входной дверью, похожей на другие. Ее тоже украшала резьба: многочисленные фигуры людей с развевающимися на ветру волосами и одеждами держались за руки, касаясь друг друга плечами. Хелена распахнула двери высотой не меньше двенадцати футов, и вырезанная из дерева шеренга расступилась, чтобы пропустить нас.

В дальнем конце зала длиной футов сорок возвышалась сцена. С трех сторон вокруг нее стояли ряды прочных дубовых кресел; такие же кресла разместились на балконе. Красный бархатный занавес, сейчас поднятый, по бокам перехватывал толстый золоченый канат. Задником служил туго натянутый холст, покрытый отпечатками ладоней, обведенными черной краской. Разного размера — от младенческих ладошек до рук взрослых мужчин — они тянулись рядами: не менее сотни по горизонтали и столько же по вертикали. Над ними виднелись надписи на разных языках. Найдя английский текст, я поняла, что все они означают одно и то же: «Сила и надежда». Знакомые слова.

— Тут отпечатки ладоней всех, кто жил или живет здесь в последние три года. В Доме коммуны каждого поселка есть такая стена. Они теперь стали чем-то вроде нашей эмблемы.

— Я их узнала, — подумала я вслух.

— Не может быть, — покачала головой Хелена. — Дом коммуны — единственное место в поселке, где вы могли их увидеть.

— Нет, я знаю их по дому. Похожий памятник стоит в парке замка Килкенни. На нем тоже отпечатки ладоней — их оставили родственники пропавших без вести — по одному от каждого. И большой камень с надписью. — Я прикрыла глаза и процитировала выгравированные слова, по которым так часто проводила пальцами: «Этот памятник и уголок для размышлений посвящаются всем пропавшим без вести. Пусть их родственники и друзья, приходя сюда, вновь обретут силу и надежду». Отпечаток ладони вашей матери тоже там.

Хелена напряженно вглядывалась в меня, задержав дыхание, словно пыталась отыскать на моем лице намек на то, что это шутка. Но я не шутила, и она медленно выдохнула.

— Господи, даже не знаю, что сказать. — Ее голос дрогнул, и она отвернулась к стене. — Это Иосиф предложил идею, подумал, что всем понравится. — Она покачала головой, все еще не веря в реальность происходящего. — Представляю, что с ним будет, когда он услышит, что вы мне рассказали.

— Класс! — воскликнула я, оглядывая помещение.

Оно больше походило на театр, чем на зал собраний коммуны.

— Зал вмещает две с половиной тысячи человек, — объяснила Хелена, которая вроде бы переключилась на новую тему, но все равно выглядела слегка растерянной, что было вполне понятно. — Если народу ожидается больше, мы приносим дополнительные стулья, но чтобы весь поселок собрался на какое-то мероприятие — такое случается очень редко. Мы используем этот зал для самых разных вещей. Проводим здесь выборы, устраиваем дискуссии с членами Совета, организуем выставки, обсуждения и так далее. Ну и в качестве театра — в тех редких случаях, когда ставим пьесы.

— А кто входит в Совет?

— По одному представителю от каждой нации. Только в нашем поселении свыше ста наций. У нас здесь десятки поселков, и в каждом из них собственный Совет.

— А что происходит на заседаниях Советов? — Услышанное казалось мне забавным.

— Да все то же, что и во всем мире: обсуждают разные вопросы и принимают решения.

— А какой здесь уровень преступности?

— Минимальный.

— Как это у вас получается? Что-то я не замечала на улицах ни патрулей, ни стражей порядка. Как вам удается держать всех в узде?

— Здешняя система правосудия разработана сотни лет назад и действует весьма успешно. У нас есть суд, исправительные учреждения и Совет безопасности, однако не всегда легко заставить представителей разных наций подчиняться одним и тем же правилам. В любом случае, Совет поощряет обсуждения и переговоры.

— То есть это такой орган для ведения переговоров? А какая-нибудь власть у этого Совета есть?

— Та власть, которой мы его наделили. Каждый новичок может прочесть об этом в информационном пакете, который ему выдают сразу по прибытии. — Хелена взяла брошюру со стойки на стене. — У вас тоже есть такая. Если не поленитесь заглянуть в свою папку. Там и рекомендации по участию в выборах.

Я пролистала брошюру и прочла вслух:

— «Выбирайте тех, кто умеет слушать и принимать решения от имени народа, стремясь к согласию и к всеобщему процветанию». — Я улыбнулась. — Что еще требуется от избранников? Например, две ноги — это хорошо, а четыре — плохо?

— Они должны обладать базовыми навыками руководства.

— Ладно, то есть вы хотите сказать, что эти брошюры о том, как правильно выбирать, приносят пользу? — ухмыльнулась я.

— Конечно, — серьезно ответила Хелена, направляясь к Джоане, сидевшей в дальнем конце зала. — Судя по тому, что Иосиф — один из членов Совета.

У меня отвисла челюсть, и я уставилась на нее:

— Иосиф?

— Похоже, вы удивлены.

— Нет... Да, удивлена. — Я помолчала, стараясь правильно сформулировать свою мысль и при этом не обидеть ее. — Он же плотник, — нашла я в конце концов объяснение.

— Члены Совета — обычные люди, которые в течение дня выполняют самую разную работу. Когда приходит время, их приглашают проголосовать за принимаемые решения, если дело того требует.

Мне не удавалось согнать с лица улыбку.

— Знаете, не могу избавиться от ощущения, будто вы здесь играете. Трудно принимать все это всерьез. — Я снова ухмыльнулась. — Ну, послушайте же. Я вот что думаю: все мы оказались в самом центре несуществующего места, а у вас тут действуют всякие Советы, суды и черт знает что еще.

— По-вашему, это смешно?

— Да! У вас же здесь каждый играет, наряжаясь в чужие шмотки и повторяя привычные жесты повседневной жизни. Но каким образом это место — где бы оно ни находилось — может следовать четким правилам или порядкам? Ведь оно целиком и полностью существует вне всякой логики. Не вписывается ни в какую реальность, само это понятие ему чуждо.

Сначала мне показалось, что Хелена обиделась, однако она обратилась ко мне с выражением понимания и симпатии на лице, что мне крайне не понравилось.

— Это жизнь, Сэнди, реальная жизнь. Рано или поздно вы сами поймете, что никто здесь не играет ни в какие игры. Мы все стараемся просто жить и делаем все, что в наших силах, чтобы наша жизнь была как можно нормальнее, как всякая другая жизнь, в любой другой стране, в любом другом мире. — Она подошла к Джоане. — Что тебе удалось сделать со списком Сэнди? — спросила она, обрывая наш разговор.

Джоана подняла удивленные глаза.

— Ой, привет, я и не заметила, как вы подошли. — У вас теперь, — она бегло осмотрела мой наряд в стиле восьмидесятых, — совсем другой имидж.

— Связались со всеми, кто в списке? — спросила я, игнорируя ее неодобрительный взгляд.

— Нет, не со всеми, — ответила она, снова берясь за текст.

— Дайте сюда. — Я выхватила у нее блокнот, чувствуя, как по телу прокатилась горячая волна адреналина.

Я пробежалась глазами по списку из тридцати имен. Галочки стояли меньше чем у половины.

Джоана продолжала что-то говорить, а мой взгляд так быстро перепрыгивал от одного имени к другому, что я с трудом их различала. Сердце бешено колотилось, замирая на мгновение всякий раз, когда я видела имя с галочкой. Это означало, что человек жив, все с ним в порядке и скоро мы встретимся.

— Так вот, я и говорю, — произнесла Джоана, явно рассердившись, что из-за меня пришлось скомкать историю, — Теренс в бюро регистрации ничем не мог помочь, потому что не имеет права выдавать информацию без запроса Совета с официальным обоснованием причины. — Она осторожно покосилась на Хелену. — Поэтому я порасспрашивала там и сям в поселке. Но могу вас обрадовать, Сэнди: ирландская коммуна здесь такая маленькая, что все всех знают.

— Давай, давай, — поторопила Хелена.

— Ладно, в общем, я связалась с двенадцатью нашими жителями, — продолжила она. — Восемь из них захотели прийти на прослушивание, еще четверо сказали, что обязательно примут участие в постановке, но только не как актеры. Но мне не удалось встретиться... сейчас, минуточку... с... — Она надела очки и приблизила листочек к глазам.

— Дженни-Мэй Батлер, — закончила я за нее, ощущая, как сердце провалилось куда-то на дно желудка.

Хелена взглянула на меня, явно узнав имя, которое я уже называла перед тем как хлопнуться в обморок.

— Бобби Стэнли, — прочла я еще одно имя, и мои надежды начали постепенно увядать.

— Джеймс Мур, Клэр Стинсон... — Список тех, кого найти не удалось, все увеличивался.

— Послушайте, если их нет здесь, это не значит, что нет и в соседнем поселке, — постаралась ободрить меня Джоана.

— С какой вероятностью? — спросила я, окрыленная надеждой.

— Не хочу обманывать вас, Сэнди. Большинство ирландцев живет в этом поселке, — ответила Хелена. — Каждый год появляется от пяти до пятнадцати человек, и, поскольку нас так мало, мы стараемся держаться вместе.

— Значит, Дженни-Мэй Батлер должна быть здесь, — обессиленно пробормотала я. — Больше негде.

— А что насчет остальных? — спокойно спросила Джоана.

Я быстренько проглядела список. Клэр и Питер, Стефани и Саймон... С их близкими я просиживала допоздна и, вытирая слезы, перелистывала фотоальбомы вперемежку с обещаниями отыскать ребенка, брата, сестру или друга. И если они не здесь, есть все основания подозревать худшее.

— Но Дженни-Мэй... — Я стала мысленно перебирать все факты дела, которые надежно хранились в моей памяти. — Там больше никого не было. Никто ничего и никого не видел.

Джоана казалась смущенной, Хелена грустной.

— Она должна быть здесь. Если только она не прячется. Или, может, в другой стране... Я не проверяла другие страны, — растерянно пробормотала я, обращаясь к самой себе.

— Ладно, Сэнди, садитесь, пожалуйста. Хватит уже пережевывать все это, — прервала меня Хелена.

— Ничего я не пережевываю, — отстранила я ее руку. — Конечно же нет, она не прячется и не может быть в другой стране. Ей сейчас столько же лет, сколько и мне. — Я повернулась к Джоане: — Вы должны отыскать Дженни-Мэй Батлер. Скажите всем, что она моя ровесница. Ей тридцать четыре года. Здесь она с десятилетнего возраста, я знаю.

Джоана быстро закивала, словно боялась ответить «нет». Хелена протянула ко мне руки и застыла, как будто одновременно хотела и боялась коснуться меня. Я наконец осознала, с какими озабоченными лицами обе женщины смотрят на меня, быстро села и отпила воды из стакана, который Хелена вложила в мою руку.

— С ней все в порядке? — Я слышала, как Джоана спрашивала Хелену, когда они направились к дальним рядам кресел.

— Все нормально, — спокойно ответила Хелена. — Ей просто очень хотелось, чтобы Дженни-Мэй участвовала в спектакле. Давай постараемся отыскать ее, ладно?

— Не думаю, что она здесь, — прошептала Джоана.

— Давай хорошенько поищем.

— Я вот что хотела спросить: почему мне дали список из тридцати человек? Откуда Сэнди знала, что они умеют играть? Когда я обращалась к ним, все очень удивлялись. Большинство из них никогда не участвовали в любительских спектаклях. Зато многие другие очень хотят получить роль. С ними как быть? Им можно прийти на прослушивание?

— Конечно, всем можно. — Хелена отвела ее подальше. — В список включены особые люди, вот и все.

Из двух тысяч человек, которых ежегодно регистрируют в Ирландии как пропавших без вести, от пяти до пятнадцати никогда не будут найдены. Тридцать отобранных мною были из тех, кого я напряженно разыскивала на протяжении всех лет своей работы. Упорно занимаясь поисками, я кого-то находила, кого-то прекращала искать, когда узнавала, что с ними связаны некие мрачные обстоятельства, или им наверняка нанесен непоправимый ущерб, или они исчезли по собственной доброй воле. Но эти тридцать из списка пропали без следа и без всяких видимых причин. Они неотрывно преследовали меня: под них не удавалось ни смоделировать картину преступления, ни найти и допросить хоть одного свидетеля.

Я подумала обо всех их близких — ведь я обещала им отыскать тех, кого они любили. Вспомнила Джека Раттла. Всего неделю назад я и ему дала такое обещание. А потом не пришла на назначенную встречу в Глайне. И вот теперь снова терплю неудачу.

Потому что, если верить списку, Донала Раттла здесь нет.

Глава двадцать четвертая

В о вторник утром, ровно через два дня после того, как Сэнди не явилась на встречу, Джек, который только недавно вернулся домой, прихватив найденное досье Донала, тихо прикрыл за собой дверь коттеджа и окунулся в свежий воздух июльского утра. По всему городу велись приготовления к Фестивалю ирландского кофе. Возле фонарных столбов стояли свернутые перетяжки с рекламой, в центре припарковался грузовик с откинутым задним бортом, которому предстояло стать сценой для выступления музыкальных ансамблей. Правда, пока в городе царила тишина — жители еще нежились в постелях и видели в снах другие миры. Джек завел машину. Мотор загрохотал посреди безмолвной площади так, что едва не перебудил весь городок. Джек поехал в Лимерик, где надеялся встретить Сэнди в доме Алана, друга Донала. Он также собирался зайти к своей сестре Джудит.

Джудит была ему ближе всех остальных родственников. Жена и мать пятерых детей, она как будто вошла в роль мамаши-наседки, едва успев появиться на свет. Старше Джека на восемь лет, Джудит отрабатывала методы воспитания на каждой попадавшейся под руку кукле и на каждом соседском ребенке. На их улице любили шутить: во всем городе не осталось ни одной куклы, которая бы не выпрямила спину и не закрыла рот при виде Джудит. Когда родился Джек, она сосредоточила все свое внимание на нем, настоящем ребенке, которого окружила — хорошо еще, что не задушила, — поистине материнской любовью. И так продолжалось с первого часа его жизни и по сей день. К ней Джек обращался за советом, и она всегда выкраивала время между проверкой уроков, сменой пеленок или кормлением грудью, чтобы выслушать его.

Когда он приблизился к ее окруженному террасой дому, входная дверь распахнулась, и его уши затопила мощная волна воплей, заставив волосы на голове зашевелиться.

— Па-а-а-па-а, — орало существо, бывшее источником воплей.

Отец существа появился на пороге в белой когда-то, а теперь испачканной сорочке с расстегнутой верхней пуговицей и в болтающемся галстуке с криво завязанным узлом. Одной рукой он вцепился в кружку и, вытаращив глаза, торопливо и жадно отхлебывал из нее. Вторая рука была зажата на ручке ободранного портфеля, а вопящее существо с белыми волосами, в пижамной куртке с рейнджерами и трусиках, разрисованных лягушками, намертво вцепилось в его ногу.

— Не-е-е-ет, не уходи-и-и-и! — надрывалось существо, которое оказалось маленькой девочкой, обхватившей ручками отцовскую ногу так, словно вся ее жизнь зависела от того, удастся ли удержать папу дома.

— Отпусти папу, детка. Папе надо идти на работу.

— Не-е-е-т!

В дверях появилась рука и протянула Билли намазанный маслом тост.

— Ешь, — произнес голос Джудит, с трудом пробившийся сквозь такие же громкие вопли, но исходящие из другого источника.

Билли откусил кусок, проглотил еще немного кофе и аккуратно стряхнул с ноги Кейти. Его голова исчезла из дверного проема, поцеловала хозяйку руки, крикнула: «Пока, детки!» — после чего дверь захлопнулась. Вопли все еще слышались, но Билли продолжал улыбаться. Сейчас, к восьми утра, он уже примерно час или два переживал то, что Джек склонен был назвать пыткой, однако на его лице по-прежнему цвела улыбка.

— Приветик, Джек! — Его лунообразное лицо засияло.

— Доброе утро, Билли, — ответил Джек, замечая растянутые на животе петли сорочки, пятно от кофе на кармане и следы зубной пасты на полосатом галстуке.

— Прости, некогда, убегаю, — прокричал Билли сквозь смех, хлопнул Джека по спине и плюхнулся на сиденье машины. Мотор громко выстрелил, и машина рванула с места.

Джек огляделся: в этом квартале лепились друг к другу одинаковые серые домики, и на каждом крыльце происходила похожая сцена.

Он робко потянул на себя дверь, надеясь, что сумасшедший дом не проглотит его целиком и сразу. Потом вошел внутрь и увидел пятнадцатимесячного Натана, абсолютно голого, если не считать тяжело провисшего подгузника: Натан носился по холлу, не выпуская изо рта бутылки, которая болталась туда-сюда. Джек двинулся за ним. Четырехлетняя Кейти, которая минуту назад висела на отце, вцепившись в его ногу, будто мир вот-вот рухнет, сейчас спокойно сидела, скрестив ноги, на полу рядом с телевизором. Из миски с хлопьями на покрытый пятнами ковер текло молоко, но девочка, полностью захваченная зрелищем танцующих и распевавших песенку про джунгли жуков, этого не замечала.

— Натан, — весело позвала Джудит из кухни, — нужно сменить подгузник. Вернись ко мне, пожалуйста.

Она хранила ангельское терпение, невзирая на окружающий ее хаос. Повсюду громоздились игрушки, стены украшали детские каракули — пришпиленные кнопками к стенкам или начириканные прямо на обоях. Тут же разместились корзины с грязным бельем, корзины с чистым бельем, а вдоль стен стояли сушилки, на которых висели стираные вещи. Вопил телевизор, орал младенец, грохотали банки и кастрюли. Настоящий человеческий зоопарк: три девочки и два мальчика, десяти, восьми и четырех лет, пятнадцати и трех месяцев от роду, и все они буйствовали и требовали внимания, тогда как сама Джудит сидела за кухонным столом, взъерошенная и неумытая, в платье с пятнами, с вещами, разбросанными всюду, где только можно, и с блаженной улыбкой на лице.

— Привет, Джек! — Она удивленно взглянула на него. — Как ты сюда попал?

— Дверь была открыта, а твой швейцар меня впустил. — Он кивнул на Натана, который в конце концов уселся на пол в своем переполненном подгузнике и принялся колотить деревянной ложкой по банкам.

Трехмесячная Рэйчел широко раскрыла глаза и рот и приготовилась пускать пузыри.

— Не вставай. — Джек перегнулся через кроватку, в которой лежала Рэйчел, и поцеловал Джудит.

— Натан, лапуля, я же просила тебя не открывать дверь без маминого разрешения, — спокойно сказала Джудит. — Он все время крутит замок, — объяснила она Джеку.

Натан перестал стучать ложкой и поднял на нее голубые глазенки; по его подбородку стекала слюна.

— Па-па-па, — пробулькал он.

— Конечно, конечно, ты делаешь, как папа, — согласилась Джудит, вставая. — Хочешь чего-нибудь, Джек? Чай, кофе, тост, затычки для ушей?

— Чай и тост, пожалуйста. Кофе я уже достаточно выпил, — ответил Джек, устало потирая лицо, потому что грохот ударов по кастрюле стал почти невыносимым.

— Натан, хватит, — твердо сказала Джудит, нажимая кнопку электрического чайника. — Иди сюда, давай сменим подгузник.

Она подняла его, положила на пеленальный столик, стоящий на кухне, и принялась за дело, предварительно вручив Натану ключи от дома в качестве игрушки.

Джек отвернулся, сразу утратив аппетит.

— Ну и почему ты не на работе? — спросила Джудит, одной рукой придерживая за лодыжки обе пухлые ножки, как если бы собралась фаршировать индейку.

— Я взял отгул.

— Опять?

Он не ответил.

— Вчера я говорила с Глорией. Она сказала, что ты в отгуле, — объяснила Джудит.

— Откуда она знает?

Джудит вынула из коробки влажную салфетку.

— Какой смысл после восьми лет совместной жизни вдруг решить, что твоя умная приятельница на самом деле — дура? О, что это? — Она приложила руку к уху и посмотрела вдаль.

Натан перестал трясти ключами и уставился на нее.

— Пожалуй, привычного звона свадебных колоколов и шлепанья босых ножек по полу больше не слышно.

Натан засмеялся и снова затряс ключами. Джудит вернула его на пол, и он босиком побежал по плиткам, издавая звуки, похожие на шлепки утиных лапок по луже.

— Эй, Джек, ты какой-то ужасно спокойный, — саркастично заметила она, споласкивая руки в кухонной раковине — прямо над стопкой грязных тарелок и чашек, что не укрылось от его взгляда.

— Сейчас не время... — устало возразил Джек, отбирая деревянную ложку у Натана, который в ответ тут же завопил, что разбудило Рэйчел, которая тоже завопила, что мгновенно заставило Кейти в столовой прибавить звук в телевизоре. — К тому же само по себе это место служит вполне надежным противозачаточным средством.

— Да, все правильно. Когда выходишь замуж за парня по имени Билли[1], точно знаешь, что получишь.

Меньше чем за минуту Джудит всех угомонила и поставила на кухонный стол перед Джеком чашку чая и тост на блюдце. Потом села, вынула Рэйчел из кроватки, расстегнула блузку и начала кормить дочку, маленькие пальчики которой сжимались и разжимались в воздухе, словно играя на невидимой арфе.

— Я взял отпуск на неделю, — объяснил Джек. — Уладил все сегодня утром, по дороге сюда.

— Что ты сделал? — Джудит глотнула чай. — Они разрешили тебе так долго не работать?

— Пришлось их убеждать.

— Это хорошо. Вам с Глорией нужно больше времени проводить вместе. — По лицу Джека она

---

1 Английское выражение «словно Билли» имеет смысл усиления — «изо всех сил», например.

поняла, что это не входит в его планы. — Что происходит, Джек?

Он вздохнул. Ему очень хотелось все рассказать ей, но было боязно.

— Скажи мне, — мягко попросила она.

— Я кое с кем встретился, — начал он. — Это агентство...

— Ну и?.. — в ее тихом голосе звучал вопрос, как это бывало, когда он возвращался из школы, набедокурив, и ему приходилось признаваться во всяких неприятных вещах — вроде того, что они раздели догола Томми Макговерна и привязали его к футбольным воротам во дворе.

— Это агентство по поиску пропавших без вести.

— Ох, Джек, — прошептала она, прижимая руку к губам.

— Да ладно, Джудит, какой от этого вред? Что плохого, если еще один человек попробует?

— Есть в этом плохое, Джек. Ты берешь еще одну неделю отпуска, Глория звонит мне, ищет тебя.

— А она звонила?

— Вчера в десять вечера.

— Ух ты!

— Ну ладно, расскажи мне про это агентство.

— Не расскажу. — Он сердито откинулся на спинку стула. — Не приставай.

— Прекрати ребячиться, Джек, и расскажи.

Он подождал минутку, чтобы успокоиться, потом заговорил:

— Я наткнулся на объявление в «Желтых страницах» и позвонил ей.

— Кому?

— Сэнди Шорт. Все объяснил, и она сказала, что уже распутывала подобные дела раньше. В последнюю неделю мы каждый вечер чуть ли не по полночи беседовали по телефону. Она когда-то работала в полиции и сумела достать несколько отчетов, которых мы и в глаза не видели.

Джудит подняла брови.

— Она не просила у меня ни цента, Джудит, и я поверил ей. Поверил, что она хочет помочь. И что сможет найти Донала. Она честный человек, я в ней не сомневался.

— Почему ты говоришь о ней так, будто она умерла? — Джудит улыбнулась, а потом лицо ее снова стало серьезным и озабоченным. — Она же не умерла?

— Нет, — покачал головой Джек. — Вот только я не знаю, где она. Мы договорились встретиться в воскресенье утром в Глайне. Перед этим случайно столкнулись на бензозаправке, но тогда я еще не знал, что это она.

Джудит наморщила лоб.

— Мы же только говорили по телефону, понимаешь?

— Тогда откуда ты знаешь, что это была она?

— Я нашел ее автомобиль там, внизу, у реки.

Джудит выглядела еще более ошарашенной.

— Ну, смотри. Мы должны были встретиться, и ночью, перед отъездом, она оставила на автоответчике сообщение, что уезжает из Дублина, но в назначенном месте не появилась. Поэтому я искал ее в городе, справлялся во всех гостиницах

и мотелях, не нашел никаких следов и пошел прогуляться вдоль реки. И обнаружил автомобиль.

— А откуда ты знаешь, что это ее машина?

Джек открыл стоящую рядом с ним сумку.

— Потому что это лежало на приборной доске. — Он положил папку на кухонный стол. — А еще
вот это. — Он положил рядом ее ежедневник. —
И это. — На стол лег заряженный мобильник. —
Она прикрепляла бирки ко всему, абсолютно ко
всему. Я порылся в сумке: вся ее одежда, носки, —
все с бирками. Словно она боялась потерять вещи.

Джудит сохраняла спокойствие.

— Ты рылся в ее сумке? — Она смущенно покачала головой. — Зачем же ты достал все это из
машины? Может, она просто пошла прогуляться,
Джек? А если она вернется к машине и увидит, что
все ее вещи пропали? С ума сошел? Зачем ты все
это унес?

— Если она вернется, мне придется слегка из-
виниться. Но вообще-то прошло два полных дня.
Довольно долгая прогулка получается, тебе не кажется?

Они оба замолчали, вспоминая отчаяние их
матери, когда от Донала в течение двух дней не
было никаких вестей.

— Я позвонил Грэхему Тернеру.

— И что он сказал? — Джудит потерла ладонями лицо: все повторялось сначала.

— Он сказал, что прошло всего лишь немно-
гим больше суток и что это вполне в ее духе, а потому он не видит оснований для беспокойства.

— Почему? Что значит — в ее духе?

— Он говорит, она приходит и уходит, когда ей заблагорассудится, делает что хочет и никого не ставит в известность о своих перемещениях, — устало отбарабанил Джек.

— Вот как. — Похоже, Джудит испытала облегчение.

— Но это не значит, что нужно парковаться среди деревьев на берегу реки и оставлять там машину на два дня. Не совсем то же самое, что уходить и возвращаться, когда захочется, правда?

— Ладно, давай я сформулирую это четко и недвусмысленно, — медленно проговорила Джудит. — Специалист по поиску пропавших без вести пропала сама, так?

Молчание.

Джудит покрутила эту мысль так и этак, перемещая ее в голове с места на место, пока не нашла для нее удобную полочку. Она задумчиво пережевывала последний кусочек тоста.

Потом фыркнула и расхохоталась.

Джек поплотнее уселся на стуле и скрестил руки на груди. Смех Джудит обидел его. Рэйчел перестала сосать и посмотрела на свою колышущуюся от смеха маму, которая вытирала слезы. Натан бросил играть с кубиками, поднялся с пола и тоже уставился на мать. На пухлом личике медленно расцвела беззубая улыбка, и он начал хихикать, подпрыгивая на месте и с восторгом охлопывая всего себя толстыми ладошками. Тут и Джек почувствовал, что уголки его губ приподнимаются, и присоединился к ним, залившись нервным смехом, потому что ощутил всю нелепость ситуации и одновременно невероятное облегчение от возможности хоть ненадолго сбросить напряжение и расслабиться. Когда они отхохотали, Джудит стала поглаживать Рэйчел по спинке и делала это так нежно, что у Джека на глаза навернулись слезы.

— Послушай, Джудит, может, Грэхем прав. Может, она и впрямь куда-то ушла. Например, решила: да пропади оно все пропадом, бросила свою машину, а с ней и телефон, и ежедневник, и свою жизнь заодно — и отправилась куда глаза глядят. Может, она действительно чокнутая, полоумная девица, которая постоянно откалывает подобные штуки. Могла и вообще уйти… Но это не важно. Потому что я намерен найти ее, и тогда она отыщет Донала, а потом пусть идет куда хочет. Потом я отпущу ее.

— Ты действительно полагаешь, что эта женщина может найти Донала? — задумчиво спросила Джудит.

— Она считала, что сможет.

— А ты-то сам как думаешь?

Он утвердительно кивнул.

— Значит, если ты найдешь ее, то это поможет отыскать Донала. — Она глубоко задумалась. — Знаешь, мы тут с Билли и детьми просматривали прошлым вечером фотоальбом. Кейти ткнула пальчиком в Донала и спросила, кто это. — Глаза Джудит налились слезами. — Ни Кейти, ни Натан не помнят его — он так и не отпечатался в их памяти, а Рэйчел, — Джудит крепче обняла младенца, — она даже не знает о его существовании. Жизнь продолжается без него, и он все это пропустил. — Она покачала головой.

Джек не мог придумать, что бы ей ответить, да и вообще не был уверен, следует ли что-то говорить. Те же мысли приходили ему в голову каждую секунду каждого дня.

— А почему ты так уверен, будто женщина, с которой ты даже ни разу не виделся и о которой ничего не знаешь, способна найти Донала?

— Слепая вера, — вздохнул он.

— С каких пор она у тебя появилась?

— С того момента, как я поговорил с Сэнди по телефону, — серьезно ответил он.

— Между вами... — Она сделала паузу, а потом все-таки решилась спросить: — Между вами ведь ничего не было, да?

— Кое-что было, но это ничего не значит.

— Каким это образом кое-что может означать ничего?

Он вздохнул и решил оставить вопрос без внимания.

— Глория ничего не знает о Сэнди. Оно конечно, и знать-то нечего, но я не хочу, чтобы она или кто-то из родственников прослышали об агентстве.

Лицо Джудит опечалилось.

— Ну, пожалуйста, Джуд, — он схватил ее за руку, — не нужно никого заставлять снова проходить через все это. Просто я сам еще раз попытаюсь. Мне это необходимо.

— Хорошо, хорошо. — Она решила прекратить разговор, чтобы не осложнять ситуацию. — Так что ты собираешься делать?

— Все очень просто. — Он спрятал в сумку папку, ежедневник и телефон. — Я начну ее искать.

Глава двадцать пятая

Мне шестнадцать лет, я сижу в офисе мистера Бартона, в одном из продавленных бархатных кресел, том самом, которое выбрала, когда впервые пришла сюда два года назад. Пристально смотрю на те же плакаты, развешанные в тесной комнате. Кирпичные стены грубо выкрашены в белый цвет, в них зияют черные дырки и другие — заполненные белой шпатлевкой. В этой комнате то ли было все, то ли не было ничего, — я никогда не могла понять. Куски скотча болтались на стенках, к некоторым еще липли уголки оборванных плакатов.

Я часто представляла себе комнату где-то в школьном здании, до потолка заваленную стопками плакатов, лишенных углов.

— О чем ты думаешь? — спросил в конце концов мистер Бартон.

— О плакатах без углов, — ответила я.

— А, старая тема, — кивнул он. — Как прошла неделя?

— Тощища.

— Почему?

— Ничего интересного.

— Что ты делала?

— Школа, еда, сон, школа, еда, сон, помножьте на пять, а потом еще на миллион остальных недель моей жизни. Будущее безрадостно.

— Ты где-то была в выходные? На прошлой неделе тебя вроде куда-то приглашали?

Он все еще хотел подружиться со мной.

— Да, в гостях.

— Ну и?

— Ну и все было прекрасно. Вечеринка в одном доме. Родители Джонни Наджента уехали, поэтому мы все там собрались.

— У Джонни Наджента? — Он поднял брови.

Я не ответила, но мои щеки залились краской.

— И ты смогла забыть о мистере Поббсе и веселиться?

Он так серьезно задал вопрос, что я немного смутилась и снова принялась изучать скотч. Мистер Поббс — серый, пушистый одноглазый мишка в голубой полосатой пижаме — с раннего детства спал в моей постели. Или в любой другой, если я ночевала не дома. Но обязательно вместе со мной. Мы с родителями незадолго до этого уезжали на неделю, а когда вернулись, я тут же собралась на выходные к бабушке с дедушкой. В какой-то момент, перекладывая вещи, я потеряла медвежонка. Это сильно меня расстроило, и, приехав домой, я полмесяца его искала, изрядно надоел родителям. На прошлой неделе мы обсуждали мое нежелание пойти куда-нибудь в выходные с Джонни Наджентом — как ни глупо, но я предпочитала потратить время на поиски верного дружка мистера Поббса. Трудно на целый вечер уйти из дому, зная, что где-то в нем прячется мистер Поббс.

— То есть ты пошла на вечеринку с Джонни Наджентом? — вернулся к вопросу мистер Бартон.

— Да, пошла.

Он неловко улыбнулся. До него, несомненно, тоже дошли слухи.

— А как насчет... Ты действительно?..

Он замолчал и начал издавать трубные звуки, обдумывая, как бы сформулировать свой вопрос. Редко удавалось увидеть его таким неловким, потому что он всегда себя контролировал. Впрочем, все, что я о нем знала, было связано только с этой комнатой. Если не считать мелких обрывков личной информации, которые он нечаянно обронил во время наших, тогда еще совсем невинных, бесед, мне абсолютно ничего не было известно о его жизни вне этих стен. Я научилась не задавать вопросов, потому что он все равно не отвечал на них, а я не желала ничего знать. И не знала. Иногда, впрочем, все же спрашивала, но он отмалчивался, — подумав об этом, я пришла к выводу, что в определенном смысле мы оставались совершенно чужими людьми, близко знакомыми лишь в пределах этой комнаты. Нам удалось создать собственный мир, определить его правила и провести между нами черту: переступать ее было нельзя, но в веселые дни разрешалось плясать вокруг нее.

Я вскочила на ноги, чтобы он перестал трубить и не добавил к своему сольному выступлению всю медную духовую группу:

— Мистер Бартон, если хотите узнать, все ли у меня в порядке, то скажу: вам не о чем беспокоиться. Да, я кое-что потеряла, но впервые в жизни не намерена разыскивать эту вещь или надеяться, что она вернется. Полагаю, я исцелилась.

Мы засмеялись и смеялись долго, не в силах остановиться. Потом наступило неловкое молчание, с моей стороны заполненное фантазиями на тему, как он тоже мог бы меня полечить, и мы снова расхохотались.

— Ты с ним встретишься еще? То есть я хочу сказать, тебе понравилась ваша компания? Понравилось на вечеринке? Ты расслабилась, забыла обо всех потерянных вещах? — Он снова засмеялся. — Им удалось добраться до острова Скатах?

Пока моя голова стукалась об изголовье родительской кровати Джонни Наджента, меня посетило прозрение. Я, кажется, вспомнила, куда положила мистера Поббса. Назавтра я позвонила бабушке, надеясь, что мистер Поббс лежит под кроватью и разглядывает своим единственным глазом торчащие над ним пружины. Но его там не оказалось, и мы договорились, что на следующий уик-энд я приеду и еще поищу. Хоть Джонни Наджент и пытался назначить мне свидание. Я собиралась все это объяснить, но вдруг резко затормозила.

— Минуточку! Что такое остров Скатах?

Мистер Бартон смущенно усмехнулся:

— Извини, случайно вырвалось. Это неудачная аналогия.

— Объясните, — потребовала я, заметив, что он быстро краснеет.

— Я не собирался этого говорить, просто выскочило. Не важно, давай двигаться дальше.

— Ну уж нет! Так просто вам от меня не отделаться! Вы-то заставляете меня повторять и объяснять каждое вырвавшееся у меня словечко, — засмеялась я, наблюдая, как впервые на моей памяти он пытается улизнуть от ответа.

Он собрался с мыслями.

— Это старая кельтская легенда и совершенно неудачное сравнение.

Я ждала продолжения.

Он потер лицо:

— Фу-ты, не могу поверить, что все это тебе рассказываю. Скатах была великой воительницей, которая в древние времена воспитала множество героев. Легенда гласит, что достичь ее острова почти невозможно, и потому любой, кому это удастся, считается достойным обучения боевым искусствам.

Я разинула рот.

— Вы сравниваете меня с женщиной-воином, которая учит мужчин сражаться?

Он снова засмеялся.

— Фишка в том, что до этой женщины было трудно добраться. — Увидев мое лицо, он оборвал смех.

Потом наклонился и взял меня за руку.

— Мне кажется, ты неправильно поняла.

— Надеюсь, — выговорила я, медленно качая головой.

Он что-то проворчал, быстро обдумывая, что добавить.

— Суть в том, что только самые сильные, отважные и достойные могут добраться до нее.

Я немного расслабилась.

— А как?

Его тоже отпустило.

— Для начала им нужно пересечь Долину невезения, поросшую травой, острой как бритва. — Он замолчал и взглянул на меня — стоит ли продолжать.

Убедился, что я не собираюсь набрасываться на него с кулаками, и двинулся дальше:

— Затем они попадают в Опасные ущелья, населенные прожорливыми тварями. Последнее испытание — Мост утеса, который опрокидывается, стоит на него ступить.

Я представила себе людей, с которыми сводила меня жизнь. Они пытались сблизиться со мной, даже подружиться, но я неизменно их отталкивала.

— Только настоящие герои способны через все это пройти, — закончил он.

У меня мурашки забегали по коже и зашевелились волосы на голове. Оставалось надеяться, что он этого не заметит.

— Я не должен был все это тебе рассказывать. — Он взъерошил прическу и покачал головой.— Это не входит в мои... э-э-э... обязанности. Извини, Сэнди.

— Да все в порядке, — успокоила его я, и он, похоже, вздохнул с облегчением. — Вы мне только скажите, много ли сами успели пройти?

Его восхитительные синие глаза уперлись в мои. Ему не понадобилось ни секунды на размышление.

— Я только что пересек Долину невезения.

Я обдумала его ответ.

— Постараюсь сдержать своих прожорливых тварей, если пообещаете сразу же сообщить, как только пройдете по мосту.

— Ты об этом узнаешь. — Он улыбнулся, взял мою руку и сжал ее. — Обязательно узнаешь.

Джек остановился возле квартиры Алана и снова заглянул в ежедневник Сэнди. Вчера на час дня у нее была запланирована встреча в каком-то месте с дублинским телефонным номером, и он хотел узнать, приходила ли она. Он надеялся, что человек, с которым Сэнди собиралась встретиться, ему поможет. Вместе с тем, уже на сегодня она назначила встречу Алану в Лимерике. По всей видимости, в Дублине ее ждало действительно важное дело, раз она согласилась мотаться туда и обратно на протяжении суток.

Трясущимися руками он набрал дублинский номер, записанный Сэнди. Трубку сняла женщина. Ее голос казался рассеянным, а на заднем фоне слышались другие звонки.

— Алло, Скатах-хаус.

— Здравствуйте! Простите, не могли бы вы помочь мне? — вежливо начал Джек. — Ваш номер телефона записан у меня в ежедневнике с пометкой «позвонить», а я не могу вспомнить зачем…

— О, конечно, — так же вежливо ответила она. —
Скатах-хаус — это офис доктора Грегори Бартона.
Возможно, вы собирались записаться на прием?

Я проснулась в своей дублинской кровати от
пронзительного телефонного звонка, ввинчиваю-
щегося в ухо. Накрыла голову подушкой и стала
молиться, чтобы звонок стих. Меня мучило жут-
кое похмелье. Я высунулась из-под подушки
и тут же увидела смятую полицейскую форму, ко-
мом валяющуюся на полу. Я работала во вторую
смену, а потом пошла в паб, чтобы пропустить
пару-тройку стаканчиков. Они очень быстро пре-
вратились в пару-тройку явно лишних, и я абсолютно не помнила, как вернулась домой. Телефон
наконец-то замолчал, и я вздохнула с облегчением,
хотя звонок еще несколько секунд эхом отдавался
в моей голове. А потом он снова зазвонил. Я схватила трубку, лежавшую рядом с кроватью, утащила
ее к себе под подушку и прижала к уху.

— Алло, — прокаркала я.

— С днем рожденья тебя, с днем рожденья
тебя! С днем рожденья, милая Сэнди... — Мама
пела так душевно, словно выступала в церковном
хоре. — Гип-гип...

— Ура! — это вступил папа.

— Гип-гип...

— Ура! — Он придвинул к трубке дудку, которую
покупают для вечеринок, и задудел, а я тут же отодви-
нула трубку от уха так, что рука свесилась с кровати.

Но мне и под подушкой было слышно, как они
празднуют.

— С двадцать первым днем рождения, милая, — гордо произнесла мама. — Детка? Ты меня слушаешь?

Я вернула трубку к уху.

— Спасибо, мама, — пробормотала я.

— Может, ты позволишь нам устроить праздник? — спросила она и мечтательно добавила: — Не каждый день моей малышке исполняется двадцать один год.

— Уже исполнилось, — устало ответила я. — А впереди еще триста шестьдесят четыре дня, и в каждый из них мне будет двадцать один, так что нам придется много праздновать.

— Но это ведь не то же самое, знаешь ли!

— Тебе хорошо известно мое отношение к подобным вещам. — Я имела в виду вечеринки.

— Да уж известно. Ладно, желаю тебе хорошо провести день. Но ты вообще собираешься приехать поужинать домой? Может, на уик-энд? Устроим совсем маленький праздник: только я, ты и твой папа. Обещаю, мы ни разу не произнесем слов «день рождения».

Я помолчала, а потом солгала:

— Нет, в эти выходные не смогу, прости. Слишком много работы.

— Ну, хорошо, хорошо, а если мне приехать в Дублин на несколько часов? Я даже не останусь на ночь, просто выпьем кофе или что-то еще. Немножко поболтаем, и я тут же уеду, обещаю. — У нее вырвался нервный смешок. — Просто мне хочется как-нибудь отметить этот день вместе с тобой. И повидать тебя.

— Не могу, мам, извини.

Она замолчала. Слишком надолго.

Трубку бодро перехватил папа:

— С днем рождения, доченька. Понимаем, ты занята, поэтому возвращайся к своим делам, от которых мы тебя оторвали.

— А мама где?

— Она это... М-м-м... Пошла дверь открыть... — Папа умел врать не лучше меня.

Она плакала.

— Ну ладно, детка, удачного тебе дня. Постарайся весело провести время, хорошо? — нежно добавил он.

— Хорошо, — тихо ответила я, в трубке щелкнуло и стало тихо.

Я тяжело вздохнула, положила трубку на место и сбросила подушку с головы. Дала возможность глазам привыкнуть к яркому свету, от которого не защищали мои дешевые занавески. Было десять утра, понедельник, мне предстоял выходной. И ни малейшей идеи по поводу того, что с ним делать. В свой день рождения я бы предпочла выйти на службу, а так придется занять его недавно зашедшим в тупик делом о пропавшем ребенке. Маленькая девочка по имени Робин Герэйти исчезла из садика перед своим домом, где играла. Вроде бы все указывало на то, что к исчезновению причастен их немолодой сосед. Но, как мы ни старались, нам не удавалось ни доказать его вину, ни вынудить его признаться. Недавно я начала брать подобные дела домой, потому что все равно была не в состоянии отключиться от них по окончании рабочего дня, когда досье запирали в сейф.

Я перевернулась на спину и боковым зрением заметила рядом с собой большой бугор. Он расположился на соседней половине постели, а по подушке разметались космы темно-каштановых волос. Я вскочила, подхватила простыню и поплотнее завернулась в нее. Бугор задвигался, повернулся ко мне, раскрыл глаза. Усталые, налитые кровью.

— Я думал, ты уже никогда не возьмешь трубку, — проворчал он.

— Ты кто? — с отвращением спросила я, отходя подальше и таща за собой простыни, так что он распластался на постели совсем голым. Он улыбнулся, сонно потянулся, подняв руки над головой, и заморгал.

Я застонала. Предполагалось, что это будет такой беззвучный, внутренний стон, но он вырвался из моих губ.

— Так, сейчас я иду ванную, а когда вернусь, тебя здесь уже не будет. — Я схватила какие-то шмотки, предположительно принадлежащие ему, и швырнула их на кровать.

Потом собрала собственную одежду, сваленную на стуле, крепко прижала ее к груди и с грохотом захлопнула дверь. Через секунду вернулась, чтобы забрать бумажник, что ему очень не понравилось. Но меня это не волновало — я не собиралась оставлять его здесь.

В особенности после последнего раза.

Я сидела в ванной долго, до тех пор, пока мистер Рэнкин из соседней квартиры не начал колотить в дверь и кричать мне и всем остальным жителям дома, что у него сейчас лопнет та часть организма, о

которой мне не приходит в голову подумать. Я тут
же открыла дверь и вернулась к себе, надеясь, что
волосатый незнакомец уже испарился. Не тут-то
было. Он как раз запирал дверь изнутри.

Я медленно направилась к нему, не зная, что
сказать. Похоже, он тоже не знал, но его это не
волновало.

— Мы с тобой?.. — спросила я.

— Два раза. — Он подмигнул, и у меня все
внутри перевернулось. — Кстати, пока ты меня
окончательно не выгнала, хочу предупредить, что
какой-то парень позвонил в дверь, когда ты была
в ванной. Я сказал ему, что он может подождать,
если хочет, вот только ты, скорее всего, его не
узнаешь, — снова ухмыльнулся он.

— Какой парень? — Я напряглась.

— Ну вот, я так ему и сказал: ты его не вспом-
нишь!

— Он все еще тут? — Я посмотрела на закрытую дверь.

— Вряд ли. Кому охота торчать под дверью чужой спальни! Особенно если внутри голый волосатый мужик.

— Ты открыл дверь голым? — со злостью спросила я.

— Я думал, это ты. — Он пожал плечами. —
Впрочем, этот тип оставил свою карточку. — Он
протянул мне визитку. — Полагаю, нет смысла давать тебе мой номер телефона?

Я покачала головой, забирая у него карточку.

— Спасибо, э-э-э... — Я замялась.

— Стив. — Он протянул руку.

— Приятно познакомиться. — Я улыбнулась, а он засмеялся.

Он был вполне славным парнем, но я не могла дождаться, когда он начнет спускаться по лестнице.

— Вообще-то мы уже встречались, — напомнил он, направляясь к выходу и не оборачиваясь.

Я молчала и пыталась сообразить, когда это могло быть.

— На прошлогодней рождественской вечеринке у Луизы Драммонд... — Он остановился и взглянул на меня с надеждой.

Я нахмурилась.

— А, не важно. — Он махнул рукой. — Все равно ты завтра утром все забудешь. — И он ушел.

На какой-то момент у меня проснулось чувство вины, а потом я припомнила, что держу в руках визитную карточку, и неприятные мысли рассеялись. Но когда я прочла имя, колени подогнулись.

Получалось, что мистер Бартон открыл клинику в Дублине — Скатах-хаус на Лисон-стрит. Стоп, минутку. Доктор Бартон. Значит, он наконец-то сдал свои экзамены.

Я возбужденно заплясала на лестнице. Потом услышала шум спускаемой воды. Мистер Рэнкин покинул туалет с газетой в руке и увидел, что я танцую.

— Вам опять туда нужно? Мне в ближайшее время не понадобится. — Он махнул газетой.

Я ничего не ответила и вернулась в спальню. Мистер Бартон здесь. Он отыскал меня через три года после моего переезда, и теперь только это имело значение. По крайней мере, один старый носок нашелся.

Глава двадцать шестая

А-а, доктор Бартон. — Джек уселся на сиденье автомобиля и поплотнее прижал трубку к уху. — Теперь вспоминаю, почему сделал эту пометку. На самом деле это связано не со мной лично. Я звоню по поводу приятельницы, которая должна была вчера прийти на прием к доктору... — Он замолчал, потому что фамилия вылетела из головы.

— Бартону, — закончила за него секретарь, и он услышал, как зазвонил еще один телефон. — Извините, сэр, можете подождать минутку?

— Да. — Джек слушал группу «Дюран-Дюран», заглушившую разговор, и пытался продумать план дальнейшей беседы.

Он быстро записал в свой блокнот фамилию и адрес доктора Бартона. Позже он просмотрит пропущенные звонки, входящие и исходящие, записанные в телефоне Сэнди за последние несколько дней, и попытается реконструировать события и разобраться, где она успела побывать. Даже если для этого понадобится обзвонить всех подряд из ее записной книжки.

Секретарь вернулась к телефону:

— Извините, пожалуйста, сегодня так много работы. Чем я могу вам помочь?

— Не могли бы вы сказать, приходила ли вчера на прием моя приятельница Сэнди Шорт?

— Простите, мистер...

Джек напряг воображение.

— Ле Бон, — выговорил он — пожалуй, недостаточно быстро.

Почему Ле Бон?

— Простите, мистер Ле Бон, но мы не даем информацию о пациентах.

— Конечно, не даете, я все понимаю, но мне не нужна никакая личная информация. Моя приятельница серьезно болела в последнее время, но не хотела идти к врачу, боялась, что все окажется гораздо серьезнее, чем она предполагает. У нее проблемы с желудком: он беспокоит ее уже несколько месяцев. Я записал ее на прием, и она сказала, что посетила вчера доктора Бартона, но подозреваю, она нас всех обманула. Ее родные очень волнуются. Не могли бы вы просто подтвердить, приходила ли она? Мне не нужны никакие подробности личного свойства.

— Вы хотите узнать о Сэнди Шорт?

Он откинулся на спинку сиденья.

— Да, о Сэнди, — радостно подтвердил он. — Ее записали на час дня.

— Понятно. Ну что ж, боюсь, ничем не могу помочь, мистер Ле Бон. Потому что это не клиника, а психотерапевтический кабинет. Так что мы не могли записать ее на прием по поводу проблем с желудком. Могу ли я еще чем-то вам помочь? — Теперь ее голос звучал твердо и даже раздраженно.

— М-м-м... — Лицо Джека стало багровым от смущения. — Нет.

— Спасибо за звонок. — Она повесила трубку.

Он уставился на запись в ежедневнике Сэнди: визит к врачу в час дня. Неожиданно зазвонил ее телефон, и на экране высветилось имя — Грегори Б. Сердце в груди Джека загрохотало, как барабан. Он не ответил на звонок и почувствовал облегчение, когда тот наконец-то смолк и прозвучал сигнал оставленного сообщения. Джек взял телефон и включил запись.

«Привет, Сэнди. Это Грегори. Я пытался дозвониться несколько раз, но ты не берешь трубку. Полагаю, опять отправилась исследовать таинственные бездны. Звоню, просто чтобы сказать, что мужчина по фамилии... Кэрол, как там его зовут?..»

Джек услышал голос секретаря:

«Мистер Ле Бон».

«Да, конечно. — Грегори снова заговорил в трубку. — Какой-то мистер Ле Бон — полагаю, имя не настоящее, — он засмеялся, — звонил нам и разыскивал тебя. Желал знать, приходила ли ты вчера на прием по поводу болей в желудке. — Его голос стал спокойнее. — Просто будь поосторожнее, ладно? Маловероятно, чтобы ты нашла себе какую-нибудь нормальную работу, официанткой или нечто подобное. Так что вряд ли тебя преследуют разные психи. Вообще-то ты могла бы ходить по домам и продавать Библию. Кстати, вчера вечером ко мне приходила симпатичная женщина, с ног до головы в твиде. Я сразу подумал о тебе и потому взял ее визитку. Смотри, может, стоит связаться с ней?! Очень красивая, возвышающая дух карточка со Спасителем, жалобно взирающим на нас с креста. И напечатана на бумаге, сделанной из макулатуры, так что она, наверное, и впрямь полна любви. — Он снова засмеялся. — Впрочем, вряд ли ты выдержишь в твидовом костюме каждый день с девяти до семнадцати. Кстати. Не знаю, слышала ли ты об этом, но именно так большинство людей и живет. Благодаря этому они могут пользоваться свободным временем вне рабочих часов. Это называется «жизнь». Ж-и-з-нь. Можешь уточнить это слово в словаре, если случайно найдется минутка. В любом случае….» — Он вздохнул и немного помолчал, словно соображал, что бы еще сказать, вернее, словно точно знал, что должен сказать, но колебался.

Джеку такое молчание было хорошо знакомо.

«Ладно. — Голос неожиданно зазвучал более громко и по-деловому. — Я тебе скоро перезвоню».

Громкий стук в стекло со стороны пассажирского сиденья заставил Джека подпрыгнуть на месте и уронить телефон. Он повернул голову и увидел мать Алана, скверно одетую круглолицую женщину, которая пристально вглядывалась в окно. Он наклонился и опустил стекло.

— Здравствуйте, миссис О'Коннор.

— Это кто? — Она просунула голову в машину.

На ее подбородке пробивались жесткие волосы, а искусственные зубы раскачивались в деснах, когда она говорила.

— Я тебя знаю? — Брызги слюны попали Джеку на губу.

— Да, миссис О'Коннор. — Он вытер рот и повысил голос, так как знал, что она плохо слышит. — Я Джек Раттл, брат Донала.

— Боже милостивый! Брат малыша Донала! И что ты тут делаешь в машине? Ну-ка выходи и дай на тебя взглянуть!

Шаркая коричневыми бархатными шлепанцами, она обошла его и, медленно жуя ртом, в котором болтались зубы, осмотрела с ног до головы. Похоже, на ней был тот же наряд, что и лет сорок назад. «Обходись тем, что есть, и исправно штопай дырки», — этот принцип составлял неотъемлемую часть жизни семьи. Миссис О'Коннор приходилось использовать любую тряпку, чтобы одеть двенадцать детей, которых она растила без мужа, являвшегося домой с единственной целью и немедленно испарявшегося, стоило ему получить желаемое. Джек вспомнил, как однажды в детстве Алан отправился куда-то вместе с Доналом в белых шортах, сшитых из наволочки. Не похоже, чтоб это когда-либо волновало Донала, и он никогда не насмехался над другом, как это делали другие дети. Впрочем, задевать Алана было небезопасно: он всегда был готов выпустить кишки всякому, кто хотя бы бросит на него косой взгляд. Он и Донала защищал. Исчезновение друга он пережил особенно болезненно.

— Ну-ка, ну-ка, какие мы стали?! Совсем большой мальчик! — Она погладила Джека по руке и взъерошила ему волосы, как если бы он оставался подростком. — Точная копия отца, упокой, Господи, его душу. — Она перекрестилась.

— Спасибо, миссис О'Коннор. Вы тоже прекрасно выглядите, — соврал он.

— Да брось ты. — Она махнула рукой и зашаркала к своей квартире на первом этаже многоэтажного дома.

Две спальни и двенадцать детей — он не представлял, как она с этим справлялась. Ничего удивительного, что Алан проводил так много времени в доме Раттлов, где мать Джека старалась получше накормить его.

— Алан дома? Я пришел поговорить с ним.

— Нет его. Он в конце концов переехал к этой своей девице. У них теперь собственный дом, ты разве не знал? Он ее не бросает только из-за дома, а она его — из-за ребенка, не сомневайся. Этим одиноким мамашам теперь дают такое жилье! Не то что в мое время! Хотя чем я не мать-одиночка? То есть по документам нет, но на самом деле да, если не хуже, — продолжала она, открывая дверь.

Джек засмеялся. У Алана вечно что-то случалось, но из любой ситуации он в конце концов находил выход и приземлялся на все четыре лапы. Донал звал его котом.

— Не хочу беспокоить вас, миссис О'Коннор. Пойду к Алану, хорошо?

— Думаешь, он что-то не то сделал? — озабоченно спросила она.

— Во всяком случае, не мне, — улыбнулся Джек, и она кивнула, а на ее жестком лице появилось явное облегчение.

По всей видимости, мать позвонила Алану, пока Джек сидел в машине у дома и ждал. Тот казался худым, еще более худым, чем обычно, с бледным перекошенным лицом, то есть еще более бледным и перекошенным, чем всегда. Впрочем, они все изменились: разве исчезновение Донала не затронуло всех и каждого? Как будто Донал, выйдя тем вечером из забегаловки и стукаясь по пьянке о дверные косяки, одним из ударов ухитрился столкнуть Землю с привычной оси и на предельной скорости закрутить не в том направлении и не по той орбите. Казалось, все очутилось не на том месте.

Они крепко обнялись, приветствуя друг друга. Алан сразу же начал плакать, и Джек испытал жгучее желание присоединиться к нему. Вместо этого он застыл на месте, позволив младшему выплакаться у него на плече, сглатывая комок в горле, смаргивая слезы и старательно фокусируя взгляд на окружавших его реальных вещах. До них, в отличие от Донала, можно было дотронуться.

Они уселись в гостиной. Рука Алана дрожала, когда он стряхивал пепел с сигареты в одну из пустых банок из-под пива, громоздившихся возле дивана. В комнате царила мертвая тишина, и Джек предпочел бы включить телевизор — для звукового фона.

— Я пришел, чтобы узнать, не появлялась ли сегодня у тебя одна женщина. Она помогает мне искать Донала.

Алан просиял:

— Правда?

— Она хотела поспрашивать тебя о том вечере. Ну, понимаешь… То есть еще раз все прокрутить.

— Я уже миллион раз обсуждал это с полицейскими и еще миллион раз с самим собой, каждый день. — Алан глубоко затянулся сигаретой и устало потер глаза желтыми от никотина пальцами.

— Знаю. Но свежий взгляд всегда полезен, чтобы по-новому оценить ситуацию. Может, они что-то упустили.

— Может быть, — слабым голосом ответил Алан, но Джек сомневался, что он в это верит.

Вряд ли остался даже самый мелкий эпизод того вечера, который Алан не проанализировал бы. Сказать ему, что он о чем-то забыл, было бы прямым оскорблением.

— Она не появлялась?

Алан покачал головой.

— Я просидел здесь весь день — и вчера, и сегодня, и завтра тоже буду здесь, — со злостью ответил он.

— А что с твоей последней работой?

Алан скривился, и Джек понял, что не стоило задавать этот вопрос.

— Сделай одолжение. — Он протянул Алану свой телефон. — Позвони по этому номеру и запиши меня к доктору Бартону. Не хочу, чтобы там узнали мой голос.

Алан, как обычно, ни о чем не спрашивал.

— Добрый день, я хочу записаться на прием к доктору Бартону, — произнес он, открывая очередную банку пива.

Он приподнял брови и вопросительно покосился на Джека.

— Ага, на сеанс психотерапии.

Джек кивнул.

— На когда я хочу записаться? — повторил он вопрос секретарши.

— Как можно раньше, — прошептал Джек.

— Как можно раньше, — повторил Алан, выслушал ответ и снова взглянул на Джека. — В следующем месяце?

Джек яростно замотал головой.

— Нет, мне нужно раньше. У меня что-то не в порядке с головой, даже не знаю, что могу выкинуть.

Джек изумленно вытаращился.

Через пару секунд Алан выключил телефон.

— В четверг, на двенадцать.

— В четверг? — переспросил Джек и вскочил, словно боясь опоздать на прием.

— Ну да, ты же просил как можно раньше, — ответил Алан, протягивая ему мобильник. — Это что, каким-то образом связано с поисками Донала?

Джек задумался.

— В некотором роде да.

— Надеюсь, ты найдешь его, Джек. — Глаза Алана снова наполнились слезами. — У меня из головы не идет тот вечер. В мыслях я выхожу вместе с ним. И уверен, будь я рядом, он действительно сел бы в такси.

У него был измученный вид, а руки дрожали. Пальцами в никотиновых пятнах он непрерывно стряхивал пепел на грязный пол.

— Ты не мог знать, — подбодрил его Джек. — Это не твоя вина.

— Надеюсь, ты найдешь его, — повторил Алан, открыл следующую банку и жадно глотнул пиво.

Когда Джек уходил, он остался сидеть в тишине пустого дома, уставившись в пространство. Джек знал, что он снова будет вспоминать и заново переживать каждое мгновение того вечера и пытаться отыскать какую-нибудь важную улику, которую все упустили. Это все, что они могли сделать.

Глава двадцать седьмая

Орла Кин, номер один в моем списке пропавших без вести, вошла в большой зал, и солнечные лучи из открытой двери осветили ее силуэт. Она остановилась у входа, стараясь сориентироваться и напоминая Алису в Стране чудес, которая только что, прямо перед огромной дубовой дверью, сделала глоток из бутылочки с надписью «Выпей меня». Я нервно прокашлялась, и мой кашель, усиленный акустикой, полетел в пространство, ударяясь о стены и отскакивая от них, достиг потолка и вернулся обратно, словно шарик для пинг-понга. Она повернулась на звук и направилась ко мне, а стук ее высоких каблуков по деревянному полу отдавался громким эхом.

Джоана и Хелена поставили для меня стол в дальнем конце зала, а потом вышли на улицу, чтобы никого не смущать, и это явно разочаровало Джоану. При виде приближающейся Орлы я испытала панику сродни актерской перед выходом на сцену. Не могла поверить, что это и есть женщина из моего фотоархива пропавших без вести, которая вдруг ожила, задышала и вот-вот подойдет ко мне.

— Добрый день, — улыбнулась она, и стало ясно, что ее характерный для Корка акцент не выветрился, несмотря на проведенные здесь годы.

— Добрый день. — Мой голос понизился до шепота.

Я опять прочистила горло и повторила попытку. Взглянула на список фамилий, лежащий на столе. Я буду это проделывать сегодня двенадцать раз подряд, а потом еще дважды — с Джоаной и Бернардом. Мысль о необходимости встречаться со всеми этими людьми повергла меня в ужас, который быстро прошел, когда я осознала, какая сложная задача меня ждет — тонко и аккуратно затронуть столь деликатные материи. Раньше я еще раз спросила Хелену, почему нельзя просто рассказать людям все, что я знаю, не прибегая к сложным маневрам.

— Сэнди! — Она заговорила так твердо, что мне уже не требовалось никаких объяснений. — Когда люди хотят вернуться домой и не могут, они впадают в отчаяние. И если они узнают, что вы в ходе их розысков нашли дорогу сюда, то уверуют, будто вместе с вами сумеют выйти отсюда. И тогда жизнь превратится для вас в ад, потому что несколько сотен человек будут непрестанно следить за каждым вашим движением.

В сказанном был смысл. И вот я сидела здесь, старательно играла роль театрального импресарио и владелицы актерского агентства и пыталась вплести в монолог Гамлета рассказ об их родственниках и друзьях.

Я уже говорила об этом с Хеленой.

— Как вы считаете, — спросила я ее, — могу я вывести людей отсюда и вернуть их домой? — Меня не отпускала мысль, что я появилась здесь не просто так. К тому же я не сомневалась, что не задержусь здесь надолго.

То есть я стала очередной жертвой расхожей логики: такое может произойти с кем угодно, только не со мной.

Она усмехнулась и грустно проговорила, хотя я уже не нуждалась в ответе, потому что он был написан у нее на лице.

— Извините, Моисей, но я так не думаю. — И быстро, пока я не успела полностью пасть духом, добавила: — Однако уверена, что вы появились здесь не случайно. Думаю, вы должны поделиться с людьми всеми известными вам сведениями. Рассказать им о родных и о том, как те по ним скучают. Это ваш способ вернуть их домой.

Я посмотрела на Орлу, сидящую рядом со мной в тревожном ожидании. Пора возвращать ее домой.

Ей сейчас тридцать шесть лет, и внешне она мало изменилась. Прошло почти шесть лет с ее исчезновения. Шесть лет я ее искала. Знала, что ее родителей зовут Клара и Джим и два года назад они развелись. Что у нее есть две сестры, Рут и Лорна, и брат Джеймс. Ее лучшими подругами были Лора и Ребекка, которую прозвали Мухой из-за пристра-

стия к варенью. Орла изучала историю искусств
в университете Корка, когда пропала без вести. На
школьном выпускном она была в лиловом платье.
Поперек левой брови у нее был маленький шрам —
след падения с велосипеда в возрасте восьми лет.
Каникулы она проводила в Бэнтри. Девственность
потеряла в пятнадцать лет, переспав во время вечеринки с Найалом Кеннеди, парнем, работавшим
в местном магазине видеофильмов. Она разбила
машину родителей, взяв ее без спроса, пока те проводили недельный отпуск в Испании, но успела вовремя отремонтировать, и они до сих пор ничего
об этом не знают. Любимый цвет — сиреневый.
Обожает поп-музыку. До четырнадцати лет играла
на пианино, а с шести втайне мечтала стать балери-
ной, хотя никогда не училась танцу. Здесь провела
пять лет и девять месяцев.

Я смотрела на нее и не знала, с чего начать.

— Орла, расскажите о себе.

Я изучала ее, словно пребывая в трансе, видела, как открывается и закрывается рот, который
до этого момента был знаком мне только по фото-
графиям, как оживает, то есть в прямом смысле
становится живым, ее лицо, и вслушивалась в ее
голос. Певучий акцент Корка и колыхание длинных светлых волос заворожили меня.

Когда она заговорила об учебе, я решила использовать шанс.

— История искусств в университете Корка? —
переспросила я. — Я знаю кое-кого, кто учился
в тот же год, что и вы.

— Кого? — подпрыгнула она.

— Ребекку Грей.

У нее рот раскрылся от изумления.

— Не может быть! Ребекка Грей — одна из моих лучших подруг.

— Правда? — Я обратила внимание, что она говорит в настоящем времени.

То есть для нее Ребекка по-прежнему лучшая подруга.

— Ух ты! Чудеса, да и только. Как вы с ней познакомились?

— Я изредка пересекалась с ее братом Эндой. Он дружил с приятелями моих приятелей, знаете, как это бывает.

— А что он теперь делает?

— Ну, в последний раз я его встретила несколько месяцев назад, у него на свадьбе. Думаю, там были и ваши мама с папой.

Она минуту помолчала, а когда заговорила снова, ее голос прерывался и дрожал:

— Как у них дела?

— О, они просто сияли. Там же я познакомилась с одной из ваших сестер, ее звали Лорна, по-моему.

— Да, Лорна!

— Она сказала мне, что помолвлена.

— Со Стивеном? — Орла заерзала на стуле и возбужденно хлопнула в ладоши.

— Да, — кивнула я, — со Стивеном.

— Я так и знала, что она простит его, — улыбнулась Орла сквозь слезы.

— А ваша старшая сестра была на свадьбе с мужем. И, как я заметила, она сильно беременна.

— О-о-о... — Слеза потекла по щеке, и она быстро смахнула ее. — А еще? Кого еще вы видели? Мама и папа что-нибудь говорили? Как они выглядели?

Вот так я вернула ее домой.

Прошло полчаса. Джоана начала довольно громко кашлять, подавая мне сигнал — пришел следующий участник прослушивания. Мы не заметили, как она появилась в зале, и я привычно взглянула на запястье, забыв, что мои часы по-прежнему валяются где-то на дороге из поселка. Меня тут же посетило раздражение: вот, они где-то там валяются, а я ничего не делаю, чтобы их найти. Я поискала в списке имя. Ага, рядом с Джоаной стоит и нервно ломает пальцы Кэрол Дэмпси. Раздражение тут же испарилось, уступив место панике.

— Извините, наше время вышло, — сказала я Орле.

Ее лицо опало, и я поняла, что она чувствует: словно ее совершенно неожиданно вырвали из прошлого, из отчего дома и вернули сюда, в сегодняшнюю реальность.

— Но еще не было прослушивания, — возразила она.

— Все в порядке, вы получите роль, — прошептала я и подмигнула ей.

Она просияла, встала, наклонилась ко мне и схватила мою руку.

— Спасибо вам, спасибо, огромное спасибо!

Я смотрела, как она уходит с Хеленой, и понимала, что в ее голове кружится миллион новых мыслей об услышанных домашних историях. Ей нужно подумать: новая информация порождает новые вопросы и новую тоску по дому.

Кэрол села передо мной. Мать троих детей, сорокадвухлетняя домохозяйка из Донегола, певшая в местном хоре, пропала без вести четыре года назад, когда возвращалась домой с репетиции. За неделю до своего исчезновения она сдала экзамен на водительские права, накануне ее муж отпраздновал в кругу семьи сорокапятилетие, а через неделю у младшей дочери начинались школьные каникулы. Я увидела мышиное личико, робкое и застенчивое, мягкие каштановые волосы, собранные в пучок за розовыми ушами, сумочку на коленях, и мне тут же захотелось вернуть ее домой.

— Итак, Кэрол, — ласково проговорила я, — давайте-ка для начала пару слов о себе.

Позднее мы все уселись в кружок в большом зале. Передо мной была сцена и тысячи отпечатков ладоней, украшавших ее задник. «Сила и надежда», повторяла я про себя. Сила и надежда поддерживали меня весь сегодняшний день. Пока что, после всех сегодняшних встреч, я парила в небесах, но знала, что очень скоро силы покинут меня. Как только все заняли свои места, я, как обычно, устроилась чуть в стороне. От старых привычек так быстро не избавишься. Хелена позвала меня, и хор из пятнадцати голосов поддержал ее. Я взяла стул. И в ту же минуту поняла, что присоединяюсь к группе, чего стремилась избежать всю жизнь. Я медленно села, продолжив борьбу со своими ногами, которые рвались к двери, и с собственными губами, которым не терпелось произнести слова извинения за мой внезапный уход.

После того как я переговорила с каждым по отдельности, Хелена предложила присутствующим поближе познакомиться друг с другом и рассказать, когда и при каких обстоятельствах они пропали. Она назвала это тренингом командообразования, который должен помочь в постановке спектакля, но я-то знала, что на самом деле она делает это для меня, безуспешно ломающей голову над тем, где мы все находимся и как здесь очутились.

Они стали по очереди рассказывать. Это было мощное эмоциональное потрясение. Некоторые находились здесь всего несколько лет, другие — больше десятилетия, однако ни один так до конца и не осознал, что никогда не вернется домой. Многие плакали, только не я. Получалось, будто слезы, пробравшись из сердца к глазам, испарились и растаяли в воздухе облачками печали. Будто зачарованная, я вслушивалась в рассказы о том, что произошло после их расставания с теми местами, людьми и обстоятельствами, которые я столько изучала. То есть после прибытия сюда. Все оказалось так просто. Я следовала ошибочным версиям, подозревала не тех людей, исследовала каждый дюйм дороги, на которой каждого из них видели в последний раз. И все это не имело смысла, потому что они всего-навсего заблудились.

Конечно, исчезновение и невозможность вернуться домой — вещи весьма печальные, но все-таки это лучше, чем более страшная альтернатива.

Я очень хотела, чтобы Дженни-Мэй Баттлер оказалась здесь. И Донал Раттл, и все остальные из моего списка, и еще тысячи других пропавших. Я молилась, чтобы с Дженни-Мэй не случилось ничего плохого, а если случилось — пусть бы это произошло быстро и безболезненно. Но чаще всего повторяла молитву: хоть бы она жила здесь.

Я внимательно рассматривала всех этих людей. Для них я была чужой, а они для меня — лучшими друзьями. Сколько я хранила для них забавных историй, которые знала в мельчайших подробностях! Я перезнакомилась с множеством их знакомых, и мне хотелось рассказать обо всем, что с ними происходило за эти годы. Полная противоположность моему обычному поведению. Я душой стремилась к этим людям, жаждала поделиться с ними своим знанием.

Воцарилась тишина, и я поняла, что все взгляды обращены ко мне.

— Ну и? — спросила Хелена, поправляя лимонную шаль на плечах.

— Что «ну и»? — смущенно промямлила я.

— Вы расскажете нам, как очутились здесь?

У меня было такое чувство, будто я прибыла сюда задолго до них. Но я промолчала об этом и, вежливо извинившись, покинула зал.

Поздно вечером мы сидели в столовой с Хеленой и Иосифом в стороне от всех. На каждом столе мерцали свечи, в центре стояли маленькие букетики в вазочках, яркие, как райские птицы. Мы как раз доели грибной суп с горячим вкусным хлебом, и я откинулась на стуле в ожидании второго блюда. Дело было вечером в среду, и в столовой было пусто и тихо, потому что накануне рабочего дня жители поселка рано ложились спать. Каждый, кто участвовал в постановке, получил освобождение от работы — так решил Совет. Предполагалось, что мы будем репетировать каждый день с утра до вечера, чтобы уложиться в срок. Уже в следующее воскресенье Хелена пообещала провести генеральную репетицию в костюмах. С моей точки зрения, задача выглядела неосуществимой, однако Хелена заверила, что местные жители, жадные до любой работы, всегда быстро добиваются результатов. Впрочем, я слабо разбиралась в здешних порядках.

Я в миллионный раз приподняла запястье и разочарованно вздохнула.

— Нужно найти часы.

— Не волнуйтесь, — махнула рукой Хелена. — Здесь не так, как дома, Сэнди. У нас вещи никогда не теряются.

— Да знаю я, знаю, вы мне это уже сто раз повторяли. Но если так, где же они?

— Там, где вы их уронили, — хихикнула она и покачала головой, словно имела дело с неразумным ребенком.

Но Иосиф не улыбался и, как мне показалось, постарался быстро сменить тему.

— Что за пьесу вы собираетесь ставить? — спросил он своим глубоким бархатным голосом.

Я засмеялась:

— Понятия не имею. Хелене удавалось уводить разговор в сторону всякий раз, как кто-нибудь пытался поинтересоваться пьесой. Не хотелось бы портить вам удовольствие, но, на мой взгляд, одна неделя — совершенно нереальный срок, чтобы поставить и отрепетировать спектакль.

— А мы возьмем короткую пьесу, — напряглась Хелена.

— А как же с декорациями, костюмами и что там еще понадобится? — спросила я, постепенно осознавая масштаб затеянного нами предприятия.

— Об этом не беспокойтесь, Сэнди. — Она повернулась к Иосифу. — Дома у нас считают, что в старых театрах обитают призраки, потому что костюмы и грим постоянно куда-то исчезают. Ну да, они действительно пропадают, но привидения здесь ни при чем, во всяком случае, они ничего не воруют. Потому что самые шикарные костюмы ежедневно появляются тут, у нас. Бобби подберет все, что нужно, — спокойно заключила она.

— Она небось уже все продумала, — с любовью посмотрел на жену Иосиф.

— Время обдумывания кончилось, милый. Я уже все решила. Мы будем ставить «Волшебника страны Оз», — торжественно и гордо объявила Хелена, взбалтывая красное вино в бокале и отпивая глоток.

Я захохотала.

— А что смешного? — с любопытством спросил Иосиф.

— «Волшебник страны Оз», — выразительно произнесла я, — это не пьеса, а мюзикл. Его дети в школах ставят. Я ожидала, что вы предложите нечто более интеллектуальное. Допустим, Беккета

или О'Кейси. Но «Волшебник страны Оз»?.. —
Я сморщила нос.

— Ух ты, надо же, похоже, мы тут имеем дело
со снобом. — Хелена не сдержала улыбку.

— Я ничего не слышал про этого «Волшебника
страны Оз», — смущенно сказал Иосиф.

— Вам что, в детстве никто книжек не читал? — изумилась я.

— Это не тот спектакль, который регулярно
ставили в Ватаму, — напомнила Хелена. — А если
бы вы, Сэнди, сегодня не покинули репетицию
так рано, то знали бы, что мы решили отказаться
от музыкальной версии. Существует адаптация,
написанная много лет назад Денисом О'Ши, пре-
красным ирландским драматургом, который находится здесь уже два года. Он прослышал о наших
планах и утром принес ее мне. Мне показалось,
это то, что надо, и мы уже распределили роли
и прошли несколько первых сцен. Имейте в виду:
им я сказала, что это ваше решение.

— Вы раздали им роли из «Волшебника страны
Оз»? — Ее тирада не произвела на меня особого
впечатления.

— А о чем эта пьеса? — Иосифа разбирало
любопытство.

— Пусть Сэнди расскажет, — ответила Хелена.

— Ладно, ну, это такое детское кино. — Я под-
черкнула эпитет специально для Хелены. — Его
сняли в тридцатые годы. Там торнадо подхватил
девочку Дороти Гейл и унес в волшебную страну.
Попав в нее, она отправляется на поиски волшеб-

ника, который поможет ей вернуться домой. Просто смешно предлагать взрослым людям играть такое, — усмехнулась я и тут же поняла, что все остальные остались серьезными.

— И что этот волшебник? Помог?

— Да, — медленно протянула я, ощущая нечто странное в столь серьезном отношении к детской истории. — Волшебник помог ей, и она узнала, что на самом деле могла вернуться в любое время. Для этого достаточно было щелкнуть каблучками красных туфелек и произнести: «Дом — лучшее место на свете, дом — лучшее место на свете».

Иосиф так и остался серьезным:

— Значит, в результате она вернулась домой?

Стало тихо. Я наконец-то поняла почему и медленно кивнула.

— А что она делала, когда была в волшебной стране?

— Помогала друзьям, — спокойно ответила я.

— По-моему, не такая уж глупая история, — медленно произнес Иосиф. — Здешним жителям наверняка захочется посмотреть ее.

Я задумалась над его словами. Вообще-то я размышляла об этом всю ночь, пока мне не начали сниться красные туфельки, торнадо, и говорящие львы, и дома, падающие на ведьм, и пока фраза «Дом — лучшее место на свете» не зазвучала у меня в голове так громко и безостановочно, что я проснулась и произнесла ее вслух. А после этого побоялась снова заснуть.

Глава двадцать восьмая

Я уставилась в потолок, в то место прямо у себя над головой, где белая краска отошла от дерева и надулась пузырем. Луна идеально разместилась в оконной раме гостиной, служившей мне спальней. Голубой свет лился сквозь стекло, и тень от окна четко вырисовывалась на приземистом деревянном столе, образуя маленькое квадратное окошко, в котором самой луны не было, зато присутствовало ее призрачное сияние.

К этому моменту я окончательно проснулась. Взглянула на запястье и в очередной раз вспомнила, что часы пропали. Сердце забилось, как всегда, когда я что-то теряла: сразу же захотелось вскочить и приступить к поискам. Погоня за пропажами стала моим наваждением. Я испытывала азарт сродни охотничьему. В душу вселялась одержимость, не отпускавшая меня, пока не найду потерянное. Когда я пребывала в таком состоянии, окружающие могли мне кричать, вопить, уговаривать, — без всякого толку. Люди, которые оказывались со мной в подобные минуты, всегда говорили, что на них внезапно наваливается острое чувство одиночества, как будто я неожиданно их бросила. Все они считали себя жертвами моего равнодушия. И никому, похоже, не приходило в голову, что чувство, которое в этот момент испытываю я, не менее мучительно.

— Но ручка — это вовсе не то, что ты потеряла, — любил повторять Грегори.

— Нет, то, — ворчливо возражала я, засунув нос в сумку до самого дна и ожесточенно роясь в ней.

— Нет, не то. Когда ты ищешь, то повинуешься иррациональному чувству. Есть у тебя ручка или нет, это не имеет совершенно никакого значения, Сэнди.

— Нет, имеет. — Я не собиралась сдаваться. — Если нет ручки, как мне записывать все те умные вещи, что вы изрекаете?

Он залез во внутренний карман пиджака и протянул мне ручку:

— Держи.

— Но это не моя ручка.

Он вздохнул и, как обычно, улыбнулся.

— Страсть к поиску пропавших вещей — просто твой способ уходить от действительности...

— Уходить от действительности? Ну и пусть. Зато ваша навязчивая идея — долбить и долбить эту фразу. Слова «уйти от действительности» — это ваш собственный способ уходить от действительности, — раздраженно прошипела я.

— Позволь мне договорить, — строго произнес он.

Я мгновенно перестала копаться в сумке и уставилась на него с деланым интересом.

— Страсть к поиску пропавших вещей — просто твой способ уйти от... — Он оборвал себя. — Просто способ избежать необходимости думать над чем-то еще, что ты когда-то утратила в жизни, какой-то части тебя самой. Может, поищем это вместе?

— Ага! — счастливо воскликнула я, извлекая ручку со дна сумки. — Нашла!

К неудовольствию Грегори, моя нездоровая страсть к поискам тут же впадала в летаргию, стоило нам попытаться обратить эти поиски на меня.

Существуй вокруг дома десятифутовая стена, я бы с легкостью преодолела ее. Когда я старалась что-то найти, меня было не удержать, я сметала на своем пути все преграды. Как-то Грегори один-единственный раз доброжелательно отозвался о моих поисках: он сказал, что никогда не встречался с подобным упорством и решимостью. И сразу перечеркнул комплимент, добавив: твою, мол, энергию, да на что-нибудь стоящее. И тем не менее каким-то странным образом в его словах прозвучало одобрение.

Часы на стене гостиной показывали 03.45. В абсолютно безмолвном доме я сбросила с себя одеяло и стала рыться в чемодане Барбары Лэнгли, набитом кошмарными тряпками в стиле восьмидесятых. Выбрала черно-белую матроску, черные джинсы-трубы и черные лодочки без каблука. Мне не хватало только кучи браслетов, серег в виде колец и зачесанных назад волос, чтобы начать отплясывать под «The Time Warp». Впрочем, я так и так оказалась в ловушке.

Иосиф и Хелена были уверены, что мои часы не потерялись, они точно знали, что здесь ничего не может пропасть. Значит, я найду их. Я потихоньку выскользнула из дома, чтобы не разбудить его обитателей. Погода стояла хорошая. Мне показалось, будто вокруг — игрушечный городок в заснеженных горах Швейцарии, с маленькими деревянными шале, в квадратных, обрамленных затейливыми наличниками окошках которых горят свечи, освещая путь вновь прибывшим и приветствуя их. На улице все было спокойно. Из леса доносился хруст и треск веток — это новички пробирались сюда. Возможно, они попали к нам по пути в магазин или по дороге из паба домой. Здесь я ощущала себя в безопасности: никто не мог выдернуть меня отсюда, чтобы закинуть непонятно куда.

Я вышла из поселка и двинулась по пыльной дороге среди полей. Вдалеке солнце поднималось над деревьями, раскрашивая голубое небо оранжевыми полосами, словно огромный апельсин, разбрызгивающий над селениями, деревьями, горами и полями яркий сок, который ручейками стекал по небосводу.

Впереди, посреди тропы, я заметила человека: он то наклонялся к ней, то снова распрямлялся. Вот он поднялся. По росту и комплекции я узнала Иосифа. Его фигура казалась агатово-черной на

фоне восходящего солнца, которое устроилось
в конце пути и размышляло, стоит ли скатиться
к нам, сокрушая все на своем пути. Я уже подходила к Иосифу, когда он встал на четвереньки
и начал прочесывать дорожную пыль. Отпрыгнув
в лес, я спряталась за деревом, чтобы понаблюдать
за ним. Похоже, Иосиф опередил меня, осенило
меня: он ищет мои часы.

Среди деревьев мелькнул свет электрического
фонаря и двинулся ко мне. Я быстро нырнула по-
глубже в куст, пытаясь понять, откуда он взялся.
Иосиф прервал свое занятие и всмотрелся в пятно
света. Потом свет погас, и Иосиф продолжил
искать, а я — подглядывать: интересно, что он
сделает, когда найдет часы. Но он их не нашел.
После шестидесяти минут вполне решительных
действий — думаю, Грегори согласился бы с этим
определением, — Иосиф встал, упер руки в бока,
покачал головой и вздохнул.

У меня мороз пробежал по коже. Часов там не
было, я знала это.

До того как вернуться домой в среду вечером,
Джек еще раз пошел к реке, чтобы проверить, не
исчез ли автомобиль Сэнди за последние сутки.

Глория была в восторге, узнав, что он собирается посетить психотерапевта, но недоумевала,
чтобы не сказать больше, почему для этого понадобилось ехать в Дублин. Тем не менее такой
счастливой Джек уже давно ее не видел, и по этому
признаку понял, как плохо с ней обращался в последнее время. Разговаривая с Глорией, он почти

слышал ее мысли о свадьбе, детях, крестинах и тому подобных вещах. Однако она ошибалась, полагая, будто он намерен консультироваться у психотерапевта. Ему вовсе не хотелось излечиваться от желания найти брата. Он не считал его болезнью.

На улице было темно, густая чернота лениво колыхалась между деревьями, спускающимися вниз вдоль Шеннона, кричали совы, что-то шевелилось в зарослях. Джек достал из машины фонарик и в его свете различил заблестевшие глаза, которые тут же скрылись в кустах. «Форд-фиеста» Сэнди стоял на своем месте — никто к нему не подходил. Он посветил фонарем между деревьями, вдоль дороги, уходящей вдаль вместе с рекой. Славное местечко для любителей птиц и природы. Или для любителей бега трусцой — таких, как Сэнди? Он углубился в лес, в который за последние несколько дней так часто вглядывался, и пошел к дороге у реки. Раньше Джек по неопытности рассматривал следы, будто они чем-то могли ему помочь. Он двинулся вперед, разглядывая существ, которых свет фонарика выхватывал из тьмы, и направлял луч вверх, загадывая, удастся ли ему пробиться сквозь верхушки деревьев к небу.

Слева он разглядел тропинку. Джек остановился и мгновенно перестал ломать голову над пустяками. Эта тропинка до сих пор не встречалась ему ни разу. Он посветил на нее: она упиралась в еще более густые деревья и в черноту. Джек вздрогнул и отвел фонарик в сторону, намереваясь вернуться сюда позже, при свете дня, чтобы исследовать ее. В тот момент, когда луч фонарика свернул в сторону, Джек увидел, как что-то металлически блеснуло и снова пропало. Он стал быстро водить фонариком из стороны в сторону, испугавшись, как бы эта штука — чем бы она ни была — не исчезла. Наконец он увидел серебристо поблескивающие часы, лежащие в высокой траве рядом с тропинкой, слева от нее. Джек наклонился, чтобы их поднять, и сердце у него заколотилось — перед его мысленным взором предстала недавняя картина.

Он вспомнил, как несколько дней назад, утром, возле автозаправки Сэнди наклонилась и подняла часы.

Глава двадцать девятая

Здравствуйте! Надеюсь, я правильно набрал номер. Я хотел бы поговорить с Мэри Стэнли, — сообщил Джек автоответчику. — Я Джек Раттл. Вы меня не знаете, но я пытался связаться с Сэнди Шорт, и мне сказали, что недавно вы с ней общались. Понимаю, мой звонок может показаться странным, но, если вы слышали о ней или знаете, где она, пожалуйста, позвоните мне по следующему номеру…

Джек вздохнул и сделал еще одну попытку. В этот солнечный день в Дублине на газонах Сент-Стивенс-грин[1] было полно народу. Утки озабоченно переваливались рядом со скамейками, выискивая упавший хлеб, которым их кормили посетители. Они крякали, хватали кусок и возвращались в пруд, на миг отвлекая Джека от за-

---

1 Сент-Стивенс-грин — центральный парк Дублина.

бот. Больше часа он потратил на то, чтобы найти дорогу на дублинских улицах с односторонним движением, потом застрял в пробке и наконец с трудом отыскал место для парковки рядом со Сент-Стивенс-грин. Ему нужно было убить час до визита к доктору Бартону, из-за которого он все больше и больше нервничал. Джек и в лучшие времена не очень-то умел обсуждать свои чувства, а тут ему предстояло на целый час предоставить голову в распоряжение психиатра, чтобы тот копался в ней в поисках мнимых проблем. И все это ради того, чтобы выудить какую-нибудь информацию о Сэнди Шорт. Джек вовсе не был лейтенантом Коломбо, и потому все больше уставал от неловких попыток получить ответы на свои вопросы.

Все утро он звонил по номерам из списка в телефоне Сэнди и оставлял сообщения всем, кто разговаривал с ней в последние несколько дней. Обзвонил он и тех, кто в прошедшие пару недель встречался с ней. И ничего не смог добиться. В результате он надиктовал шесть сообщений, поговорил с двумя абонентами, которые крайне неохотно выдали скудную информацию, и выслушал весьма длинную и гневную тираду ее квартирного хозяина, которого больше всего волновало, что он не получил квартплату за этот месяц.

— Давай я лучше предупрежу тебя, сынок, пока она не успела разбить твое сердце, — прорычал он. — Чем караулить ее целыми днями и ходить вокруг дома, советую сразу обрубить концы и свалить. Ты у нее не единственный, это я могу с уверенностью сказать. — Он радостно засмеялся. — Не позволяй ей водить тебя за нос. Она постоянно таскает в дом мужиков и думает, будто мы ничего не слышим. Я живу как раз над ней, так что хорошо слышу, как она там шарашится туда-обратно, извини за каламбур. Попомни мои слова: она вернется через пару дней, да еще будет удивляться, из-за чего такой сыр-бор. Подумаешь, отлучилась из дому на две недели! Но если встретишь ее раньше, чем я, скажи, пусть гонит бабки, да побыстрее, не то получит пинка под зад и вылетит отсюда.

Джек вздохнул. Если он собирался бросить это дело, то сейчас самое время. Но он не мог. И потому сидел в Дублине и считал минуты до встречи с человеком, который, как он надеялся, знал о Сэнди больше, чем кто-либо другой. Джек не хотел признавать поражение и возвращаться с пустыми руками домой, к разбитому корыту. Его представления о Сэнди поменялись. За время их телефонных бесед он создал себе образ: организованная, деловая, увлеченная своей работой, разговорчивая, красивая. Но чем глубже он вторгался в ее жизнь, тем больше изменений претерпевала картинка. То есть все эти качества у нее, несомненно, присутствовали, но добавлялось и кое-что еще. Она постепенно обретала реальность. Теперь он гонялся не за призраком: из готовой помогать незнакомки, с которой он болтал по телефону, Сэнди постепенно превращалась в живую, сложную, порой противоречивую личность. Вполне возможно, полицейский Тернер прав, ей просто все надоело, и она ненадолго спряталась от всех. Но если так, ее психотерапевт наверняка должен знать об этом.

В тот момент, когда он собрался набрать следующий номер, его телефон зазвонил.

— Это Джек? — спросил спокойный женский голос.

— Да, — ответил он, — а вы кто?

— Мэри Стэнли. Вы оставили на моем автоответчике сообщение по поводу Сэнди Шорт.

— Да, конечно, Мэри. Большое спасибо, что перезвонили. Я понимаю, это было необычное сообщение...

— Вообще-то да. — Она, как и остальные, оставалась настороже, ее тоже немного пугал этот странный человек, который почему-то искал ее подругу.

— Вы можете доверять мне, Мэри. Я имею в виду, что ничего плохого с моей стороны Сэнди не грозит. Не знаю, как близко вы с ней знакомы, родственница вы или подруга, но позвольте для начала объяснить...

Он в очередной раз пересказал историю о том, как обратился к Сэнди, договорился встретиться, случайно столкнулся на автозаправке, а потом не смог ее найти. Он опустил причину, по которой общался с Сэнди, посчитав ее в данном случае не важной.

— Я вовсе не собираюсь бить тревогу, — продолжил он, — просто звоню людям, с которыми она вроде бы тесно общалась, и пытаюсь выяснить, слышал ли кто-то о ней или, может, встречался в последнее время.

— Этим утром мне звонил полицейский Грэхем Тернер, — произнесла Мэри, и Джек не понял, что это было — вопрос или утверждение.

Вероятно, и то и другое.

— Да, я связывался с ним, потому что беспокоюсь за Сэнди.

Сегодня утром Джек разговаривал с полицейским Тернером и сообщил ему, что нашел часы Сэнди. Он надеялся, это заставит его сесть за стол и записать информацию. Похоже, ему удалось.

— Я тоже волнуюсь, — заявила Мэри, и Джек навострил уши.

— А почему он решил позвонить вам? — спросил он, и в этом вопросе явно скрывались и другие: кто вы? откуда знаете Сэнди?

— А кто еще в вашем списке? — Она не ответила, похоже погрузившись в собственные размышления.

Джек откинул обложку блокнота.

— Питер Дэмпси, Клара Кин, Эйлиш О'Брайен, Тони Уотс… Продолжать?

— Нет, достаточно. Вам в руки попал один из списков Сэнди?

— Она забыла свой телефон и ежедневник. Так я нашел единственную подсказку. — Джек старался, чтобы его голос не звучал виновато.

— Пропал кто-то из ваших близких? — Ее интонацию нельзя было назвать мягкой, но и резкой она тоже не была.

Заданный впрямую вопрос застал его врасплох. Получалось, люди исчезают на каждом шагу.

— Да, мой брат Донал. — Комок застревал в горле у Джека всякий раз, как он упоминал брата.

— Ага, Донал Раттл, все правильно. Помню, я читала об этом в газете, — ответила она и снова помолчала. — Все, кого вы только что назвали, — это люди, чьи близкие пропали без вести, — пояснила Мэри. — Включая меня. Три года назад исчез мой сын Бобби.

— Извините, мне очень жаль, — мягко произнес Джек.

Складывалось впечатление, что все недавние контакты Сэнди были только деловыми: ему, наверное, только предстояло встретить кого-то из ее друзей.

— Не извиняйтесь, вы ни в чем не виноваты. Буду откровенна: все мы обратились к Сэнди, чтобы она помогла найти наших близких, а теперь вы стараетесь привлечь нас, чтобы мы помогли отыскать Сэнди?

Она не могла его видеть, но все равно лицо Джека залилось румянцем.

— Да, думаю, все именно так.

— Хорошо. Не знаю, откликнулись ли остальные, да это и не важно. Я говорю и от своего, и от их имени. Вы можете на всех нас рассчитывать. Сэнди для нас — особый человек, и мы сделаем все, что в наших силах, чтобы ей помочь. Чем быстрее мы ее найдем, тем быстрее она сможет вернуть моего Бобби.

Именно под таким углом видел ситуацию и Джек.

267

Больше уснуть в эту ночь мне не удалось, и, лежа с открытыми глазами, я все думала, что же могло случиться с моими часами. От обилия вариантов кружилась голова: если я оказалась здесь, то они вообще могли очутиться в тысяче разных мест. Я нарисовала себе мир, в котором часы едят, спят и вступают в брак друг с другом. Во главе государства стоит дедушка — башенные часы, карманные часы играют роль интеллектуалов, в воде обитают водонепроницаемые часы, аристократы — часы, украшенные бриллиантами, а электронные — скромные трудяги. Шаги Иосифа по дому прервали мои фантазии. Там, в лесу, я наблюдала за ним больше часа — как он ходил взад-вперед по дороге, внимательно вглядываясь в нее и отчаянно стараясь отыскать мои часы. Теперь я знала, на что похожа во время своих поисков, когда концентрируюсь на одной-единственной вещи и ничего не замечаю вокруг. Картинка возникла передо мной особенно ярко, когда я пряталась за деревом неподалеку от Иосифа, поглощенного своим делом.

Через полчаса после моего возвращения он тихо вошел в дом. Впрочем, недостаточно тихо. Я прижала ухо к стене и попыталась разобрать еле слышные реплики, которыми он обменивался в соседней комнате с Хеленой. Моя щека ощутила тепло дерева, и я прикрыла веки, испытав острую тоску по дому и своей любимой твердой подушке. Потом наступила тишина, в которой я окончательно ощутила себя львом, запертым в клетку, и решила потихоньку выскользнуть из дому, пока кто-нибудь опять не вмешается в мои планы.

На улице уже были расставлены рыночные прилавки, готовые к новому торговому дню. Вокруг звучали обрывки колоритных реплик вперемешку с пением птиц и смехом и в сопровождении стука корзин и ящиков, которые выставляли на прилавки и распаковывали. Я закрыла глаза, во второй раз за утро почувствовав укол ностальгии по дому, и вспомнила себя маленькой девочкой, за руку с мамой идущей вдоль рядов экологически чистых продуктов на фермерском рынке в Каррик-он-Шеннон. На меня вновь нахлынул веселый аромат фруктов и овощей, таких спелых и ярких, вызывающих острое желание прикоснуться к ним, попробовать, понюхать. Я открыла глаза и вернулась в настоящее.

Передо мной выросло здание бюро находок, и я обратила внимание на украшающую его резьбу: она была гораздо более замысловатой и забавной, чем на других домах. Два носка от разных пар — один в желтый и розовый горошек, а второй — в фиолетовые и оранжевые полоски. Я замерла, вспомнив, как мы с Грегори танцевали на моем школьном выпускном балу, и засмеялась.

В окне появилось лицо, причем очень знакомое, и смех застрял у меня в горле — почудилось, будто передо мной привидение. Парень был совсем юным, лет девятнадцати, если я правильно подсчитала. Он широко улыбнулся, помахал рукой, исчез из окна и появился в открывшихся дверях, словно Чеширский кот. Получалось, это и есть тот самый Бобби из бюро находок, которого не раз упоминали Хелена и Ванда.

— Доброе утро. — Он прислонился плечом к дверной раме, скрестил ноги и протянул ко мне обе руки. — Добро пожаловать в бюро находок.

Я улыбнулась в ответ:

— Здравствуйте, мистер Стэнли.

Он удивленно прищурился — откуда мне известно его имя? — и заулыбался еще шире:

— А вы кто?

— Сэнди.

Я знала, что он оригинал и любитель пошутить. Пересмотрела бесконечные часы домашнего видео, где он устраивал представления перед камерой, начиная с шестилетнего возраста и далее, вплоть до шестнадцати лет, когда исчез.

— Вы были в моем списке, — пояснила я. — На вчерашнее прослушивание. Но не появились.

— Ах да.— Объяснение вроде бы удовлетворило его, однако он не перестал изучать меня с любопытством. — Мне говорили.

Он отлепился от двери и легко сбежал по ступенькам, не вынимая рук из карманов. Остановился напротив меня, скрестил руки на груди, потом обхватил ладонью подбородок и стал медленно обходить вокруг меня.

Я засмеялась:

— Что говорили?

Он остановился за моей спиной, и мне пришлось развернуться к нему.

— Люди говорят, вы много чего знаете.

— Так и говорят?

— Так и говорят, — повторил он в ответ и продолжил описывать круги.

Закончив очередной, снова скрестил руки и посмотрел на меня голубыми глазами, в которых плясали веселые огоньки. Он в точности совпадал с портретом, с гордостью сделанным его матерью.

— Люди говорят, вы здешняя ясновидящая.

— Какие люди? — спросила я.

— М-м-м, — он огляделся по сторонам, проверяя, не слышит ли кто-нибудь, — те, что были на прослушивании.

— А, — кивнула я, — эти...

— Да, эти. У нас много общего, — загадочно произнес он.

— В самом деле?

— В самом деле, — снова повторил он. — Они говорят — те, которые... — Он опять оглянулся и перешел на шепот: — Были на прослушивании, — что, если хочешь получить кое-какую информацию, нужно идти к вам.

Я пожала плечами:

— Может, я что-то и знаю.

— Ну, вот видите. К вам нужно обращаться за информацией, а ко мне — если хочешь получить вещи.

— Что ж, за этим я и пришла.

Он вдруг стал серьезным.

— За чем из двух? Вы пришли взять что-то или что-то мне сообщить?

Я обдумала его вопрос, но ничего не ответила.

— Войти-то мне можно?

— Конечно. — Он кивнул и перешел к делу: — Я Бобби, — он протянул руку, — но вы это уже знаете.

— Знаю, — согласилась я. — А меня зовут Сэнди Шорт. — Я пожала протянутую руку.

Его пальцы слабо сжались в ответ, и я увидела, как он побледнел.

— Сэнди Шорт? — переспросил он.

— Да, — у меня заколотилось сердце, — а в чем дело? Что вас не устраивает?

— Сэнди Шорт из Литрима в Ирландии?

Я выпустила его мягкую ладонь и сглотнула слюну. Ничего не ответила. Но, похоже, ответ и не требовался. Бобби взял меня за руку и повел внутрь.

— Я вас ждал. — Он в последний раз оглянулся, проверяя, не следит ли кто за нами, а потом втянул меня в дом и закрыл дверь.

После чего запер свое бюро.

Глава тридцатая

Лисон-стрит, идущая от Сент-Стивенс-грин, оказалась красивой, хорошо сохранившейся улицей в георгианском стиле. В домах, когда-то роскошных аристократических особняках, теперь размещались главным образом разные заведения — гостиницы, офисы, — а нижние этажи были отданы под ночные клубы процветающей дублинской сети «Стрип».

Латунная табличка возле высокой черной двери сообщала, что здание именуется Скатах-хаус. Джек поднялся по семи бетонным ступенькам и увидел медную львиную голову с кольцом, зажатым в зубах. Он уже взялся за него, собираясь постучать, но справа от двери обнаружил ряд кнопок: уродливое изобретение наших дней мирно сосуществовало со стариной. Поискал клинику доктора Бартона; она находилась на третьем этаже, над пиар-агентством и под адвокатской конторой. Поднялся по лестнице и уселся ожидать в пустой приемной. Секретарь улыбнулась ему, и он едва сдержался, чтобы не выпалить: «Со мной все в порядке, я просто провожу расследование!»

Но вместо этого улыбнулся в ответ.

На столике лежали старые, трехмесячной, а то и годичной давности журналы. Он взял один из них и стал листать, чтобы скрыть смущение. В журнале рассказывалось о девушке из королевской семьи малоизвестной страны: на фотографиях она возлежала на кроватях и диванах, позировала у кухонных столов и пианино в любимых комнатах своего особняка.

Дверь в кабинет распахнулась, и Джек торопливо положил журнал на место.

Доктор Бартон оказался моложе, чем Джек себе представлял, — лет сорока пяти, может, ближе к пятидесяти. Аккуратная светло-каштановая бородка с серебристыми прядями, пронизывающие синие глаза, рост, по прикидке Джека, пять футов одиннадцать дюймов. Одет в джинсы и рыжевато-коричневый вельветовый пиджак.

— Джек Раттл? — спросил он, взглянув на Джека.

— Да. — Джек встал, и они обменялись рукопожатием.

Кабинет, тесно заставленный мебелью, производил неоднозначное впечатление. Набитые книгами полки, большой стол, стеллаж с папками, стенка со свидетельствами и сертификатами учебных заведений, на полу разномастные ковры. Имелось и кресло с кушеткой. Комната явно обладала характером. И подходила человеку, который сейчас сидел перед Джеком, заполняя на него карту.

— Итак, Джек. — Доктор Бартон закончил писать, положил ногу на ногу и сосредоточил все свое внимание на пациенте, который в это время отчаянно пытался справиться с порывом вскочить и выбежать из кабинета. — Почему вы решили прийти ко мне?

Чтобы найти Сэнди Шорт, хотел он ответить, но вместо этого пожал плечами и заерзал на кушетке. Возникло жгучее желание: пусть все кончится прямо сейчас, и можно будет уйти. Как, интересно, ему удастся что-то выяснить о Сэнди, нагромождая ложь о самом себе? Он не успел составить план действий, надеясь, что все как-то сложится, стоит ему войти в кабинет доктора Бартона. Что они там, в кино, обычно отвечают, когда эскулапы мучают их вопросами? Думай, Джек, думай.

— Я испытываю сильное давление, — произнес он чуть-чуть слишком уверенно, гордясь, что нашел ответ.

— Какое именно давление?

Какое именно? А что, давление бывает разным?

— Обычное давление. — Он снова пожал плечами.

Доктор Бартон нахмурился, и Джек испугался, что неправильно ответил на вопрос.

— Это связано с работой или...

— Да, да, — обрадовался Джек, — с работой. — Она действительно... — он напрягся, — давит на меня.

— Хорошо, — кивнул доктор Бартон. — А чем вы занимаетесь?

— Я грузчик в компании Шеннон-Фойнс-Порт.

— И что привело вас в Дублин?

— Вы.

— Вы проделали весь этот путь, чтобы встретиться со мной?

— Я еще собирался повидаться с приятелем, — быстро ответил Джек.

— Что ж, хорошо, — улыбнулся доктор Бартон. — Ну, так что там с работой, которая так сильно давит на вас? Расскажите.

— Ну, время... — Джек придал своему лицу недовольное выражение, и у него получилось убедительно, как ему показалось. — Оно тянется так долго. — Тут он замолчал, сцепил руки на коленях, кивнул и оглядел комнату.

— Сколько часов в неделю вы работаете?

— Сорок, — ответил Джек, не задумываясь.

— Сорок часов — это не больше стандартной рабочей недели, Джек. Почему вам кажется, будто вы не в состоянии с этим справиться?

Джек покраснел.

— Ничего страшного в этом нет, Джек. Может, нам удастся добраться до глубинных причин, из-за которых работа вас угнетает. Если это действительно работа...

Доктор Бартон продолжал говорить, а Джек вертел головой в поисках следов Сэнди, как будто она, до того как исчезнуть, могла оставить на стене свое имя. В какой-то момент он осознал, что доктор Бартон молча смотрит на него.

— Да, полагаю, именно так, — произнес Джек, кивнув, и уставился на свои руки в надежде, что среагировал, как надо.

— А как ее зовут?

— Кого?

— Вашу подругу, ту, что с вами живет и с которой у вас проблемы.

— А-а-а, Глория, — произнес Джек и сразу вспомнил, как они вчера встретились дома и как она обрадовалась, что он сегодня пойдет сюда и раскроет доктору душу.

А он его даже не слушал. И чем дольше находился в кабинете, тем сильнее злился.

— Вы говорили ей, что чувствуете стресс?

— Нет, — рассмеялся Джек, — я не рассказываю Глории о таких вещах.

— Почему?

— Потому что у нее на все есть ответ, и она всегда готова все уладить.

— Вас это не устраивает?

— Нет. — Он покачал головой. — Мне не нужно, чтобы за меня кто-то что-то улаживал.

— А что нужно улаживать?

Джек пожал плечами, не желая углубляться в эту тему.

Доктор Бартон надолго замолчал, и Джеку действительно показалось, что на него что-то давит.

— Улаживать нужно то, что происходит вокруг нас, — ответил он в конце концов.

Доктор Бартон все так же молчал.

— Вот... — Он снова напрягся. — Вот я и пытаюсь это сделать.

— Вы пытаетесь уладить то, что происходит вокруг вас, — повторил доктор Бартон.

— Я так и сказал.

— А Глории это не нравится.

И за это доктору Бартону платят бешеные деньги, с недоумением подумал Джек.

— Нет. — Он покачал головой. — Она считает, что я просто должен делать свое дело и выбросить все остальное из головы.

Он вовсе не собирался рассказывать всего, вроде бы пока беседа протекала вполне невинно. Во всяком случае, Джек еще ничего не выболтал.

— Что же именно вы должны выбросить из головы?

— Донала, — медленно выговорил Джек, не зная, стоит ли продолжать.

Может, если он все объяснит, доктор Бартон согласится с ним и он получит хотя бы одного союзника.

— И все остальные родственники тоже. Они хотят забыть его, отпустить, избавиться от него. А я так не считаю, понимаете? Он — мой брат. Глория смотрит на меня как на психа, когда я пытаюсь ей объяснить.

— Ваш брат Донал умер?

— Нет, конечно, — ответил Джек, поразившийся нелепости вопроса. — Но все вокруг ведут себя так, будто он действительно умер. А он всего лишь пропал без вести. Всего лишь, — горько усмехнулся Джек, устало потирая лицо. — Временами мне кажется, было бы проще, знай я, что он действительно умер.

Потом наступила тишина, и Джек почувствовал, что ее нужно чем-то заполнить. И он начал рассказ, подкрепляя каждый его пункт ударом кулака по ладони.

— Он исчез в прошлом году, в ночь своего двадцатичетырехлетия. — Бам! — Он взял деньги в банкомате на О'Коннел-стрит в 3.08 утра в пятницу. — Бам! — В 3.30 его видели на набережной Артура. — Бам! — А потом его уже больше никто не видел. Как же можно с этим смириться? — спросил он. — Как можно продолжать жить, если твой брат находится неизвестно где и ты понятия не имеешь, может, ему плохо и он нуждается в твоей помощи? Ну как же, черт возьми, можно согласиться с тем, что все постепенно приходит в норму? — Он по-настоящему разозлился. — И почему они ждут, что меня будет волновать работа — сорок часов знай себе загружай корабли? Сорок часов таскай какие-то ящики, в которых лежит неизвестно что и которые поплывут куда-то, где я никогда не бывал и никогда не буду. Почему эта работа важнее поисков брата? Как можно перестать без конца оглядываться, если в тебе постоянно живет надежда, что вот сейчас ты его где-нибудь заметишь? Почему, куда бы я ни пошел и кого бы ни спросил, всегда слышу один и тот же ответ?

Его голос зазвучал громче:

— Никто ничего не видел, никто ничего не слышал, никто ничего не знает. В этой стране живет пять миллионов человек, сто семьдесят пять тысяч из них в графстве Лимерик, а пятьдесят пять в городе Лимерик. Как же, черт побери, так получилось, что никто, ни единый человек, ни разу не встретил где-нибудь моего брата? — Он задохнулся и замолчал, чувствуя, как дерет горло. Глаза наполнились слезами, которым он изо всех сил пытался помешать пролиться.

Доктор Бартон не спешил прерывать молчание, давая Джеку успокоиться. Он подошел к кулеру, налил холодной воды и протянул стаканчик Джеку.

Джек хлебнул воды и снова заговорил:

— Она много спит, понимаете? Всякий раз, когда я нуждаюсь в ней, она спит.

— Глория?

Джек кивнул.

— У вас трудности со сном?

— У меня столько идей, мне нужно просмотреть так много бумаг и изучить столько отчетов. Меня одолевают разные мысли, и я просто не в состоянии их отключить. Я должен найти его. Это — как наваждение, оно грызет и грызет меня.

Доктор Бартон понимающе кивнул — вовсе не снисходительно, как ожидал Джек, а так, как если бы он действительно понимал. Получалось, будто проблемы Джека перестали быть его личными проблемами, а стали общими, и пришло время вместе обсудить их.

— Знаете, Джек, вы не единственный, кто так все воспринимает и живет в постоянном напряжении. После психологической травмы вроде вашей всегда можно ждать подобной реакции. Вам советовали поговорить с психотерапевтом после исчезновения брата?

Джек скрестил руки на груди.

— Да, полицейские на что-то такое намекали. Я уж устал каждый день вытряхивать из почтового ящика буклеты и листовки с приглашением присоединиться к группам «страждущих» — так они это называют. — Он помахал рукой, как бы сметая воображаемые листки. — Меня это не интересует.

— Вообще-то нельзя сказать, что это пустая трата времени. Вы бы узнали, что таких людей много, — тех, кто страдает из-за утраты близкого человека… Или из-за потерянной вещи, — пробормотал он, скорее всего, сам себе.

Джек смущенно взглянул на доктора Бартона.

— Нет-нет, вы неправильно меня поняли. Пропавшие вещи меня не волнуют, у меня проблема с братом. Мои родственники тоже потеряли близкого человека, но ни один из них не переживает случившееся так, как я. Не могу себе представить ничего хуже, чем усесться в кружок с чужими людьми и начать вести те же разговоры, что и дома.

— Глория, похоже, поддерживает вас, и вам бы стоило это признать. Она наверняка тяжело переживает утрату Донала. К тому же, подумайте сами, она потеряла не только его, но и вас. Покажите ей, что цените ее, для нее это очень важно, я уверен. — В голосе доктора Бартона звучало искреннее сочувствие. Он поднялся и направился в противоположный угол комнаты, чтобы самому выпить воды.

Когда он вернулся к столу, то снова стал спокойным и холодноватым.

— Вы любите ее?

Джек помолчал, потом пожал плечами. Он больше ни в чем не был уверен.

— Моя мама любила повторять: прислушайся к своему сердцу, — засмеялся доктор Бартон, разряжая обстановку.

— Она тоже была психиатром? — улыбнулся в ответ Джек.

— Практически да, — подмигнул доктор Бартон. — Знаете, Джек, вы напоминаете мне одного человека, которого я очень хорошо знаю. — Его улыбка на миг стала печальной. — Так что вы намерены предпринять? — Он сверился с часами. — Учтите, у вас осталось всего несколько минут, чтобы рассказать мне об этом.

— Я уже пытаюсь кое-что предпринять. — Джек вдруг вспомнил, зачем пришел, и решил воспользоваться неожиданным шансом.

— Говорите. — Доктор Бартон наклонился вперед и оперся локтями о колени.

— Я нашел в «Желтых страницах» одного человека. У него свое агентство. Агентство по розыску пропавших без вести, — подчеркнул он.

— Да? — бесстрастно спросил доктор Бартон.

— Я связался с этой женщиной, и мы поговорили о том, как она может помочь мне отыскать Донала. Договорились встретиться в прошлое воскресенье в Лимерике.

— Да? — Доктор откинулся в кресле с непроницаемым лицом.

— Забавно, но по дороге мы случайно пересеклись на автозаправке, а потом... Потом она не пришла на встречу. — Джек задумчиво покачал головой. — Я действительно поверил в то, что этот человек мог бы найти моего брата. И по-прежнему верю.

— В самом деле? — сухо спросил доктор Бартон.

— В самом деле. И я начал ее искать.

— Женщину из агентства по розыску пропавших без вести? — с каменным лицом уточнил доктор Бартон.

— Да.

— И нашли?

— Нет, но я нашел ее автомобиль, а в нем папку с делом моего брата, и телефон, и ежедневник, и бумажник, и сумку с уймой вещей с ярлычками, на которых написана ее фамилия. Она цепляет такие ярлычки ко всему.

Доктор Бартон заерзал на стуле.

— Я очень волновался из-за нее — и по-прежнему волнуюсь, — так как верю, что эта женщина может найти моего брата.

— То есть вы перенесли свою навязчивую идею на эту женщину, — произнес доктор Бартон, пожалуй излишне холодно.

Джек покачал головой.

— Однажды она сказала мне по телефону, что единственная вещь, которую еще тяжелее пережить, чем невозможность отыскать кого-то, — это когда тебя не могут найти. Она хочет, чтобы ее нашли.

— Может, она просто уехала куда-то на пару дней.

— Полицейский, к которому я обратился, утверждал ровно то же.

Доктор Бартон изумленно поднял брови при упоминании полиции.

— Я связался со многими, кто ее знает, и все говорят одно и то же, — пожал плечами Джек.

— Ну, значит, стоит прислушаться. Бросьте вы это дело, Джек. Постарайтесь сосредоточиться на исчезновении вашего брата. Если она уехала на несколько дней и не смогла предупредить вас, у нее, возможно, есть на то причины.

— Я вовсе не надоедал ей, доктор, если вы на это намекаете. Нас, которых беспокоят такие вещи, совсем мало, потому-то мы и договорились встретиться и попытаться что-то сделать.

— Может, она как раз и занимается вашей проблемой, — предположил доктор Бартон. — И все с ней в порядке, просто захотела куда-то отправиться на пару-тройку дней.

— Ага, может быть. Но прошло уже четыре дня с тех пор, как мы договорились о встрече, и за это время никто ее не видел. Во всяком случае, пока не нашлось человека, который бы взялся утверждать обратное. Если бы я точно знал, что с ней все в порядке, я бы спокойно бросил все и вернулся к своей жизни. Только не думаю, чтобы она действительно где-то бродила по собственной доброй воле, хоть многие именно так и полагают, — мягко возразил он. — Мне обязательно нужно отыскать ее, чтобы поблагодарить. Я должен сказать ей спасибо за то, что она вернула мне решимость найти Донала. Вернула мне надежду. И эта надежда вселяет в меня уверенность, что я найду и ее.

— А почему вы считаете, будто она пропала?

— Я просто прислушался к своему сердцу.

При этих словах, которые Джек вернул ему, доктор Бартон хмуро усмехнулся.

— А на тот случай, если голоса моего сердца вам недостаточно, есть еще это. — Джек залез в карман и спокойно положил на стол серебряные часы Сэнди.

Глава тридцать первая

После нашей последней встречи с доктором Бартоном прошло три года. Я понимала, что время должно изрядно состарить его, но на расстоянии казалось, что оно не изменило ни его, ни меня. Все оставалось по-прежнему, все было прекрасно. На расстоянии.

Перед тем как выйти из дома, я шесть раз меняла одежду, но все равно, направляясь в четвертый раз за месяц к Лисон-стрит, не чувствовала удовлетворения от своего внешнего вида. Когда я получила его визитную карточку, то пустилась в пляс прямо на лестничной площадке. Вниз по лестнице я сбежала словно четырнадцатилетняя девчонка, солнечным утром понедельника знающая, что и кто ждет ее в этот день. Промчалась от Харольд-кросс к Лисон-стрит, взлетела по ступенькам к большой двустворчатой георгианской двери, приложила палец к кнопке домофона и... застыла. А потом быстро перебежала на другую сторону улицы. Вблизи все выглядело по-другому.

Я перестала быть школьницей, которая приходит к нему за помощью. Не знаю, кем я стала теперь, но в такой помощи точно больше не нуждалась. Еще дважды я приходила и стояла напротив его дома, не в состоянии пересечь мостовую, стояла и смотрела, как утром он приходит и вечером уходит, и следила за всем, что происходит в промежутке.

Заявившись туда в четвертый раз, я сидела на бетонной ступеньке, уперев локти в колени и положив подбородок на кулаки, и наблюдала за мелтешением ног, вышагивавших у меня перед носом. Вот промелькнула пара коричневых ботинок под джинсами. Ботинки пересекли проезжую часть и двинулись ко мне. Я полагала, они протопают мимо, направляясь к двери у меня за спиной. Первая ступенька, вторая... На третьей ботинки остановились, а их владелец опустился рядом со мной на четвертую.

— Привет, — раздался спокойный голос.

Мне было страшно, но я подняла глаза. И уперлась взглядом в его — такие же ярко-синие, как в нашу первую встречу.

— Мистер Бартон, — улыбнулась я.

Он покачал головой:

— Сколько раз я просил тебя не называть меня так?!

Я уже собралась назвать его Грегори, когда он произнес:

— Теперь я доктор Бартон.

— Поздравляю, доктор Бартон, — снова улыбнулась я, внимательно рассматривая его лицо, впитывая каждую деталь.

— Как по-твоему, на этой неделе тебе наконец удастся встать со ступенек и войти в здание? А то я уже устал наблюдать за тобой с такой дистанции.

— Забавно, а я как раз подумала, что иногда на расстоянии некоторые вещи видны гораздо лучше.

— Ты права. Вот только ничего не слышно.

Я рассмеялась.

— Мне нравится название дома. — Я покосилась на латунную табличку с гравировкой «Скатах-хаус».

— Наткнулся в газете на объявление о сдаче в аренду. Решил, что это здорово. Вроде как знак фортуны.

— Вроде как. Только не думаю, чтобы вы подошли намного ближе к тому мосту, про который мы с вами когда-то говорили.

Он снова кивнул и уставил на меня изучающий взгляд. Меня начал бить озноб.

— Если ты согласишься пообедать со мной, мы могли бы обсудить, кто где находится. Если, конечно, твой бойфренд не возражает.

— Мой бойфренд? — растерянно переспросила я.

— Тот не совсем одетый молодой человек, который открыл мне дверь твоей квартиры пару недель назад.

— Ах, этот… — Я покачала головой. — Да это же просто… — Я запнулась. Я успела забыть, как его звали. — Это Томас, — соврала я. — Мы уже расстались.

Мистер Бартон засмеялся, встал и протянул мне руку, помогая подняться со ступенек.

— Милая Сэнди, полагаю, поразмыслив, ты придешь к выводу, что его зовут Стив. Но это неважно. Чем больше мужских имен ты забудешь, тем лучше для меня.

Он слегка дотронулся до моей талии, и меня как будто ударило током. Мы пересекли улицу.

— Зайдем в мой офис на минутку, если ты не против. Я хотел бы кое-что тебе отдать.

Он с гордостью представил мне свою секретаршу Кэрол, а потом пригласил в кабинет. Комната пахла мистером Бартоном и выглядела, как мистер Бартон... Мистер Бартон, ах, мистер Бартон! Как только я вошла в кабинет и села на кушетку, мне показалось, будто я попала в его объятия.

— Чуть получше, чем то место, где мы обычно встречались? — заулыбался он, вынимая что-то из ящика стола.

— Здесь красиво, — сказала я, изучая кабинет и вдыхая его аромат.

Неожиданно он занервничал. Уселся напротив меня.

— Я собирался отдать тебе это в прошлом месяце, когда заходил поздравить с днем рождения. Надеюсь, тебе понравится. — Через стол, фанерованный вишней, он подтолкнул ко мне футляр.

Он был продолговатой формы, из красного бархата. Я взяла его в руки так осторожно, словно это самая хрупкая вещь на свете, и провела пальцами по мягкой ворсистой поверхности. Потом посмотрела на мистера Бартона: он нервно поглядывал на футляр. Я медленно открыла его и затаила дыхание. Внутри поблескивали серебряные часы.

— О, мистер Бар... — начала я, но он схватил меня за руку, заставляя замолчать.

— Пожалуйста, Сэнди, называй меня Грегори. И на «ты», ладно?

Грегори, ты. Ну да, Грегори, ты. Грегори — ты. Хор ангелов мощно зазвучал в моих ушах.

Я кивнула, улыбнулась, вынула часы из коробки и, все еще потрясенная неожиданным подарком, надела на левое запястье, нащупывая замок.

— Если перевернешь их, увидишь, что на дне выгравировано твое имя. — Дрожащими руками он помог мне перевернуть часы. На нижней крышке я увидела надпись «Сэнди Шорт». — Желаю тебе никогда не терять их.

Мы оба рассмеялись.

— Не жми так сильно, — предупредил он, наблюдая, как я пытаюсь застегнуть браслет. — Давай помогу, — произнес он, и в этот момент у меня между пальцами раздался щелчок.

Я похолодела.

— Кажется, я сломала.

Он уселся рядом со мной на кушетку и стал застегивать часы. Его рука касалась моей, и внутри у меня все, абсолютно все переворачивалось.

— Нет, ничего не сломалось, но застежка разболталась. Надо отдать в починку. — Как ни старался он скрыть разочарование, голос его выдал.

— Нет! — Я вцепилась в часы. — Мне и так нравится.

— Сэнди, застежка совсем разболталась. Браслет расстегнется, и ты их уронишь.

— Не уроню! Я их не потеряю.

Он неуверенно взглянул на меня.

— Ну, можно я хотя бы сегодня их надену?

— Хорошо. — Он перестал вертеть часы в руках. Мы оба замолчали и уставились друг на друга. — Я подарил их тебе, чтобы ты гуманнее обращалась со временем. Не можем же мы не видеться еще три года.

Я опустила глаза и положила часы на запястье, любуясь красивыми звеньями цепочки и переливающимся перламутровым циферблатом.

— Спасибо, Грегори, — произнесла я, перекатывая это слово во рту. Его вкус мне понравился. — Грегори, Грегори, — повторила я еще пару раз, и он заулыбался, радуясь каждому мгновению.

Я приняла его приглашение пообедать, и мы разобрались с тем, где находимся.

Обед едва не обернулся катастрофой. Проглоченной пищи для размышлений оказалось так много, что ее наверняка хватило бы на всю оставшуюся жизнь. Если кто-то из нас питал смешную надежду, что обед станет началом чего-то особенного — а мы, похоже, оба на это рассчитывали, — к моменту, когда мы встали из-за стола, и мне и ему пришлось спуститься с небес на землю. Или на ту самую острую как бритва траву, по которой Грегори предстояло пройти. Я была воительницей Скатах, мое сердце так и осталось там, на моем далеком острове, и добраться до него было слишком трудно. С годами я не изменилась к лучшему.

С тех пор я никогда, ни на день, не снимала часы с руки. Иногда они падали, но такое случается с каждым. И я возвращала их на положенное место. То есть знала, что это и есть их место. Часы символизировали жуть как много всего. Положительным итогом нашего «поучительного обеда» стало то, что мы снова ощутили неразрывность связывающих нас уз. Словно между нами была натянута невидимая пуповина, питающая нас, позволяющая расти и дарить друг другу жизнь.

Но неизбежным образом проявилась и вторая сторона медали: в любой момент каждый из нас мог дернуть за эту пуповину, или перекрутить ее, или завязать узлом, даже не задумавшись, что тем самым медленно лишает воздуха того, кто находится на другом конце.

На расстоянии все выглядело великолепно, а вот вблизи... Вблизи все оказывалось совсем не так. Мы не смогли справиться со временем: оно меняло нас, ежегодно покрывало новым защитным слоем, с каждым днем добавляло что-то новое, и с этим ничего нельзя было поделать. К несчастью и для меня, и для Грегори, с годами я, несомненно, утратила нечто весьма значимое.

Глава тридцать вторая

Бобби осторожно закрыл за нами двери бюро находок, как будто опасался стуком нарушить спокойствие продавцов на рынке. Вначале я подозревала, что это очередная его ужимка, а затем с нарастающей паникой начала осознавать, что дело не в этом. Бобби отпустил мою вспотевшую руку, ни слова не говоря, направился в смежную комнату и снова закрыл за собой дверь. Его тень прорывалась сквозь щели в двери, когда он попадал в полосу света, и я догадалась, что он яростно ищет что-то: передвигает ящики, громоздит одна на другую коробки на полу, звенит посудой, то есть производит всевозможные звуки, каждый из которых добавлял к моей теории заговора очередную версию. В конце концов я оторвала взгляд от двери и присмотрелась к комнате.

Передо мной от пола до потолка высились полки из ореха, как в старых бакалейных магазинах, прекративших свое существование много десятков лет назад. На них громоздились корзины. Некоторые были заполнены до краев всякой всячиной: рулонами скотча, перчатками, ручками, маркерами, зажигалками. Из других едва не вываливались носки и торчали таблички с надписью от руки, гордо извещающей, что можно приобрести полные пары. В центре помещения сгрудились десятки кронштейнов с развешанной на них одеждой, причем мужские и женские вещи были разделены и разобраны по расцветкам, стилю и времени изготовления — возле них висели надписи «пятидесятые», «шестидесятые», «семидесятые» и так далее. Здесь имелись костюмы, повседневные наряды и свадебные платья (интересно, кто способен потерять свадебное платье?). На противоположной стене под расставленными книгами помещалась витрина с ювелирными украшениями: застежки от серег, по одной сережке из разных пар, а также несколько парных, которые Бобби объединил, не обращая внимания на то, что они не совсем одинаковые.

В комнате стоял затхлый дух, ведь все вещи принадлежали к категории секонд-хенд — бывшие в употреблении, каждая с собственной историей. Тоненькие маечки приобрели несвойственную им плотность, покрывшись несколькими слоями времени. Атмосфера разительно отличалась от той, что царит в магазинах со сверкающе новыми вещами. Тут было не найти ничего чистого до скрипа, юного, невинного и готового учиться жизни. Отсутствовали нечитаные книги, неношеные шляпы, ручки, которыми никто еще не писал. Перчатки когда-то сжимали руку человека, которого любил их владелец, туфли успели покрыть большие расстояния, шарфы обвивали шеи и плечи, зонтики защищали от дождя и солнца. Эти вещи многое знали, им было известно, для чего они предназначены. У них имелся жизненный опыт, и они лежали в корзинах и на полках или висели на вешалках, полностью готовые передать свои знания тому, кто их выберет. Как и большинство здешних жителей, эти предметы успели ощутить вкус жизни, а затем наблюдали, как она ускользает прочь. И как большинство местных, они терпеливо ждали момента, когда смогут снова начать жить.

Я не могла не думать о тех, кто сейчас ищет любимые сережки, заглядывая во все уголки. С остервенением роется в сумке, пытаясь раскопать на дне очередную потерянную ручку. Вышел покурить и тут заметил, что нет зажигалки. Опаздывает на работу и не может понять, где ключи от машины, которые еще вечером лежали на месте. Пытается скрыть от мужа пропажу обручального кольца. Они могут искать и искать, пока не заболят глаза, но все равно никогда не отыщут потерю. Настоящее прозрение случилось со мной именно здесь, в этой пещере Аладдина, расположенной так далеко от дома. Дом — лучшее место на свете… Вновь всплыла, поддразнивая, знакомая фраза.

— Бобби, — позвала я, подходя к двери и затыкая рот голосу, звучащему у меня в голове.

— Одну минутку, — донесся его приглушенный ответ, за которым последовал стук, сопровождаемый чертыханьем.

Несмотря на взвинченное состояние, я хихикнула. Провела пальцем по витрине орехового дерева. В такой обычно держат хорошее столовое серебро или керамику. В этой были выставлены сотни фотографий улыбающихся лиц со всего мира, собранные за несколько десятилетий. Я вытащила одну и всмотрелась в нее: пара стояла напротив Ниагарского водопада. Похоже, фотографировали в семидесятые: снимок имел тот желтоватый оттенок, в который фотобумагу окрашивает только время. Мужчина и женщина сорока с небольшим, в широких брюках и дождевиках, — фотография поймала и запечатлела одну-единственную из всех мириад секунд, составляющих жизнь. Если они еще живы, им сейчас как раз под семьдесят, есть, вероятно, внуки, которые терпеливо наблюдают за тем, как они листают семейные альбомы — так хочется показать внукам снимок с Ниагары. Не находят и начинают втайне сомневаться: а вдруг этого путешествия вовсе и не было, вдруг они его выдумали и этой единственной секунды среди мириад других секунд жизни не существовало. И они бормочут: «Я знаю, он где-то здесь...»

— Классная идея, правда?

Я подняла глаза и увидела Бобби, который стоял в дверном проеме и смотрел на меня. Стоило столько времени копаться в соседней комнате, чтобы выйти из нее с пустыми руками.

— На прошлой неделе миссис Харпер нашла свадебную фотографию своей двоюродной сестры Надины, которую не видела уже пять лет. Не поверите, что с ней творилось. Целый день она просидела здесь, просто уставившись на фото. Это был групповой снимок, знаете, такие делают на свадьбе. Вся семья предстала перед ней. Прикиньте, пять лет вы не встречались с близкими и вдруг натыкаетесь на их свежее фото. А ведь она пришла ко мне всего лишь за носками. — Он пожал плечами. — В такие минуты я верю, что приношу здесь пользу.

Я положила на место фотографию семейной пары.

— Вы говорили, что ждали меня, — произнесла я резче, чем собиралась; ничего удивительного, потому что меня одолевал страх.

Бобби опустил скрещенные на груди руки и засунул их в карманы. Я подумала, что он наконец-то собирается вынуть что-то из кармана и дать мне, но ошиблась, — руки так и остались в карманах.

— Я в поселке уже три года. — На его лице появилось выражение тревоги, такое же, как у каждого, кто вспоминал обстоятельства своего появления здесь. — Мне тогда было шестнадцать. Оставалось два года до окончания школы и, по моим расчетам, примерно десять — до того, как я окончательно повзрослею. Я понятия не имел, чем буду заниматься. Представлял себе, как буду торчать дома и действовать маме на нервы, пока она не выставит меня за дверь и не вынудит найти подходящую работу. А пока меня вполне устраивала роль школьного шута и то, что у меня всегда под рукой чистые и выглаженные трусы. Я почти ни к чему не относился всерьез. — Он пожал плечами и повторил: — Мне было всего шестнадцать.

Я кивнула, не понимая, к чему он клонит. Почему, черт возьми, он меня поджидал?

— Когда я попал сюда, то первое время не знал, чем заняться. Шатался по лесной опушке, искал путь назад. Но такого пути не существует. — Он вынул руки из карманов и сделал выразительный жест. — Должен сказать вам, Сэнди, со всей ответственностью: дороги отсюда нет, хотя я видел людей, которые сходили с ума, пытаясь ее отыскать. — Он покачал головой. — Я очень быстро понял, что нужно начинать жить здесь. Впервые в жизни пришлось отнестись к чему-то всерьез. — Он смущенно переминался с ноги на ногу. — Это случилось, когда я искал для себя какую-нибудь одежду. Рылся в разбросанных поблизости вещах и чувствовал себя бродягой на свалке. И вот наткнулся на ярко-оранжевый носок, который выглядывал из-под папки с бумагами, — я представил себе, как сегодня утром кого-то увольняют за ее потерю. Носок был настолько ярким — кричаще ярким, — что я не понимал, как кто-то умудрился его потерять. Но чем дольше я на него смотрел, тем яснее мне становилось, почему я сам здесь очутился. Ведь вначале я думал, что приземлился тут по собственной вине. Если бы я лучше учился и не болтался без дела, меня бы сюда не забросило. Так я рассуждал.

Я кивнула. Знакомое чувство.

— Благодаря носку у меня словно гора с плеч свалилась. В жизни не видел носков ярче. — Он засмеялся. — Господи, на нем была бирка с адресом! И тогда я пришел к выводу: все дело только в невезении. Мы оба здесь исключительно из-за невезения! Что бы я ни делал, мне было суждено попасть сюда, и как бы ни старался, все равно не избежал бы этого. Как и носок. Я сочувствовал человеку, который прикрепил к нему бирку с адресом, то есть теоретически сделал все возможное, чтобы не потерять свою вещь. Поэтому я сохранил его, чтобы он напоминал мне о моем открытии, и с этого дня перестал винить себя или кого бы то ни было еще. Так благодаря носку я обрел спокойствие, — улыбнулся он. — Пойдемте. — И он пригласил меня в соседнее помещение.

Вторая комната походила на первую. Такие же полки по всем стенам, только она была значительно меньше и заставлена картонными ящиками.

— А вот и носок. — Он протянул его мне.

Это был совсем маленький детский носок из махровой ткани. Если Бобби ожидал, что эта штука произведет на меня такое же впечатление, как и на него, то он ошибался. Я по-прежнему мечтала вырваться отсюда и обвиняла себя и всех, кого можно и кого нельзя, в том, что очутилась здесь.

— Через несколько недель я освоился здесь и начал помогать вновь прибывшим подбирать одежду и другие нужные вещи. И в конце концов открыл этот магазин. В нашем поселке он единственный, где вам удастся найти все под одной крышей, — гордо произнес он.

Отсутствие у меня энтузиазма согнало улыбку с его лица, и он продолжил свой рассказ:

— В общем, как владелец и директор этого магазина, я каждый день должен отправляться на поиски, чтобы собрать как можно больше полезных вещей. Я горжусь тем, что только у меня продаются настоящие пары ботинок, носков и тому подобное. Остальные просто собирают все, что им попадается, и выкладывают на прилавок. А я ищу вторые половинки пары. Вроде как сваха, — ворчливо добавил он.

— Ну-ну, — поторопила я, сидя на старом поцарапанном стуле, который напомнил мне о первых сеансах у доктора Бартона.

— Впрочем, особого проку от оранжевого носка не было, пока я не нашел вот это. — Он нагнулся и вынул из стоящего рядом с ним ящика футболку, тоже детскую. — И она не много значила, пока я не нашел еще и это. — Он положил передо мной второй носок.

— Ничего не понимаю, — пожала я плечами, бросая оранжевый носок на пол.

Он продолжал раскладывать содержимое картонной коробки, а я сосредоточенно молчала, пытаясь расшифровать смысл послания.

— По-моему, в этой было больше всего. Ладно, и так вполне достаточно, — сказал Бобби.

Одежда и другие предметы почти полностью устилали пол, и я уже собиралась вскочить и потребовать, чтобы он наконец объяснил мне, в чем дело, когда узнала футболку. А потом носок. И пенал... И записку на листке бумаги.

Бобби стоял рядом с пустой коробкой, и огоньки возбуждения плясали в его глазах.

— Теперь поняли?

Я не могла выговорить ни слова.

— Все они с бирками. Имя «Сэнди Шорт» написано на каждой вещи, лежащей перед вами.

Я затаила дыхание, в ярости переводя взгляд с одной своей пропажи на другую.

— И это всего одна коробка. Те тоже ваши, — взволнованно произнес он, показывая пальцем на угол комнаты, где сгрудились пять поставленных один на один ящиков. — Всякий раз, натыкаясь на ваше имя, я брал такую вещь и относил сюда. И чем больше я их находил, тем сильнее был уверен, что в один прекрасный день вы явитесь сюда за ними. И вот вы здесь.

— И вот я здесь, — повторила я, уставившись на разложенные на полу вещи.

Потом встала на колени и положила руку на оранжевый носок. Я не помнила его, но легко могла себе представить лихорадочные вечерние поиски под растерянными взглядами моих несчастных родителей. С этого все и началось. Я подняла футболку и увидела свое имя, написанное на ярлычке маминой рукой. Дотронулась пальцами до чернил, пытаясь таким образом установить с ней какое-то подобие контакта. Потом взяла листок бумаги, исписанный моим корявым подростковым почерком. Школьное задание, ответы на вопросы по «Ромео и Джульетте». Я вспомнила, что сделала его, а потом, в школе, никак не могла найти. Учитель не поверил, что оно потерялось. Он стоял надо мной в притихшем классе и смотрел, как я роюсь в сумке, все больше и больше отчаиваясь, и его неверие в искренность этого отчаяния означало для меня неизбежное наказание. Мне показалось, что я перевернула страницу и вдруг снова очутилась в Литриме, и вот сейчас ворвусь в класс и с триумфом прокричу тому самому учителю: «Вот, вот оно, я же говорила, что сделала его!»

Я прикоснулась к каждой лежащей на полу вещи, вспоминая, как носила, теряла и искала ее. Перебрав все вещи из первой коробки, бросилась ко второй, верхней в пирамиде. Открыла ее трясущимися руками. Наверху, уставившись на меня своим единственным глазом, лежал мой милый дружок — мистер Поббс.

Я схватила его, притиснула к груди и сделала глубокий вдох, пытаясь уловить аромат дома. Но медвежонок лежал здесь слишком долго и успел пропитаться затхлым запахом, как и остальные вещи. Но я все равно вцепилась в него и судорожно прижала к сердцу. На ярлычке все еще можно было прочесть мое имя и номер телефона, хотя надпись синим фломастером, сделанная мамой, успела выцвести.

— Я же говорила, мистер Поббс, что найду тебя, — прошептала я и услышала, как за моей спиной тихо закрылась дверь: Бобби вышел из комнаты, оставив меня наедине с воспоминаниями, которые теснились и в моей голове, и вокруг меня.

Глава тридцать третья

Не знаю, как долго я пробыла на складе, потому что утратила счет времени. В первый раз я выглянула в окно, кажется, через несколько часов, усталая, глаза в кучку от такого бесконечного перетряхивания вещей. Моя собственность. Здесь, в этом месте, хранилось нечто принадлежащее только мне. Эти вещи как будто немножко приблизили меня к дому, связали на мгновение два мира и размыли между ними границы, так что я больше не чувствовала себя такой потерянной. Ведь их я держала там, где меня окружали люди, которых я любила. Особенно мистера Поббса. Как же давно я видела его в последний раз! С тех пор случился Джонни Наджент и тысяча других Джонни Наджентов. Похоже, после исчезновения из моей постели мистера Поббса образовалась целая команда, которую составили «разнообразные не те», сменяющие в ней друг друга.

Мимо окна прошел Иосиф, и я отодвинулась в сторону, вглядываясь в него, уверенно вышагивающего, в белой льняной сорочке с рукавами, закатанными точно до локтя, в брюках, подвернутых над щиколотками, и кожаных сандалиях. По-моему, он всегда выделялся из толпы. Как очень важная персона, как человек, обладающий превосходством и властью. Он больше молчал, но когда говорил, тщательно подбирал слова. И все к нему прислушивались. Его речь плавно перетекала от шепота к песне, ни на секунду не задерживаясь посередине. Несмотря на физическую мощь, говорил он с мягкими интонациями, и эта манера еще добавляла ему величия.

Колокольчик над входом в магазин снова звякнул. Дверь скрипнула и захлопнулась.

— Добрый день, Иосиф, — бодро приветствовал вошедшего Бобби. — А что, сегодня моя Ванда не захотела повидать меня?

Иосиф коротко хохотнул, и я догадалась, что ужимки Бобби действительно забавны, раз они рассмешили его.

— Ну что ты, эта барышня по уши влюблена в тебя. Думаешь, она бы не явилась, если бы знала, что я иду к тебе?

Бобби улыбнулся:

— Чем могу помочь?

Иосиф понизил голос, словно знал, что я рядом, и мне пришлось быстро прижать ухо к двери.

— Часы? — донесся голос Бобби, который повторил вопрос. — У меня здесь много часов.

Иосиф снова понизил голос до шепота, и я поняла, что у него на это есть важная причина. Он наверняка говорил о моих часах.

— Серебряные часы с перламутровым циферблатом? — услышала я Бобби и мысленно благословила его привычку повторять сказанное собеседником.

Их шаги по ореховому паркету стали громче, и я приготовилась быстро отскочить от двери на случай, если они ее откроют.

— Как вам эти? — спросил Бобби.

— Нет, мне нужны те, что ты нашел вчера или сегодня утром, — ответил Иосиф.

— Откуда вы знаете?

— Потому что их потеряли вчера.

— Ладно, не знаю, откуда вам это известно, — неловко попытался скрыть удивление Бобби, — разве что вы переговорили с кем-то из другого мира, в чем я лично сильно сомневаюсь.

Они помолчали.

— Иосиф, вот часы, подходящие под ваше описание. — В голосе Бобби я расслышала смущение.

— Нет, это не те, — возразил Иосиф.

— Вы их где-то видели? На ком-то? Может, попросите этого человека зайти ко мне, чтоб я понял, что вы ищете. И если наткнусь на них, сохраню для вас.

— Я ищу часы, которые видел на одном человеке.

— На ком-то из Кении? Много лет назад?

— Нет, на одном из наших.

— Из наших? — повторил Бобби.

— Ну да, на местном.

— И что, этот человек дал их мне?

— Нет, он их потерял.

Молчание.

— Этого не может быть. Наверное, куда-то не туда положил.

— Знаю. Но я все видел собственными глазами.

— Видели, как они исчезли?

— Я видел их на ее запястье, она ни на миллиметр не сдвинулась с места, а потом я заметил, что их нет.

— Наверное, упали.

— Конечно.

— Значит, лежат на земле.

— Вот такая вот забавная штука. — Голос Иосифа звучал совсем холодно, и я поняла, что ничего забавного во всем этом нет.

— Но они не могли про...

— Они пропали.

— И вы полагаете, что они могли очутиться здесь?

— Полагаю, ты мог их найти.

— Я не находил.

— Вижу. Спасибо, Бобби. Не рассказывай никому, — предостерег он, и у меня похолодел затылок.

Шаги стали удаляться.

— Стойте, стойте, Иосиф, не уходите! Скажите, кто их потерял?

— Ты ее не знаешь.

— А где она их потеряла?

— На полпути отсюда до ближайшего поселка.

— Нет, — прошептал Бобби.

— Да.

— Я найду их, — заявил решительно Бобби. —
Они должны там лежать.

— Их там нет. — Иосиф заговорил нормальным голосом, но для него это было слишком
громко.

И то, как он произнес фразу, окончательно
убедило меня в том, что их там нет.

— Ладно, ладно, — отступил Бобби, хотя, похоже, по-прежнему не верил. — А человек, который потерял их, знает, что они исчезли? Может, ей
известно, где они лежат?

— Она здесь новенькая.

Этим было сказано все. В частности, это означало «она ничего не понимает», причем Иосиф
был совершенно прав, я действительно ничего не
понимала. Впрочем, училась я очень быстро.

— Она новенькая? — Бобби заговорил совершенно другим голосом.

Я это сразу заметила и догадалась, что Иосиф
тоже.

— Может, мне поговорить с ней — пусть точно
их опишет?

— Я дал тебе точное описание.

Да, он тоже заметил перемену.

Шаги направились к двери, дверь заскрипела,
колокольчик зазвенел.

— На часах указано имя? — крикнул Бобби
в последний момент, и скрип двери затих, она

снова захлопнулась, а шаги стали громче и вернулись ближе ко мне.

— Почему ты спрашиваешь? — Голос был твердым.

— Потому что иногда на часах гравируют имена, даты или какие-то слова... — Я слышала, что Бобби нервничает.

— Ты спросил, нет ли там имени. Почему именно имени?

— На некоторых часах бывают имена. — Голос Бобби зазвучал на октаву выше, и в нем ощутимо прорезались оправдывающиеся нотки. — Я бы посмотрел, — постучал он, как я догадалась, по стеклу витрины с ювелирными изделиями.

Атмосфера в соседней комнате явно сделалась странной. Мне она решительно не нравилась.

— Сообщи мне, если найдешь часы. И не распространяйся об этой истории — сам знаешь, какая у людей будет реакция, если они узнают, что отсюда что-то пропало.

— Конечно, конечно, я понимаю. Это может вселить в них надежду.

— Бобби... — снова предостерег Иосиф, и я похолодела.

— Так точно, сэр, — дурашливо отчеканил Бобби.

Скрипнула дверь, звякнул колокольчик, и магазин снова закрылся. Я немножко подождала, чтобы удостовериться, что Иосиф не вернется. Бобби за стенкой молчал. Я уже собиралась встать со стула, когда Иосиф снова прошел мимо, на этот раз гораздо ближе, с подозрением заглянув в окно.

Я быстро нагнулась, а потом легла на пол, сама не понимая, за каким лешим от него прячусь.

Бобби открыл дверь и посмотрел вниз, на меня:

— Чем это вы тут занимаетесь?

— Бобби Стэнли. — Я встала и начала отряхивать пыль. — Ты должен мне многое объяснить.

Мой тон не произвел на него особого впечатления. Он скрестил руки на груди.

— Как и ты мне, — твердо парировал он. — Хочешь знать, почему я не пришел на прослушивание? Потому что никто не сообщил мне о нем. Хочешь знать почему? Потому что здесь я известен всем как Бобби Дьюк. С того самого дня, как попал сюда, я никому не говорил, что меня зовут Бобби Стэнли. Откуда же ты знаешь?

Глава тридцать четвертая

— Полагаю, вы мистер Ле Бон, — обратился к Джеку доктор Бартон, откидываясь на стуле и скрещивая руки на груди.

Джек побагровел, но не утратил решимости не отступать. Он не позволит доктору Бартону выставить его за дверь, словно какого-нибудь буйно помешанного. Он наклонился вперед:

— Доктор Бартон, многие из нас пытаются отыскать Сэнди...

— Не хочу ничего больше слышать. — Он оттолкнул кресло, схватил с кофейного столика папку Джека и бросил ему под ноги. — Ваше время вышло, мистер Раттл. Счет можете оплатить в приемной, у Кэрол. — Он произнес эти слова, повернувшись спиной к Джеку и возвращаясь к столу.

— Доктор...

— До свидания, мистер Раттл, — тоном выше попрощался тот.

Джек взял в руки серебряные часы и остановился. Потом заговорил — спокойно, но быстро, чтобы не упустить шанс:

— Хочу лишь сказать вам, что полицейский по имени Грэхем Тернер, вероятно, свяжется…

— Хватит! — рявкнул доктор Бартон, грохнув по столу папкой.

Его лицо налилось пунцовой краской, ноздри раздувались. Джек похолодел и сразу замолчал.

— Совершенно очевидно, что вы не знакомы с Сэнди давно или близко. Учитывая это, еще более очевидно, что у вас нет никаких прав, чтобы повсюду совать свой нос и вынюхивать.

Джек раскрыл рот, чтобы возразить, но его снова опередили.

— Однако, — продолжил доктор Бартон, — я надеюсь, что вы и ваша группа — люди честные, и потому скажу вам кое-что, пока вы вместе с полицией не наломали дров. — Он из последних сил сдерживал гнев. — То же самое вы услышите и от полицейских, если они всерьез займутся этим делом. Или от родителей Сэнди. — Гнев снова захлестнул его, и он заскрипел зубами. — Я сообщу вам лишь то, что скажет любой, кто ее знает, а именно, — он в отчаянии воздел руки, — кто такая Сэнди.

Джек предпринял еще одну попытку вставить слово.

— Она постоянно прилетает, — прорычал доктор Бартон, — и улетает, бросает начатое, иногда снова берется за него, а иногда — нет. — Он упер руки в бока, его грудь вздымалась от возмущения. — Однако суть в том, что она обязательно вернется. Она всегда возвращается.

Джек кивнул и уставился в пол. Потом повернулся и направился к выходу.

— Можете оставить ее вещи здесь, — добавил доктор Бартон. — Я позабочусь о том, чтобы она получила их по возвращении и не забыла поблагодарить вас.

Джек медленно опустил рюкзак на пол у двери и вышел из комнаты, ощущая себя получившим нагоняй школьником и одновременно испытывая симпатию к обругавшему его учителю. Доктор Бартон злился вовсе не на Джека. Все дело было в легком ветерке, который прилетал и улетал, выдувал шаловливыми губами то теплый, то холодный воздух, щекотал своими поцелуями, укутывал сладостным ароматом, а потом в мгновение ока исчезал, унося с собой и сладость, и нежность, и ласку. Все дело было в Сэнди — это она сводила его с ума. И заставляла доктора злиться на самого себя за вечную готовность ждать.

Джек ушел, а доктор Бартон остался у георгианского окна, глядя в него и скрипя зубами. Джек осторожно закрыл за собой дверь, заперев в комнате ее особую атмосферу — слишком драгоценную, чтобы позволить ей просочиться в приемную, а ожидающим — ощутить ее. Пусть остается в кабинете, окутывая доктора Бартона, пока он не справится с ней, не позволит ей остыть и, хотелось бы надеяться, развеяться.

Секретарша Кэрол озабоченно покосилась на Джека: она пока не решила, стоит ли ей испугаться или пожалеть его, принимая во внимание крики, раздававшиеся в кабинете. Джек положил на стойку кредитную карточку и подошел к столу с листком бумаги в руках.

— Передайте, пожалуйста, доктору Бартону... Если он передумает, вот мой номер телефона и адрес, по которому мы могли бы встретиться сегодня вечером.

Она быстро прочла записку и утвердительно кивнула, но все равно осталась настороже, готовая защитить своего босса.

Джек ввел в терминал пин-код карты, потом вынул ее.

— Ах да, пожалуйста, передайте ему еще это. — Он выложил на стойку серебряные часы.

Сощурившись, она смотрела на них, пока он шел к двери.

— Мистер Ле Бон? — услышал он, уже подойдя к выходу.

Мужчина, листавший автомобильный журнал, поднял голову — ну и имечко! Джек нахмурился и медленно повернулся к девушке:

— Да?

— Уверена, доктор Бартон скоро свяжется с вами.

Джек усмехнулся:

— А вот у меня такой уверенности нет. — Он двинулся к двери, но она демонстративно закашлялась, стараясь привлечь его внимание.

Он вернулся к столу.

Она подалась к нему и заговорила шепотом. Мужчина понял намек и вернулся к своему журналу.

— Обычно это занимает всего несколько дней. Самый длинный перерыв составил почти две недели, но это было еще в начале. И он оказался намного длиннее всех остальных, — еле слышно проговорила она. — Когда вы отыщете ее, скажите, чтобы она вернулась к... — она грустно посмотрела на дверь кабинета, — ладно, просто скажите ей, чтобы возвращалась.

Она произнесла все это очень быстро и так же быстро замолчала, взяла часы со стойки, положила в ящик и повернулась к компьютеру.

— Кеннет, — пригласила она, перестав обращать внимание на Джека, — доктор Бартон сейчас примет вас. Заходите.

Тяжело налаживать отношения с человеком, о котором тебе раньше ничего не позволялось узнать.

До сих пор наше общение строилось исключительно вокруг меня, и неожиданный переход к системе двух полюсов вместо одного дался мне нелегко. Встречаясь раз в неделю, мы говорили о том, что я чувствовала, чем я занималась всю эту неделю, о чем я думала и чему я научилась. Он в любой момент имел доступ к моим мыслям. Собственно говоря, его единственной целью и было проникновение в мои мысли и стремление раскусить меня. При этом он всячески мешал мне понять его.

Более серьезные, более близкие отношения, как оказалось, — это нечто прямо противоположное. Не забывать расспросить его о нем са-

мом и помнить, что теперь ему положено знать
далеко не обо всем, что творится у меня в голове.
Какие-то вещи — ради самозащиты или самосо-
хранения — следовало скрывать. В общем, друга,
которому можно рассказать абсолютно все, я в некотором роде потеряла. Чем ближе мы становились, тем меньше он знал обо мне и тем больше
я узнавала о нем.

Час в неделю сильно удлинился, а наши роли
поменялись. Кому бы пришло в голову, что у мистера Бартона есть жизнь вне четырех стен старой
школы? Выяснилось, что он знаком с какими-то
людьми и делает некие вещи, о которых я абсолютно ничего не знаю. Меня вдруг во все это
посвятили, не спрашивая, хочу я того или нет.
И разве в таких условиях у человека, по природе не
способного делить с кем бы то ни было не только
постель, но и мысли, может не возникнуть желание сбежать?! Что ж удивительного, если время от
времени я на несколько дней исчезала?

Нет, разница в возрасте тут ни при чем, она
никогда не имела значения. Проблема не в го-
дах: во всем виновато время. Эти новые отношения развивались не под тиканье часов. Большая
стрелка, которая могла бы подать сигнал о конце
разговора, отныне отсутствовала, и никакой пре-
словутый бой курантов не собирался спасать меня.
Он в любую минуту имел доступ к моей душе. Как
тут было не сбежать?!

Любовь и ненависть разделяет тонкая линия.
Любовь освобождает душу, но одновременно способна перекрыть ей кислород. Я продвигалась по

этой туго натянутой проволоке с грацией слона, и голова склоняла меня в сторону ненависти, а сердце тянуло на половину любви. Это была напряженная работа, меня все время раскачивало, и иногда я терпела неудачу. Порой сдавалась надолго, но никогда — слишком надолго.

И никогда так надолго, как в этот раз.

Я не прошу, чтобы меня любили. Никогда не стремилась понравиться и не просила понять меня. Впрочем, меня никогда и не понимали. Когда я так себя вела, когда покидала его постель, вырывалась из объятий, вешала телефонную трубку и закрывала за собой дверь его дома, мне самой с трудом удавалось понимать себя и нравиться себе. Но такая уж я есть.

Такой я была.

Глава тридцать пятая

Бобби стоял в дверях складской комнаты, скрестив руки на груди, и угрюмо изучал меня.

— Как это? — Я вскочила на ноги и нависла над ним.

Теперь, когда я поднялась во весь рост, во все свои шесть футов один дюйм, он уже не казался таким самоуверенным. Опустил руки, зыркнул на меня исподлобья.

— Тебя зовут не Бобби Стэнли?

— Нет, все здесь считают, что я — Бобби Дьюк, — произнес он настороженно, с нотками вызова и обиды в голосе, немного по-детски.

— Бобби Дьюк? — Я разочарованно сморщилась. — Как это? — повторила я. — Тот самый парень из ковбойских фильмов? Почему?

— Какая разница почему. — Он покраснел. — Полагаю, проблема в другом: ты единственная, кому известно мое настоящее имя. Откуда?

— Я знаю твою маму, Бобби, — спокойно ответила я. — Никакой великой тайны, как видишь. Все просто.

Прошедшие несколько дней были полны секретов, тайн и некоторого количества невинной лжи. Пора покончить со всем этим раз и навсегда. Я хотела лишь встретиться с людьми, поисками которых занималась, рассказать им все, что знала, а потом вернуть их домой. Вот и все, что мне нужно. Погрузившись в размышления, я сразу и не заметила, что Бобби наглухо замолчал и слегка побледнел.

— Бобби? — позвала я.

Он не ответил, только сделал пару шагов от дверного проема.

— Бобби, с тобой все в порядке? — спросила я еще мягче.

— Ага, — ответил он, но не похоже, чтобы это было правдой.

— Ты уверен?

— Я это подозревал.

— Что?

— Подозревал, что ты можешь знать мою маму или типа того. Я это почувствовал. И не тогда, когда открыл дверь магазина сегодня утром и ты назвала меня мистером Стэнли. И не когда те, кто ходил на прослушивание, рассказали, как много тебе известно. Нет, я начал подозревать всякое такое, когда стал находить твои вещи. — Он заглянул через мое плечо на пол, где валялась моя потерянная жизнь. — Когда ты предоставлен самому себе, поневоле начинаешь обращать внимание на всякие знаки. Иногда придумываешь их, иногда они действительно появляются, но чаще всего ты не в состоянии отличить первые от вторых. В этот знак я поверил сразу и безоговорочно.

Я вздохнула:

— Ты точь-в-точь такой, как она описывала.

У него задрожала нижняя губа.

— Как она?

— Если не считать того, что сходит с ума от тоски по тебе, с ней все в порядке.

— С того момента, как папа ушел, мы всегда были с ней вдвоем. А теперь она одна. Ужасно, что ей приходится со всем справляться в одиночку. — Голос срывался, несмотря на отчаянные попытки держать его под контролем.

— Нет, она вовсе не одинока, Бобби. Есть твои дяди, тети и бабушка с дедушкой. Кроме того, она приглашает в дом любого, кто готов слушать ее рассказы о тебе и смотреть твои фотографии и домашнее видео. Не думаю, чтобы в Бэлдойле оставался хоть один человек, не видевший вашего финала с командой школы Святого Кевина.

Бобби улыбнулся.

— Мы бы выиграли этот матч... — Он оборвал себя на полуслове.

— ...Если бы во втором тайме не покалечили Джералда Фицуильяма, — закончила я за него.

Бобби поднял голову, и его глаза загорелись.

— Во всем виноват Адам Маккейб, — ворчливо произнес он и покачал головой.

— Его нельзя было ставить на место центрального нападающего, — подхватила я, и Бобби захохотал.

У него был тот самый громкий, мультяшный смех, который я столько раз слышала в домашнем видео и о котором его родственники так много рассказывали. Тонкий, громкий, заразительно веселый хохот, который сразу же заставил меня глуповато захихикать.

— Ух ты! — Он глубоко вздохнул. — Ты ее хорошо знаешь.

— Поверь, Бобби, вовсе не обязательно хорошо знать твою маму, чтобы запомнить все это.

Джек сидел в гостиной Мэри Стэнли, пил кофе и смотрел видео с ее сыном Бобби.

— Вот, глядите, глядите. — Мэри неожиданно подскочила в кресле, расплескивая кофе из кружки на джинсы. — Ой, — вскрикнула она и скривилась, а Джек наклонился к ней, подумав, что она обожглась. — Вот с этого момента все пошло наперекосяк, — в ее голосе звучало раздражение.

Джек понял, что Мэри продолжает обсуждать фильм, и успокоился.

— Видите его? — Она показала пальцем на экран и снова облилась кофе.

— Осторожно, — предупредил ее Джек.

— Со мной все в порядке. — Она небрежно смахнула жидкость с колена. — Вот с этого момента все и начало разваливаться. Мы бы выиграли матч, если бы не он. — Она снова показала на экран. — Джералд Фицуильям. Его покалечили именно тогда, во втором тайме.

— М-м-м, — поддержал ее Джек, отхлебывая кофе и вглядываясь в скачущие на экране картинки матча, снятые любительской камерой.

Она запечатлела в основном размытую зелень травы на поле, перемежающуюся крупными планами Бобби.

— Во всем виноват Адам Маккейб, — наставительно произнесла Мэри и покачала головой. — Его нельзя было ставить на место центрального нападающего.

Бобби повел меня по узкой винтовой лестнице в свою квартиру над магазином. Я расположилась на кожаном диване впечатляющих размеров и представила, как покупатель нетерпеливо дожидается его доставки — значительно дольше положенных четырех-шести недель. Бобби принес стакан апельсинового сока с круассаном, и мой изголодавшийся желудок благодарно заурчал.

— Мне казалось, все должны питаться в столовой. — Я впилась зубами в свежий круассан, промявшийся под пальцами.

— Повариха питает ко мне небольшую, скажем так, слабость. У нее в Токио остался сын — мой ровесник. Она постоянно потихоньку подсовывает мне еду, а я регулярно ее поддразниваю, действую ей на нервы и совершаю прочие поступки, которых ожидают от сыновей.

— Прелестно, — промычала я с полным ртом.

Бобби пристально смотрел на меня, не прикасаясь к завтраку.

— Фто? — Круассан мешал мне говорить.

Бобби продолжал всматриваться в меня, заставив быстро проглотить булку.

— У меня на лице что-то написано? — поинтересовалась я.

— Я хочу узнать больше, — мрачно ответил он.

Окинув грустным взором остатки завтрака на тарелке — ужасно хотелось его доесть, — я заглянула в лицо Бобби и поняла, что ради его матери обязана немедленно перейти к рассказу.

— Хочешь узнать о маме? — Я запила круассан апельсиновым соком.

— Нет, о тебе. — Он уселся поудобнее на диване, а я удивленно уставилась на него и вдруг почувствовала себя неуютно.

— Мне сказали, что ты руководишь актерским агентством. Это там ты познакомилась с мамой?

— Нет, не совсем.

— Я так и думал.

— Что ты имеешь в виду?

— Ты ведь не руководишь актерским агентством, правда? Не тот тип.

Я разинула рот и почувствовала себя глубоко оскорбленной.

— Почему? Какой такой тип людей обычно руководит актерским агентством?

— Люди, не похожие на тебя, — улыбнулся он. — Так чем ты занимаешься на самом деле?

— Ищу, — улыбнулась я в ответ. — Охочусь.

— На таланты?

— На людей.

— На талантливых людей?

— Полагаю, все, кого я ищу, обладают каким-то талантом. Вот только в твоем случае не уверена. —

Бобби смутился, и я решила прекратить дурацкие шутки и открыть ему правду. — Я руковожу агентством по розыску пропавших без вести, Бобби.

Сначала он выглядел шокированным. Потом, когда осознал смысл сказанного, заулыбался, улыбка переросла в ухмылку, которая, в свою очередь, превратилась в хохот — тот самый звонкий и заразительный смех, который был мне так хорошо знаком. Я тоже не сумела сдержаться и засмеялась.

Неожиданно он замолчал.

— Ты здесь, чтобы вернуть всех домой, или просто решила нас посетить?

Я увидела надежду, засветившуюся у него на лице, и мое веселье сразу улетучилось.

— Ни то ни другое. К несчастью, я просто завязла здесь, как и вы все.

В моменты, когда неблагоприятные жизненные обстоятельства достигают пика, можно сделать всего две вещи: 1) сломаться, утратить надежду, отказаться от любых попыток что-либо предпринять, улечься на землю лицом вниз и в отчаянии молотить кулаками; 2) расхохотаться. Мы с Бобби выбрали второе.

— Ладно. Теперь запомни, как ты должна себя вести: никому об этом не рассказывай, — предостерег Бобби.

— А я и не рассказываю. Никто, кроме Хелены и Иосифа, ничего не знает.

— Отлично. Им можно доверять. Идея насчет спектакля принадлежит Хелене?

Я кивнула.

— Умный ход. — Его глаза хитро блеснули. — Сэнди, ты и впрямь должна быть осторожной. Сегодня утром в столовой были разговоры.

— А обычно в столовой молчат? — пошутила я, нацелившись на остатки круассана.

— Зря ты так, все очень серьезно. Они говорили о тебе. Те, кто был на прослушивании, вероятно, обсудили с друзьями то, что ты им сообщила. Друзья и близкие, в свою очередь, поделились новостью с еще несколькими знакомыми, и теперь все только об этом и говорят.

— А что плохого в том, что они узнали? Я хочу сказать, какой вред от того, что они узнают о моем обычном занятии — разыскивать пропавших людей?

Бобби изумился:

— Ты с ума сошла? Подавляющее большинство местных прочно здесь обосновались и не захотят вернуться ни за какие деньги. И вовсе не потому, что им не нужны деньги. Но есть довольно много и других — таких, каким был я, когда попал сюда. Эти люди еще не нашли своего места: они только и заняты поисками выхода. Вот эти-то прилипнут к тебе как не знаю кто, и ты будешь проклинать тот день и час, когда открыла рот.

— То же самое говорила и Хелена. А что, такое уже случалось?

— Господи, еще как случалось!.. Ладно, пусть не совсем так. — Он уклончиво помахал рукой и выдержал театральную паузу для пущего эффекта. — Много-много лет назад, еще до того, как я сюда прибыл, один дедуля стал утверждать, что у него пропадают вещи. Мое мнение, у него пропадали не вещи, а остатки мозгов. Тем не менее, когда люди прознали об этом, ему не удавалось даже туалет посетить в одиночку. Его сопровождали абсолютно повсюду. Он приходил в столовую — и страждущие облепляли его стол, они таскались за ним в магазин и толпились под окнами его дома. Какое-то безумие. Ему, естественно, пришлось бросить работу, потому что ему шагу не давали ступить.

— А кем он работал?

— Почтальоном.

— Почтальоном? Здесь? — изумилась я.

— А что такого? Нам тут почтальоны нужнее, чем где бы то ни было. Как без них переправлять письма, сообщения, посылки в другие поселки?! У нас, правда, есть телефоны, телевизоры и компьютеры, но сетей-то нет, так что они не работают и стоят просто так, для прикола. В общем, он больше не мог ездить из поселка в поселок на велосипеде, потому что за ним тянулся целый хвост преследователей. Большинство понимали, что все это ерунда, но те, кто не оставлял его в покое, верили, что он чудом отыщет дорогу отсюда.

— И чем все кончилось? — спросила я, съехав к этому моменту на самый кончик дивана.

— Они свели его с ума, лишили последних остатков разума. Не существовало такого места, куда бы он мог пойти один.

— А где он сейчас?

— Не знаю. — Мне показалось, что история вдруг расстроила Бобби. — Исчез. Может, перебрался в какой-то другой город, подальше. Иосиф должен знать, они дружили. Спроси у него.

По телу пробежала дрожь, я сжалась.

— Тебе холодно? — недоверчиво спросил Бобби. — По мне, так наверху всегда жарко, я весь вспотел. — Он подхватил наши тарелки и стаканы.

Возможно, он отличный актер, но я все заметила. Поймала тот долгий-долгий взгляд, который он бросил на меня, перед тем как выйти из комнаты. Хотел убедиться, что брошенное им зерно легло куда нужно. Ему не о чем было беспокоиться. Зерно упало на предельно благодатную почву.

Глава тридцать шестая

— Пошли, поговорим по дороге. — Бобби потянул меня за руку, заставляя встать.

— Куда мы идем?

— На репетицию, естественно. Теперь тебе придется еще старательнее поддерживать вашу версию насчет постановки. За тобой станут следить, будешь ты это замечать или нет.

Я снова похолодела, и меня передернуло.

Когда мы спустились вниз, Бобби стал швырять мне одежду.

— Что ты делаешь?

— К тебе будут относиться чуть серьезнее, если ты откажешься от нарядов а-ля Синдбад-мореход. — Он протянул мне серые брюки в полоску и голубую блузку.

— Мой размер, — с удивлением констатировала я, взглянув на этикетки.

— Да, но я не учел длину ног. — Он рассматривал меня, закусив губу.

— Проклятие всей моей жизни. — Я повесила брюки на вешалку.

— Ничего страшного, у меня есть то, что тебе нужно. — Он кинулся в конец магазина. — Этот кронштейн — весь для длинноногих. — Бобби рылся на вешалках, пока я зачарованно, словно ребенок витрину кондитерского магазина, рассматривала одежду.

Никогда в жизни у меня не было такого роскошного выбора.

— Господи, возможно, именно здесь я обрету счастье, — сказала я, поглаживая развешанные вещи.

— Вот то, что надо. — Бобби протянул точную копию предыдущих брюк, только подлиннее. — Быстро переодевайся, и пошли, опаздывать не стоит.

Мы вышли из дома на яркое солнце, и у меня заболели глаза, успевшие привыкнуть к сырой полутьме дома из ореховой древесины. На площади кипела шумная торговля. Люди кричали, торговались, смеялись и на разных языках, включая никогда мною не слышанные, зазывали к своим прилавкам. Четыре женщины, державшиеся группкой, замолчали и уставились на нас с Бобби, пока он запирал дверь. Я в своем новом наряде стояла на ступеньках, словно на сцене, пока они тихонько переговаривались, разглядывая меня.

— Это она, — послышался громкий шепот.

Интересно, подумала я, она что, думает, что я глухая? Подруги подтолкнули ее, и она двинулась к нам, когда мы спустились со ступенек и пошли через площадь.

— Привет, — остановила нас женщина.

Бобби хотел обойти ее, но она шагнула влево, снова перекрывая дорогу.

— Привет, — повторила она, таращась на меня и игнорируя Бобби.

— Привет, — ответила я, понимая, что группа, от которой она отошла, наблюдает за нами.

— Меня зовут Кристина Тейлор?

Кажется, это был вопрос.

— Привет, Кристина.

Молчание.

— Меня зовут Сэнди.

Прищурившись, она изучала мое лицо, словно пыталась поймать меня на том, что я ее знаю.

— Могу я вам чем-то помочь? — вежливо спросила я.

— Я провела здесь два с половиной года? — снова спросила она.

— Понимаю. — Я покосилась на Бобби, который вместо ответа закатил глаза. — Это довольно долго, да?

Она снова всмотрелась в меня.

— Я жила в Дублине?

— Правда? Очень красивый город!

— У меня три брата и сестра? — Она пыталась освежить мою память. — Эндрю Тейлор? — Ее зрачки шныряли по моему лицу. — Мартин Тейлор? — Молчание. — Гейвин Тейлор? — Молчание. — Моя сестра — Ройзин Тейлор? Работает медсестрой в больнице Бомонт?

— Понимаю…

— Вы кого-нибудь из них знаете? — с надеждой спросила она.

— Нет, к сожалению, не знаю. — Это была правда. — Все равно, приятно познакомиться!

Мы собрались продолжить путь, но она схватила меня за руку.

— Эй! — закричала я, пытаясь высвободиться, но она еще сильнее вцепилась в меня.

— Эй, послушайте, отпустите ее, — вступился Бобби.

— Но вы же знаете их, знаете, правда же, знаете? — закричала она, подходя ко мне вплотную.

— Нет. — Я отступила на шаг, но ее пальцы продолжали сжимать мою руку.

— Мои мама и папа — Чарльз и Сандра Тейлор. — Она заговорила быстрее. — Может, вы их тоже знаете. Просто скажите мне, как…

— Да отпустите вы меня! — Я резко вырвала руку, а толпа вокруг продолжала следить за нами.

Она замолчала и повернулась к подругам, которые изучающе глядели на меня.

— Извините, но мы опаздываем на репетицию. Нам пора. — Бобби взял меня за руку, которая успела заболеть, и потянул.

В каком-то шоке я позволила ему тащить себя, и наполовину бегом, наполовину шагом мы продрались сквозь толпу, под взглядами, которые буквально ввинчивались в меня.

В конце концов мы добрались до Дома коммуны и увидели у дверей небольшую очередь.

— Сэнди! — окликнули меня из очереди. — Это она! Сэнди!

Остальные тоже загалдели и обступили меня. Я почувствовала, что Бобби снова тянет мою руку, и, пятясь, неловко втиснулась вслед за ним в дверь дома, которая тут же захлопнулась. Участники спектакля сидели кружком и смотрели на меня и на Бобби. У нас подгибались ноги, и мы подпирали спинами входную дверь.

— Ладно, — сказала я, переведя дух, и мой голос эхом отозвался в зале, — вы тут все заснули, или как?

— Сказала Дороти, приземлившись в стране Оз, — подхватила Хелена. — Спасибо, Сэнди, что подали нам первую реплику, — быстро добавила она, и недоумение на лицах присутствующих сменилось кивками понимания.

— Это будет современная интерпретация старой сказки, — пояснила Хелена. — Спасибо, Сэнди. Вы так артистично сообщили нам об этом!

Мэри наконец-то нажала на «Стоп», потому что матч первоклассников с участием Бобби закончился. Она вынула из видеомагнитофона кассету: все последние два часа Джек втайне мечтал сжечь ее. Он допил остаток остывшего кофе, надеясь, что не уснет.

— Мэри, мне обязательно нужно вернуться в Лимерик сегодня вечером. — Он выразительно взглянул на часы.

За все время, что они провели вместе, имя Сэнди не прозвучало ни разу. Он сразу понял, что бесполезно перебивать Мэри или пытаться сменить тему, пока она не расскажет все о своей жизни. Стены гостиной были плотно увешаны фотографиями в рамках. Бобби-младенец, Бобби учится ходить,

Бобби на своем первом велосипеде, он же впервые идет в школу, его первое причастие, его конфирмация. Бобби украшает рождественскую елку, Бобби на бортике бассейна солнечным летним днем. От лысого младенца к мальчишке с выгоревшими добела волосами, а потом к пепельному шатену. Беззубая улыбка, первые зубы, металлические брекеты во рту. Часов в комнате не было, и только фотографии показывали движение времени, которое на последнем снимке вдруг резко застопорилось, словно ему запретили идти дальше: Мэри и Бобби в его шестнадцатый день рождения.

Тридцативосьмилетняя Мэри жила в квартире над благотворительным магазином, где лежали вперемешку платья, туфли, книги, безделушки, посуда и еще всякая всячина. В помещении веяло затхлостью. Этот запах исходил от вещей, сменивших по два, три, а то и больше владельцев, от пыльных, много раз перелистанных книг и от игрушек, с которыми успело наиграться не одно поколение выросших владельцев. А наверху располагалась квартира — ее Мэри делила с Бобби на протяжении всех его шестнадцати лет.

Мэри встала.

— Еще кофе?

— Спасибо. — Джек направился вслед за ней на кухню, где обнаружил новые фото, развешанные по стенам и по периметру оконной рамы.

— Никто так и не пришел? — спросил Джек, который рассчитывал встретить здесь целую небольшую компанию.

— Они не смогли так быстро собраться. Питер живет в Донеголе с двумя маленькими детьми, а Клара и Джим в Корке. Правда, они недавно развелись, так что шансов увидеть их вместе не много. Печально, правда? Их дочка Орла пропала шесть лет назад. Полагаю, из-за этого они и расстались. — Она разлила кофе по кружкам. — Такие драматические перемены в жизни действуют, словно магнит. Они либо сближают людей, либо резко отталкивают друг от друга. К сожалению, в их случае сработал второй вариант.

Джим сразу подумал о Глории и о том, что тот же самый эффект магнита растаскивает их в разные стороны.

— Но они, несомненно, подключатся, если от них потребуется что-то конкретное.

— Сэнди помогала всем этим людям?

— Сэнди помогает, Джек. Она пока никуда не ушла. Она очень энергичная и храбрая. Я знаю, вам не повезло, и вы не успели увидеть ее в деле, но Сэнди связывается с каждым из нас еженедельно. Уже прошло столько лет, а она по-прежнему звонит нам раз в неделю, чтобы держать в курсе расследования. Часто, особенно в последнее время, просто справляется, как у нас дела.

— Кто-нибудь слышал о ней за прошедшие семь дней?

— Никто.

— Это необычно?

— Не совсем необычно.

— Несколько человек сказали мне, что для нее в порядке вещей оборвать все контакты и ненадолго исчезнуть.

— Она постоянно исчезает, но все же обычно звонит нам оттуда, где прячется. Если Сэнди к чему-то и привязана, так это к своей работе.

— Звучит так, будто больше ее ничто не интересует.

— Не удивлюсь, если это правда. — Мэри кивнула. — Сэнди почти ничего о себе не рассказывала, — она спохватилась, — не рассказывает. У нее настоящий талант — ничего не говорить о себе. Никогда не упоминает ни родных, ни друзей. Ни разу. А мы ведь знакомы уже три года.

— Не думаю, чтобы у нее были друзья, — засомневался Джек; он сидел за кухонным столом и пил кофе из вновь наполненной кружки.

— Зато у нее есть мы. — Мэри подсела к нему. — Вы больше не встречались с полицейским Тернером?

Джек покачал головой.

— Я звонил ему сегодня. На самом деле он практически ничего не может сделать, если родственники и знакомые утверждают, будто все нормально. Сэнди не представляет опасности ни для себя самой, ни для окружающих, и в ее исчезновении нет ничего подозрительного.

— Ничего подозрительного в брошенной машине с оставленными в ней личными вещами? — удивленно спросила Мэри.

— Ничего, если она регулярно так поступает.

— А как насчет часов, которые вы нашли?

— У них замок сломан. Похоже, она их часто роняет.

Мэри зацокала языком:

— Бедную девушку наказывают за плохое поведение.

— Хотелось бы поговорить с ее родителями, узнать, что они по этому поводу думают. Никак не могу смириться с тем, что ничего не знать о близком человеке в течение пяти дней считается нормальным и не вызывает беспокойства.

В глубине души Джек все-таки понимал, что такое вполне возможно. Он и сам не был достаточно близок с Доналом, да и с другими членами семьи, чтобы волноваться в подобной ситуации. Если не считать Джудит, все они могли по нескольку недель не видеться и ничего не знать друг о друге. И только мать поднимала тревогу по прошествии трех дней.

— У меня есть их координаты, если хотите. — Мэри встала из-за стола и начала рыться в кухонном шкафчике. — Однажды Сэнди удивила меня, попросив отправить ей что-то на их адрес. — Голос глухо доносился из-за створки дверцы. — В тот год она, кажется, застряла на Рождество в родительском доме и отчаянно искала какой-нибудь предлог, чтобы вырваться. — Она улыбнулась. — Но разве не так всегда бывает на Рождество? Вот, нашла. — Ее голова наконец вынырнула из шкафа.

— Я не могу свалиться на них без предупреждения, — заколебался Джек.

— А почему бы и нет? В крайнем случае, они откажутся разговаривать с вами, но попробовать все равно стоит. — Мэри протянула ему адрес в Литриме. — Если хотите, можете переночевать здесь. Уже слишком поздно ехать в Литрим, а оттуда возвращаться в Лимерик.

— Спасибо, я мог бы даже завтра задержаться подольше в Дублине, чтобы проверить, не придет ли Сэнди на еще одну назначенную встречу. — Джек улыбнулся и посмотрел на фотографию маленького Бобби в костюме динозавра на празднике Хеллоуина. — Со временем становится легче?

Мэри вздохнула.

— Нет, не легче, но чуть менее тяжело, может быть. Эти мысли все время со мной, всякий раз, когда я засыпаю или просыпаюсь. Но боль потихоньку начинает, как бы вам сказать... нет, не исчезать... Она вроде распыляется и висит в воздухе, окружая меня, всегда готовая пролиться в тот момент, когда я этого меньше всего жду. А еще, когда боль отступает, ее место занимает злость, а когда злость утихает, воцаряется одиночество. Такой круговорот чувств: стоит одному из них ослабеть, и следующее тут же принимает эстафету. У сыновей все, к сожалению, по-другому. — Она криво усмехнулась. — Я когда-то любила все неизведанное, загадочное. Мне казалось, такие вещи необходимы, чтобы жизнь наполнилась смыслом. — Она печально вздохнула. — Теперь у меня появились сомнения на этот счет.

Джек согласно кивнул, и оба на какое-то время погрузились в свои мысли.

— В общем-то все не так чтоб уж совсем беспросветно, — встрепенулась Мэри. — Будем надеяться, что Сэнди поступит как обычно и утром вернется домой.

— Вместе с Бобби и Доналом, — добавил Джек.

— Что ж, не теряем надежды. — Мэри подняла кружку и чокнулась с Джеком.

Глава тридцать седьмая

Д жек провел эту ночь в крохотной спальне
Бобби в окружении постеров со спор-
тивными автомобилями и полуголыми
блондинками. Потолок был усеян миниа-
тюрными звездами и космическими кораблями,
которые когда-то ярко сияли в темноте, но теперь
только слабо светились — словно напоминая об
отсутствии хозяина. У плакатов, наклеенных на
двери и выцветшие обои, завернулись углы, лишив
Хи-Мена его меча, Бобби Дьюка — ковбойской
шляпы, а Дарта Вейдера — шлема. На темно-синем
пуховом одеяле была изображена Солнечная система со всеми известными планетами и звездами.
Кроме той, где сейчас находился Бобби.

На заваленном всякой всячиной письмен-
ном столе лежали компакт-диски, CD-плеер,
наушники и журналы, тоже с фотографиями
женщин и автомобилей. Несколько учебников,
задвинутых в угол, явно занимали нижнюю сту-

пеньку в иерархии ценностей Бобби. Полки над
столом ломились под грудами CD и DVD-дисков,
журналов, футбольных медалей и кубков. Джек
подозревал, что здесь ни к чему не прикасались
с того момента, как Бобби покинул эту комнату,
чтобы больше в нее не вернуться. Он старался ни
до чего не дотрагиваться и перемещался по ковру
на цыпочках, чтобы не оставлять своих следов. Все
в этой комнате существовало лишь в качестве бес-
ценных музейных экспонатов.

Между постерами с автомобилями и обнажен-
ными женщинами проглядывали обои с рисун-
ками по мотивам «Паровозика Томаса»[1]. Ребенка
от подростка отделяла почти незаметная граница.
Джек оказался в жилище человека, который уже не
был мальчиком, но еще не стал юношей, человека,
застрявшего между невинностью и самореализа-
цией, в самом начале пути к открытиям.

Ему снова почудилось, что он уже бывал
в этом доме. Будто угодил в ловушку времени и не
мог пошевельнуться. Приказ на листе бумаги,
пришпиленном к двери, — «Комната Бобби: НЕ
ВХОДИТЬ!» — строго выполнялся: плотно при-
крытая, она хранила все сокровища не хуже насто-
ящего сейфа. Джек погрузился в мысли о Бобби:
жив ли он, где может сейчас находиться, следуя
прихотям своей судьбы, и насколько изменился
по сравнению с тем образом, за сохранение которого Мэри так отчаянно сражалась. А может, его

1   «Паровозик Томас» — популярный американ-
ский мультфильм.

земной путь уже закончен. Обречен ли он отныне на существование в облике уже не мальчика, но еще не юноши, в каком-то промежуточном месте в качестве промежуточного создания, у которого ничего не завершилось, ничего до конца не осуществилось?

Джек размышлял о собственном нежелании окончательно отпустить Донала и вспоминал слова доктора Бартона о подмене одного поиска, зашедшего в тупик, другим. Он соглашался, что в теории все так и есть, однако хранил твердую уверенность, что в его случае не было ни нежелания, ни неспособности двигаться вперед. Он отогнал от себя мысль о том, что, возможно, похож на Мэри в своем стремлении вечно цепляться за прошлое, которого давно нет. Джек натянул одеяло на голову и спрятался от звезд на потолке и от раскинувшейся над ним галактики. Если подходить к вопросу реалистично, погоня за Сэнди никак не могла помочь найти Донала, однако нечто, затаившееся в глубине сердца и разума, продолжало подталкивать его вперед.

Завтра пятница, и если Сэнди не надумает объявиться, будет уже шесть дней, как она отсутствует. Именно сейчас ему нужно принять решение: не пора ли повернуть назад, открыть дверь в собственную жизнь и выпустить на волю пойманное в ловушку время вместе с воспоминаниями, чтобы двигаться вперед и пытаться наверстать упущенное. Или же вести дальше поиски, какими бы эксцентричными и нелепыми они ни казались. Он поразмышлял об оставшейся дома

Глории, о том, что никаких чувств к ней не испытывает, о своей жизни и их общем будущем и принял решение: подобно Бобби, который по-прежнему оставался в этой комнате, где Джек лежал на кровати, он продолжит путешествие за новыми открытиями. Джек услышал, как Мэри выключила телевизор и кухонные приборы. Сквозь занавески неожиданно пробился свет и заглянул в комнату, направив сияющий желтый луч на постер с красным «феррари». Джек догадался, что это фонарь над крыльцом, и на него снизошло странное спокойствие. Он продолжал вглядываться в световое пятно на стене, пока веки не сделались тяжелыми.

На следующее утро без четверти девять Джека разбудил зазвонивший телефон.

— Алло? — прохрипел он, озираясь и на мгновение вообразив, будто совершил путешествие во времени и снова стал подростком, проснувшимся в своей комнате в материнском доме.

Мать... Он ощутил внезапную острую тоску по ней.

— Чем ты, черт возьми, занимаешься? — в голосе сестры Джудит явственно слышалась злость.

Вдалеке раздавался детский плач и лай собак.

— Просыпаюсь, — ворчливо ответил он.

— Да что ты? — саркастично переспросила она. — И с кем рядом?

Джек повернул голову вправо и посмотрел на блондинку, на которой из всей одежды имелись только ковбойская шляпа и сапоги.

— С Кэнди из Хьюстона, штат Техас. Она обожает скакать на лошадях, пить домашний лимонад и выгуливать своего пса Чарли.

— Что-о-о? — прорычала Джудит, и ребенок заплакал громче.

Джек рассмеялся:

— Расслабься, Джуд. Я в крохотной спальне шестнадцатилетнего мальчика. Тебе не о чем беспокоиться.

— Ты где?

Он услышал выстрелы или ему показалось?

— Джеймс, да выключи ты этот телевизор!

— Ого! — Джек отодвинул телефон от уха.

— Извини, если этот шум на расстоянии в сотни миль тебе помешал, — гневно сказала она.

— Джудит, да что с тобой сегодня? Чего ты злишься?

Она вздохнула:

— Я думала, ты поехал в Дублин только на встречу с доктором.

— Я был у него, но потом решил еще кое-кого порасспросить.

— Это все из-за той женщины из агентства по розыску?

— Да, Сэнди Шорт.

— Чем ты все-таки занимаешься, Джек? — мягко спросила она.

Его голова по-прежнему покоилась на подушке, украшенной детскими картинками.

— Заново собираю свою жизнь.

— И для начала ломаешь ее на мелкие кусочки?

— Помнишь, как мы каждое Рождество складывали пазл с Шалтаем-Болтаем?

— Господи помилуй, он свихнулся! — певучим голосом произнесла она.

— Ну, доставь мне удовольствие, вспомни!

— Как же я могу забыть?! В первый год мы складывали его до марта, и все потому, что мама в панике убрала нашу работу с большого стола, когда к нам неожиданно заявился отец Киф.

Они засмеялись.

— А когда отец Киф ушел, папа решил нам помочь и стал делать все сначала, помнишь? Он научил нас, что нужно сперва разъединить все детали, а уж потом постараться собрать их.

— Там было написано: «И вся королевская конница, и вся королевская рать...» — вздохнула она. — Значит, ты собираешь свой пазл.

— Вот именно.

— Милый мой братишка-философ. А где же былые походы по пабам и ребяческие шутки?

Он усмехнулся:

— Сидят до поры до времени где-то у меня внутри.

Она снова стала серьезной:

— Я понимаю, через что ты прошел и что делаешь. Но разве обязательно действовать в одиночку, никому не говоря ни слова? По крайней мере, на выходные, к фестивалю, вернешься? Мы едем туда сегодня вечером, с Билли и ребятами. Там на улице будет играть ансамбль, и какие-то детские игры организуют, и традиционный фейерверк в воскресенье вечером. Раньше ты его никогда не пропускал.

— Постараюсь приехать, — солгал Джек.

— Не понимаю, откуда у Глории столько выдержки! Она вроде так спокойно относится ко всему, что ты делаешь. Только, по-моему, ты злоупотребляешь ее терпением. Сознательно пытаешься ее оттолкнуть, что ли?

Джек собрался было снова оправдываться, но не стал, решив вместо этого обдумать слова сестры.

— Не знаю, — вздохнул он в конце концов, — может быть. Не знаю.

— Доброе утро, — пропела Мэри, постучавшись в дверь.

— Заходите, — ответил Джек, закутываясь в простыню.

Раздалось легкое дребезжание и несколько щелчков, потому что ручка разболталась, а потом Мэри толкнула дверь подносом, на котором стоял завтрак.

— Ух ты, — воскликнул Джек, вперив в него голодный взгляд.

Мэри поставила завтрак на письменный стол. Она не сдвинула ни одного журнала или диска и предпочла поместить поднос на самый краешек, где он опасно покачивался. Ничего нельзя трогать. Джека удивило, что она разрешила ему переночевать в этой кровати.

— Спасибо, Мэри, все очень аппетитно выглядит.

— На здоровье. Я любила время от времени баловать Бобби и приносить ему завтрак в постель. — Она оглянулась, нервно сжимая и разжимая руки. — Вы хорошо спали?

— Да, спасибо, — вежливо ответил он.

— Лгун, — сказала Мэри, направляясь к выходу. — Я не спала ни одной ночи с тех пор, как Бобби пропал. Спорю, у вас то же самое.

Джек благодарно улыбнулся — ему было приятно услышать, что не он один такой.

— Пора открывать магазин, но вы не торопитесь. Я оставила в ванной полотенце. — Она еще раз затравленно огляделась по сторонам и вышла.

Джек был доволен, что записал все назначенные Сэнди встречи до того, как отдать ее ежедневник доктору Бартону. На страничке с сегодняшним числом она указала: «АЖНИ, Ангер-стрит, 12 часов, комната 4». Больше ничего, никаких уточнений, но он обратил внимание, что по этому адресу она бывала регулярно, раз в месяц — или, по крайней мере, делала такую запись. Он решил не звонить, а прийти без предупреждения.

Из-за жуткого дублинского движения он явился на место в десять минут первого, хотя специально вышел пораньше. За стойкой в приемной никого не оказалось. Он перегнулся через нее, повертел головой слева направо, позвал, но никто не откликнулся. Перед ним было много дверей, а еще он заметил доски с объявлениями о занятиях фитнесом, о детских группах, консультационных услугах и программах работы с молодежью. Интересно, что за дверью под номером 4, подумал он. Еще один психотерапевтический кабинет? В этом он серьезно сомневался. Только не фитнес-группа, мысленно попросил он. Обучение работе на компьютере его бы устроило: с этим он точно справится. Джек осторожно поскребся в дверь, прислушиваясь и надеясь, отчаянно надеясь, что ему откроет Сэнди.

Дверь отворилась. На пороге стояла дама с добрым лицом.

— Здравствуйте, — улыбнулась она, почти прошептав приветствие.

— Извините, что помешал, — тоже шепотом ответил Джек.

Что бы там ни происходило за дверью, они делали это очень тихо. Может, йога? Хотелось думать, что нет.

— Не беспокойтесь, мы рады всем, кто ни пришел. Хотите присоединиться к нам?

— М-м-м, да... Вообще-то я ищу Сэнди Шорт.

— А, понимаю. Это она посоветовала вам прийти?

— Да. — Он энергично закивал.

Она шире распахнула дверь, и люди, сидевшие в комнате кружком, повернулись и посмотрели на него. Никаких матрасов, значит, не йога, успокоился он. Его сердце бешено колотилось, пока он искал глазами Сэнди и гадал, кто из них первым узнает другого. И, кстати, сможет ли он вообще узнать ее? Не рассердится ли она, что ее нашли, выследили в этом убежище? А может, почувствует благодарность за то, что ее отсутствие хоть для кого-то не прошло незамеченным?

— Добро пожаловать, заходите, садитесь! — Женщина указала рукой на кружок людей, а один из присутствующих взял стул в углу комнаты и поставил его рядом с остальными. Джек направился к нему, переводя взгляд с одного лица на другое в поисках Сэнди. Вблизи кружок оказался больше, — словно зонтик, который медленно раскрывался, пока Джек к нему шел. Вздрогнув, он уселся на стул. Сэнди здесь не было.

— Как видите, Сэнди сегодня не пришла, к сожалению.

— Да, вижу. — Он заскрипел зубами, и знакомая боль прошла десны.

— Меня зовут Трэйси, — представилась женщина.

— Очень приятно. — Джек нервно прочистил горло, все головы повернулись к нему, и он ощутил, что его рассматривают, оценивают, изучают, анализируют каждое неловкое движение. — Я Джек.

— Рады познакомиться, Джек, — хором ответили они, а он замолчал, с удивлением отметив гипнотизирующую синхронность их голосов.

Последовало долгое молчание, во время которого он ерзал на стуле, не зная, чего от него ожидают и что нужно делать.

— Как бы вы хотели, Джек? Пусть сегодня начнут другие, а вы свою историю расскажете в следующий раз?

Его историю? Джек снова оглядел всех по очереди: у некоторых на коленях лежали блокноты и ручки. Возле одной из стенок стояла школьная доска с надписью «Письменное задание», заключенной в овальную рамку. В разные стороны разбегались слова: «Чувства», «Мысли», «Проблемы», «Идеи», «Язык», «Выражение», «Тональность» и еще множество других, так что он не смог прочесть все сразу, но пришел к выводу, что, скорее всего, очутился в любительском литературном кружке.

— Да-да, — с облечением согласился он. — Я бы хотел для начала кого-нибудь послушать.

— Хорошо. Ричард, могли бы вы рассказать нам, как справлялись в этом месяце?

— Знаете, я поняла, что это помогает, — прошептала женщина рядом с Джеком и протянула ему брошюру.

— Спасибо. — Он положил ее на колени, решив послушать Ричарда, а уж потом прочесть. История Ричарда оказалась довольно абсурдным рассказом о мужчине, мгновенно вызывающем неприязнь: он все время боялся действовать, повинуясь сильным импульсам. Ричард монотонно бубнил слова и мучительно продирался сквозь текст, в котором описывалось, как такой же, как он, несчастный зануда ощущает не отпускающую ни на миг ответственность за безопасность других людей, причем настолько болезненно, что даже отказывается садиться за руль из страха задавить кого-нибудь. В какой-то момент Джек покачал головой и рассмеялся, решив, что это какой-то не вполне понятный и мрачноватый, но все же юмор. И тут же замолчал, поймав на себе недовольные взгляды членов группы.

Минуты, скорее походившие на часы, потекли одна за другой, комната возвращала эхо бесконечного бормотания Ричарда, и каждое слово его истории звучало в ушах Джека дважды, притом что и в первый-то раз действовало ему на нервы. История неуклонно приобретала депрессивную окраску, поведение главного персонажа неизбежно вело к утрате им жены и ребенка, и Джек перестал слушать и сосредоточился на брошюре, опасливо прикрывая ее ладонями.

Его тело, до того расслабленное, напряглось, когда он в конце концов сконцентрировался на глянцевой обложке тонкой книжечки. Волна краски поднялась от шеи до корней светло-рыжих волос, когда он прочел заголовок: «Добро пожаловать в Общество Анонимных Жертв Навязчивых Идей».

Джек молча досидел до конца встречи, ощущая неловкость из-за своего присутствия и стыд за свое поведение во время рассказа Ричарда. Когда время истекло и собрание закончилось, он, опустив голову, смешался с присутствующими и постарался максимально незаметно покинуть комнату.

— Джек! — позвала его Трэйси, и он похолодел.

Остановился, пропустил всех, всматриваясь в лица людей, готовых покинуть свой оазис спокойствия и вернуться в большой мир, чтобы в одиночку продолжить сражение с караулившими их привычными демонами. И вдруг увидел в коридоре доктора Бартона, который со скрещенными на груди руками и нахмуренным лицом кого-то поджидал. Джек отступил назад в комнату и направился к Трэйси.

Она тоже шагнула к нему и протянула руку.

— Спасибо, что пришли сегодня, — улыбнулась она. — Знаете, ваш приход — первый шаг к излечению. Вам предстоит тяжелый и долгий путь, но помните, все мы готовы оказать вам поддержку.

Джек услышал, как доктор Бартон невесело хохотнул.

— Двенадцать шагов, о которых вы слышали, позаимствованы у Анонимных алкоголиков и адаптированы для АЖНИ, и они могут принести облегчение. Сама наблюдала, как они смягчают и даже устраняют наши навязчивые идеи. Так что приходите в следующем месяце. — Трэйси ободряюще похлопала его по руке.

— Спасибо. — Джек неловко прокашлялся, чувствуя себя самозванцем.

— Вы хорошо знаете Сэнди? — спросила она.

Он вздрогнул, так как ему не хотелось отвечать на вопрос при докторе Бартоне.

— Вроде того, — неуверенно пробурчал он.

— Увидите ее, скажите, пусть возвращается к нам. Обычно она не пропускает наши встречи.

Джек снова кивнул и на этот раз порадовался, что доктор Бартон услышал сказанное:

— Сделаю все, что смогу.

— Ну что? — спросил он доктора Бартона, когда они отошли подальше от Трэйси. — Она сказала, что обычно Сэнди не пропускает занятия. Хотел бы я знать, где она сейчас.

Глава тридцать восьмая

Я посещала встречи АЖНИ ежемесячно. Потому что, являясь сюда, знала: весь следующий месяц я смогу оставаться с Грегори.

— Сэнди! — позвал меня Грегори.

Я стояла внизу под лестницей в его доме, полуодетая, в десять минут третьего ночи и рылась в сумке, которую, как всегда, оставила у входной двери.

— Сэнди! — снова услышала я.

Потом послышался стук и пол надо мной заскрипел — он встал с постели и направился к выходу из спальни. У меня заколотилось сердце, а поиски стали еще более лихорадочными. Грегори приближался, и я занервничала, поэтому вывернула сумку, и ее содержимое рассыпалось. Я подняла разбросанные предметы по одному, бросила их обратно в сумку, проверила карманы одежды, висящей в прихожей, вывернула их и тщательно прогладила ладонью каждый дюйм ткани.

— Что ты делаешь? — Голос прозвучал у меня за спиной, и от неожиданности я подпрыгнула.

Сердце замолотило, адреналин помчался по венам, словно меня поймали на месте преступления. Как если бы я совершила что-то противозаконное, вроде воровства, или аморальное, например, обманула его. Ненавижу, когда он вынуждает меня чувствовать, будто я неправильно себя веду. На лице у него я прочла выражение, от которого обычно сбегала, заметив его на других лицах. Как ни странно, ему пока не удалось прогнать меня. Во всяком случае, насовсем, хотя несколько раз я все же удирала.

Запах средства после бритья, которое я дарила ему все шесть лет на каждое Рождество, наполнил помещение. Я ничего не ответила. Просто положила свою темно-синюю полицейскую форму на ковер и стала ощупывать, надеясь наткнуться на необычный бугорок.

— Эй! — крикнул он. — Я к тебе обращаюсь.

— Не слышу, — ответила я.

— Что ты делаешь?

— А ты как думаешь? — спокойно спросила я, проводя рукой сверху вниз по штанине синих нейлоновых брюк.

— Похоже на глубокий массаж одежды. — Я услышала, как он прошел по комнате и уселся на диван, кутаясь в халат, который я подарила на это Рождество, и сбрасывая клетчатые шлепанцы, подаренные на прошлое. — Я ревную, — пробормотал он, наблюдая за тем, как я разглаживаю карманы.

— Ищу зубную щетку, — объяснила я и высыпала содержимое косметички на ковер.

— Вижу. — Он взглянул на меня.

Грегори просто произнес это слово и посмотрел на меня, но я сразу почувствовала себя неуютно. Из-за неодобрения, читающегося в его глазах, мне стало казаться, будто я уселась на пол, чтобы принять дозу, а вовсе не ради невинных поисков потерянной щетки. Несколько минут прошли безрезультатно.

— Знаешь, в ванной наверху у тебя уже есть щетка.

— Я сегодня купила новую.

— Старая не годилась?

— У нее слишком мягкие щетинки.

— Я думал, тебе нравятся мягкие щетинки. — Он провел рукой по своей аккуратной бородке.

Я улыбнулась, чтобы успокоить его.

Он продолжал смотреть на меня.

— Пойду заварю чаю. Хочешь чайку? — Он прибегал к тем же методам, что и родители.

Они тоже привыкли говорить со мной небрежным тоном, делая вид, будто все в порядке. Им казалось, если до меня не будут доходить негативные импульсы, я перестану впадать в панику при каждой очередной потере. Ребенком я и сама так считала. Теперь, став старше, я узнала от Грегори, что он старается разрядить атмосферу вовсе не ради меня, а исключительно ради себя самого. Я бросила поиски и следила за тем, как он расхаживает по кухне. Грегори действовал так, словно постоянно заваривает чай в два часа ночи. Я наблюдала за его игрой в семейную жизнь, за старательными попытками притвориться, будто его присутствующая (отсутствующая) подружка абсолютно нормальна и это вполне в порядке вещей — сидеть полуголой на ковре и искать в сумке зубную щетку, хотя еще одна спокойно дожидается в стаканчике на полке ванной. Глядя, как он разыгрывает этот спектакль и пытается обмануть себя, я улыбалась, чувствуя, что полюбила еще один его недостаток, о существовании которого до сих пор не подозревала.

— Может, она выпала в машине? — сказала я, скорее себе, чем ему.

— На улице дождь, Сэнди. Ты же не собираешься сейчас выходить?!

Мог бы и не спрашивать, ответ и так ему известен. Но он спросил, потому что продолжал свою игру. И теперь делал вид, будто его постоянная подружка, неизменно хранящая ему верность, подвергает себя опасности, собираясь выбежать под дождь, чтобы найти пропажу. Как необычно, до чего забавно, что за милая причуда. Так прикольно!

Я осмотрелась — где бы взять пиджак или одеяло, которое можно накинуть на плечи. На глаза ничего не попалось. В таких ситуациях я остаюсь внешне спокойной, а вот внутри чувствую себя так, словно ношусь взад-вперед, визжа, вопя, исследуя все углы, не в состоянии ни на секунду остановиться. Чтобы подняться наверх и что-то набросить на себя, понадобится слишком много времени, это отнимет у меня драгоценные минуты. Я перевела взгляд на Грегори: он как раз заливал кипяток в смешной чайник, который я подарила ему на прошлое Рождество. Грегори явно уловил в моем взгляде отчаянный вопрос, немой крик о помощи. И поступил, как всегда, красиво.

— Ладно, ладно. — Он развел руками. — Можешь взять мой халат.

И правда, о халате я даже не подумала.

— Спасибо. — Я встала с пола и направилась на кухню.

Он развязал пояс, невозмутимо сбросил халат, протянул его мне и остался в клетчатых тапочках и серебряной цепочке, подаренной мною на сорокалетие в прошлом году. Я хихикнула и взялась за халат, но он крепко держал его, не отдавая. Потом вдруг стал серьезным:

— Не надо, Сэнди. Не ходи на улицу.

— Пожалуйста, Грегори, ну, пожалуйста, — мямлила я и тянула халат.

Мне не хотелось снова заводить привычный спор, в очередной раз повторять по кругу одно и то же, отстаивать свое право, не находить никакого решения, извиняться неизвестно за что и сдерживать обиды, тлеющие под спудом серьезных проблем.

Его лицо сморщилось.

— Послушай, Сэнди, давай вернемся в постель, пожалуйста. Мне через четыре часа вставать.

Я ослабила хватку и посмотрела на него, стоящего передо мной обнаженным и с каким-то особенным выражением лица. Не знаю, что на нем было написано, на этом лице, что светилось в его взгляде, направленном на меня, какая немая мольба — не бросать его, остаться с ним и не уходить, не знаю, что во всем этом было, но я перестала бороться.

Потом окончательно отпустила халат.

— Ладно, — сказала я. — Сдаюсь. Ладно, — повторила я скорее себе самой. — Пошли спать.

Грегори, похоже, испытал одновременно удивление, облегчение и смущение, и все это я прочитала на его лице. Но он решил не углубляться и ни о чем не спросил. Ему не хотелось разрушать хрупкое согласие, рассеивать сон и рисковать оттолкнуть меня снова. Вместо этого он взял меня за руку, и мы поднялись по лестнице обратно в спальню, оставив на полу в прихожей груду моих вещей и косметичку. Впервые я повернулась спиной к проблеме и двинулась в противоположном направлении. По лестнице меня вел Грегори, и в данном случае это было справедливо.

Когда мы улеглись в постель, я положила голову на теплую, мерно дышащую грудь, ощутила, как под щекой бьется его сердце, а дыхание колышет мои волосы. Почувствовала, что меня любят, что я в безопасности и, значит, никогда моя жизнь уже не будет лучше и восхитительнее, чем сейчас. Перед тем как погрузиться в сон, он прошептал мне, чтобы я запомнила это чувство. Тогда я подумала, что он имеет в виду нас, когда мы вместе. Но по мере того как ночь все тянулась и тянулась, а мелочные мысли снова стали одолевать меня, я начала догадываться, что он хотел сказать другое:

следовало зафиксировать в памяти чувство, которое я испытала, когда мы уходили из прихожей, и причину, по которой приняли такое решение. Нужно было держаться за эти ощущения, хранить их и возвращаться к ним всякий раз, когда знакомая проблема подымет свою уродливую голову.

Мне так и не удалось поспать этой ночью. Я собиралась всего лишь спуститься по ступенькам и убрать свои вещи. Потом, когда я это сделала, мне захотелось выйти под дождь и поискать свою машину. А уж когда ее не оказалось на месте, я начисто забыла чувство, которое пыталась удержать, пока оставалась в объятиях Грегори и в его постели.

Этим утром он проснулся один, и мне было больно думать, что он вообразил себе, когда ощупал постель и нашел под руками только холодные простыни. Он спокойно спал, веря во сне, что его любимая рядом, а я в это время вернулась в свою холодную комнату и сразу увидела зубную щетку, которая так и лежала нераспакованной на столе. Впервые найденная пропажа не принесла никакого облегчения. При виде щетки я почувствовала себя еще более опустошенной, чем до того. Получалось, что, когда я с Грегори, каждая найденная вещь влечет за собой пропажу чего-то внутри меня. И вот в пять утра я лежала в одиночестве в своей кровати, покинув теплую постель мужчины, которого любила и который любил меня. Мужчины, который не захочет больше меня видеть и расстанется со мной. Мужчины, который после тринадцати лет усердных попыток узнать обо мне все, что заслуживает мало-мальского интереса, сдастся и откажется иметь со мной дело.

Но для начала я сама сдалась, рассталась с ним и не возвращалась, пока не почувствовала себя слишком одинокой, слишком усталой. Пока мое сердце окончательно не погрузилось в печаль из-за того, что я сама себе внушила, будто множество ничего не значащих встреч с ненужными мне людьми гораздо важнее, чем единственная значащая с единственно нужным. В то утро я повторяла себе, что должна держаться за это чувство, вспоминать, каким безумием было покинуть тепло, чтобы в одиночестве шагать по холоду, и как глупо отказываться от чего-то важного ради пустоты.

Он согласился пустить меня обратно при одном условии. Если я признаю, что у меня проблемы, и буду ежемесячно посещать встречи в группе под названием АЖНИ. Первое, что узнаешь, придя в АЖНИ, — это то, что ты здесь только ради себя, а не ради кого-то еще. То есть ложь с самого начала. Каждый месяц, когда я являлась на очередную встречу, оборачивался еще одним месяцем, проведенным с Грегори, более счастливым Грегори, который радовался тому, что я делаю шаги — всего двенадцать, если быть точной, — к выздоровлению. Речь опять-таки шла о самообмане, так как всем и каждому было ясно, что никаких перемен в моем поведении не наблюдается. В глубине души я знала, что не такая, как остальные мои соратники по АЖНИ. Мне казалось полным абсурдом, что он считает, будто я нахожусь среди себе подобных и так же, как они, соскребаю с себя слой за слоем свои проблемы, часами, до изнеможения очищаю себя, каждый вечер перед сном и столько же утром, перед работой. Или что я — как эта женщина, делающая тонкие надрезы на собственных руках, или как тот мужчина, который ощупывает, нумерует и прячет любой, даже самый незначительный предмет, попавшийся ему на глаза. Я не такая, как они. Мою преданность спутали с навязчивой идеей. А ведь это разные вещи. Я — другая.

Годами я посещала эти встречи, но оставалась все тем же существом двадцати одного года от роду, которое каждую неделю сидело на бетонных ступеньках напротив кабинета доктора Бартона, уперев локти в колени, положив подбородок на сплетенные пальцы и наблюдая за проходящей мимо жизнью, в ожидании момента, когда удастся пересечь улицу.

И всякий раз Грегори делал это за меня, переходил на мою сторону. Теперь я понимаю, что ни разу не пошла ему навстречу. И не думаю, чтобы хоть однажды поблагодарила его.

Но сейчас я говорю «прости меня». Кричу это по тысяче раз в день, в этом месте, откуда он не может услышать меня. Повторяю «спасибо тебе» и «прости меня», снова и снова выкрикиваю эти слова среди деревьев, над горами, заполняю своей любовью озера и посылаю по ветру поцелуи, надеясь, что они долетят до него.

Я приходила на встречи АЖНИ ежемесячно. Потому что, являясь сюда, знала: весь следующий месяц я смогу оставаться с Грегори.

В этом месяце я пропустила встречу.

Глава тридцать девятая

После возвращения с вечерней репетиции в Доме коммуны Хелена, Иосиф, Бобби и я устроились в их доме за сосновым столом. Ванда сидела напротив меня, ее голова с растрепанными черными кудряшками лишь чуть-чуть возвышалась над столом, а руки прилагали неимоверные усилия, чтобы удержать пальцы сцепленными на подтянутых к подбородку коленях, — она старалась скопировать мою позу. Иосиф только что сообщил, что Совет назначил собрание на завтрашний вечер, и эта новость — по причинам, известным только остальным присутствующим, — заставила их замолчать и впустила в комнату тягостную атмосферу неизбежно надвигающейся трагедии.

Не знаю почему, но здешние повседневные хлопоты казались мне комичными. Я не хотела и не могла принимать всерьез ни их мир, ни их проблемы, какими бы важными они ни были.

Прикрывала рот рукой, чтобы спрятать улыбку — мою реакцию на их озабоченное переглядывание. Полностью отстранилась от ситуации и благодарила судьбу за то, что все случившееся — что бы это ни было — относилось только к ним, а не ко мне. В моем восприятии все их заботы никак не связывались со мной, словно я — сторонний наблюдатель: сама выбрала такую позицию и буду до последнего защищать свое право на нее. Все, что угодно, лишь бы избежать осознания жестокой реальности своего присутствия здесь. Похоже, в их реальности имелось слишком мало вариантов выбора. Поэтому, сидя за столом, я чувствовала, что время, которое мне суждено провести здесь, будет довольно кратким, и значит, нечего переживать из-за каких-то осложнений, важных для их мира. Это был именно их мир, не мой. Все молчали, и я попыталась разрядить леденящую атмосферу:

— Так что это за великая проблема, из-за которой нужно созывать собрание?

— Ты! — бойко выкрикнула Ванда, и по тому, как задергались ее плечи, я догадалась, что она болтает под столом ногами.

Я похолодела, но решила не обращать на нее внимания. Меня раздражало, что ребенку позволили присутствовать при нашем разговоре, да еще и высказываться, бесило, что она превратила меня из белой вороны в члена стаи, сдвинув с позиции стороннего наблюдателя, где я чувствовала себя вполне комфортно, и поместив в самый центр уравнения. Я поискала ответ на лицах собравшихся за столом: они продолжали переглядываться и молчать. Единственной, кто вернул мне взгляд, была Ванда.

— С чего ты взяла? — спросила я пятилетнюю девочку, приняв в расчет, что никто не поправил ее, — то ли из-за того, что все были с ней согласны, то ли просто не обращая на малолетку внимания.

Я сильно надеялась на второе.

— А с того, как все уставились на тебя, когда ты шла сюда из Дома коммуны.

— Все, милая, хватит, — ласково сказала Хелена.

— Почему? — Ванда посмотрела на бабушку снизу вверх. — Разве ты не видела, как они все замолчали и расступились, чтобы пропустить ее? Будто она сказочная принцесса. — Девочка беззубо заулыбалась. Вот вам и малолетка!

— Все-все! — Хелена похлопала ее по руке, веля замолчать.

Ванда притихла, и я заметила, что она больше не болтает ногами.

— Собрание созывается из-за меня. — Я медленно переваривала эту новость. — Это правда, Иосиф?

Вообще-то я редко из-за чего-нибудь нервничаю, и первой моей реакцией было довольно сильное любопытство, и ничего другого. К любопытству примешивалось еще одно странное ощущение — что все это ужасно занятно и круто. Такое забавное приключеньице в забавном местечке.

— Мы вообще не знаем, так ли это, — встал на мою защиту Бобби. — Правда же? — обратился он к Иосифу.

— Мне ничего не сообщили.

— У вас всегда созывают собрания по поводу вновь прибывших? Это нормальная практика? — спросила я, пытаясь таким образом выжать воду из камня, каковым являлся Иосиф.

— Нормальная? — Он воздел руки. — Что мы знаем о норме? Что на самом деле известно о ней в нашем нынешнем мире, да и в старом, который полагает, будто для него загадок нет? — Он встал, возвышаясь над нами.

— Хорошо. Скажем так, мне нужно волноваться? — спросила я в надежде, что он хотя бы успокоит меня.

— Кипепео, никому никогда не нужно волноваться. — Он положил мне на голову ладонь, и я почувствовала, как от ее тепла стихает стучащая в висках боль. — Завтра в семь вечера мы пойдем в Дом коммуны. Там мы и протестируем правильность нашего понимания нормы.

И, коротко засмеявшись, он покинул гостиную. Хелена последовала за ним.

— Как это он тебя назвал? — растерянно спросил Бобби.

— Кипепео, — пропела Ванда и снова заболтала ногами.

Я наклонилась над столом, и у нее на лице появился испуг.

— А что это значит? — спросила я довольно агрессивно, потому что мне очень хотелось узнать.

— Не скажу. — Она надула губы и скрестила руки на груди. — Потому что я тебе не нравлюсь.

— Что за глупости! Конечно же ты нравишься Сэнди, — возразил Бобби.

— Она сама говорила, что нет.

— Уверен, ты неправильно услышала.

— Да нет, все правильно, — пояснила я. — Так я и сказала.

Бобби выглядел шокированным, и я попыталась выбросить белый флаг:

— Ладно, скажи мне, что значит кипепео, и ты, может быть, мне понравишься.

— Сэнди! — воскликнул Бобби.

Жестом я велела ему замолчать. Ванда задумалась. Потом ее лицо стало медленно, но верно морщиться. Бобби толкнул меня под столом ногой, и я наклонилась к девочке.

— Ванда, пожалуйста, не расстраивайся. — Я старалась говорить как можно мягче. — Ты не виновата, что не нравишься мне. — Бобби у меня за спиной тяжело вздохнул. — Будь ты лет на десять старше, скорее всего ты бы мне нравилась.

Ванда просияла. Бобби неодобрительно покачал головой.

— А сколько мне тогда будет? — спросила она, возбужденно заерзав, поставила локти на стол и придвинулась поближе ко мне.

— Пятнадцать.

— Почти столько же, сколько Бобби? — с надеждой уточнила она.

— Бобби девятнадцать.

— Это на четыре года больше, чем пятнадцать, — вежливо пояснил Бобби.

Похоже, Ванда была в восторге от услышанного и одарила его застенчивой беззубой улыбкой.

— Но мне уже будет двадцать девять, когда тебе исполнится пятнадцать лет, — снова объяснил Бобби, и я заметила, что она сникла. — Не только ты становишься старше, я тоже.

Он спутал ее огорчение с непониманием и потому продолжил:

— Я всегда буду старше тебя на четырнадцать лет, понимаешь?

Я увидела, что Ванда совсем расстроилась, и знаком показала Бобби, чтобы он замолчал.

— Ох, — прошептала она.

Сердце может разбиться в любом возрасте. Думаю, с этого момента я полюбила Ванду.

Мне ужасно не нравилось идти спать в этом месте, которое они называли «Здесь». Я ненавидела звуки, вплывавшие в здешнюю атмосферу — оттуда. Ненавидела раздававшийся смех, мне все время хотелось заткнуть нос, чтобы не чувствовать запахи, и закрыть глаза, чтобы не видеть людей, впервые выбирающихся из лесу. Я боялась, что каждый шорох, каждый звук может оказаться забытой частичкой меня самой. Бобби разделял со мной этот страх. Мы долго сидели ночью, разговаривая о том мире, который остался у него в прошлом: о музыке, спорте, политике и всяком таком. Но больше всего о его матери.

Распрощавшись с доктором Бартоном после собрания АЖНИ, Джек вернулся в дом Мэри Стэнли.

363

Они с доктором снова наговорили друг другу злых слов, при этом Бартон обрушил на Джека кучу угроз: привлечь к ответственности, подать в суд и прочее в том же духе, лишь бы помешать ему и дальше проявлять активность. Прошатавшись по Дублину всю вторую половину дня, он позвонил Глории и оставил сообщение на автоответчике, сказал, что его не будет дома еще несколько дней, что дело оказалось довольно сложным, но ему важно его добить. Он знал, что она поймет. По совету доктора Бартона Джек отложил поездку в Литрим к родителям Сэнди. В результате он решил сначала поделиться своими мыслями и заботами с Мэри, а потом уже двигаться дальше. Ему нужно было понять, не следует ли действительно прекратить поиски. Джек хотел разобраться, не гоняется ли за собственной тенью и существует ли какой-то смысл в том, что он выслеживает Сэнди, если все, кто с ней знаком, отнюдь не озабочены ее исчезновением.

Мэри снова пригласила Джека переночевать у нее, и они опять уселись в гостиной, чтобы посмотреть видео с Бобби-шестиклассником, выступающим в школьном спектакле по «Оливеру Твисту». Джек обратил внимание на необычный смех Бобби — громкое кудахтанье, вырывающееся откуда-то из глубины утробы и заставляющее всех окружающих, включая публику в театре, улыбаться. И когда Мэри выключила видеомагнитофон, он поймал себя на том, что тоже посмеивается.

— Бобби похож на счастливого парня, — прокомментировал Джек.

— О да. — Она с энтузиазмом закивала и отпила глоток кофе. — Он действительно был счастлив. Все время всех веселил, был школьным клоуном. Его шутки частенько заканчивались неприятностями, но тот же смех помогал с ними справляться. Люди любили его. Этот его смех... — Она взглянула на фотографию на каминной доске: лицо Бобби выражало восторг, а рот растянут в широкой улыбке. — Этот смех, знаете ли, был таким заразительным. Совсем как у его дедушки.

Джек повернулся к камину, и они принялись рассматривать снимок. Потом улыбка Мэри растаяла.

— И все-таки я должна вам кое в чем признаться.

Джек не знал, хочет ли он это услышать, и потому промолчал.

— Я больше не слышу его смеха, — почти прошептала Мэри, как будто, произнеси она фразу чуть громче, это сразу стало бы реальностью. — Он наполнял весь дом, и мое сердце, и голову, он звучал весь день, каждый день. Почему же я его больше не слышу?

По ее отсутствующему взгляду Джек понял, что ответа она не ждет.

— Я помню чувства, которые он у меня вызывал. Помню атмосферу, которая воцарялась в комнате, стоило ему зазвучать. И помню реакцию окружающих. Вижу перед собой их лица и то, как они преображались под его воздействием. Могу услышать его на записях, которые просматриваю, и увидеть на фотографиях Бобби. Различаю его отзвуки, что-то вроде эха, как мне кажется, в смехе других людей. Но без такой помощи, без фотографий, видео и эха, я не в состоянии его вспомнить, когда ночью лежу в постели. Никак не могу, все пытаюсь и пытаюсь, но в голове только чудовищный хаос звуков, которые выплывают из памяти. И чем больше я в ней роюсь, тем безнадежнее она его теряет... — устало договорила Мэри.

Потом снова взглянула на тот же снимок с каминной доски и приложила ладонь к уху, будто стараясь что-то расслышать. Через какое-то время ее тело осело в кресле, словно она признала неудачу и сдалась.

Мы с Бобби сидели с ногами на диване в доме Хелены. Все пошли спать, кроме Ванды, которая потихоньку снова проскользнула в гостиную и спряталась за диваном, в восторге оттого, что ее драгоценный Бобби остался на ночь в доме. Мы знали, что она в комнате, но не обращали на нее внимания в надежде, что ей наскучит и она пойдет спать.

— Ты волнуешься из-за завтрашнего собрания? — спросил Бобби.

— Нет. Даже не подозреваю, по какой причине должна волноваться. Что плохого я сделала?

— Ничего плохого ты не сделала, но ты много знаешь. Слишком много о близких здешних людей, чтобы они могли по-прежнему чувствовать себя комфортно. Они захотят спросить, откуда это тебе известно и почему.

— А я отвечу, что невероятно общительна. И встречаюсь с кучей ирландцев, чтобы побол-

тать с друзьями и родными тех, кто исчез, — сухо
возразила я. — Ну, скажи, что они могут мне сделать? Обвинят в том, что я ведьма, и сожгут на
костре?

Бобби ухмыльнулся:

— Нет, конечно. Но ты же не хочешь, чтобы
твоя жизнь стала невыносимой.

— Не думаю, что им удастся сделать ее еще
хуже, чем сейчас. Я и так угодила туда, где собираются потерянные вещи. Как все странно...

Я устало потерла лицо и пробормотала:

— Вернусь домой, придется обратиться к се-
рьезному психотерапевту.

Бобби прокашлялся:

— Ты не вернешься домой. Выкинь это из головы, для начала. Если ляпнешь такое на собрании,
напросишься на неприятности, как пить дать.

Я махнула рукой, приглашая его не развивать
эту тему, потому что не хотела снова выслушивать
то, что уже знала.

— Может, тебе пора снова вести дневник. Похоже, тебе нравилось это делать.

— Откуда ты знаешь, что у меня были днев-
ники?

— Да потому что один из них лежит в твоем
ящике на складе. Я его нашел у реки, сразу за магазином. Он был грязным и мокрым, но когда я прочел на нем твое имя, то взял с собой и потратил
кучу времени, чтобы восстановить текст, — гордо
ответил он.

И поскольку я не реагировала, быстро соврал:

— Честное слово, я не читал его.

— Ты что-то перепутал. — Я притворно зевнула. — Не вела я никакого дневника.

— Вела! — Он даже подпрыгнул на месте. — Такой лиловый и... — Он замолчал, силясь припомнить.

Я подергала за нитку, торчащую внизу из моих брюк.

Он громко щелкнул пальцами, и я испуганно вскочила. За диваном, тоже перепугавшись, подпрыгнула Ванда.

— Вспомнил! Лиловый, с обложкой из чего-то вроде замши, попорченный водой. Но я, как мог, его почистил. Я уже говорил, что не читал его, но несколько первых страниц перелистал — они все были покрыты каракулями, сердечками со стрелами. — Он снова задумался. — Сэнди любит...

Я посильнее подергала нитку.

— Грэхема, — закончил он. — Нет, там был не Грэхем.

Я туго обкрутила ниткой мизинец и стала рассматривать надувшуюся вокруг кожу, налившуюся кровью.

— Гэвин или Гарет... Ну же, Сэнди, ты должна помнить. Это было написано столько раз: ни за что не поверю, будто ты забыла этого типа. — Он все еще терзал свою память, а я продолжала тянуть нитку и все туже закручивала ее, препятствуя движению крови.

Он снова щелкнул пальцами.

— Грегори! Точно! «Сэнди любит Грегори». Написано почти на всех страницах. Ты ведь помнишь?

— Такого в ящиках не было, — спокойно возразила я.

— Нет, было.

Я покачала головой:

— Сколько часов я перебирала содержимое ящиков? И никакого дневника. Иначе я бы запомнила.

Бобби выглядел одновременно смущенным и раздраженным:

— Да был он там, черт подери!

При этих словах Ванда вынырнула из-за дивана.

— Что там у тебя случилось? — спросила я, заметив, как ее голова просовывается между мной и Бобби.

— Ты потеряла что-то еще? — промурлыкала она.

— Нет, не теряла, — возразила я, но снова ощутила холодок в затылке.

— Я никому не скажу, — прошептала она, выкатив глаза. — Честное слово!

Воцарилась тишина. Я уставилась на черную нитку, которая все вытягивалась и вытягивалась из штанины. Неожиданно и совершенно не к месту раздался оглушительный смех Бобби, самый удачный, самый высокий, громкий и заразительный, какой я слышала от него до сих пор.

— Спасибо, Бобби. Но я что-то не вижу особых причин для веселья.

Он не ответил.

— Бобби... — Вандин детский шепоток прошелестел у меня за спиной.

Я посмотрела на Бобби, заметила смертельную белизну лица, приоткрытый рот, словно слова почти застряли у него в горле, но в последнюю минуту все же докатились до губ и повисли на них, испугавшись и не решаясь вырваться наружу. Его глаза наполнились слезами, а нижняя губа задрожала, и я поняла, что Бобби и не думал смеяться. Это был смех, который прилетел оттуда, — ветер перенес его над верхушками деревьев и доставил прямо в комнату, где он и приземлился в пространстве между нами. Пока я пыталась все это переварить, дверь в комнату распахнулась, и на пороге появилась заспанная Хелена в халате, с волосами, заплетенными в косички, и крайне озабоченным выражением лица. Она застыла в дверях и внимательно всматривалась в Бобби, стараясь понять, правильно ли она все расслышала. Его взгляд все сказал, и она рванулась к нему, протянув руки. Плюхнувшись на диван, она прижала его голову к груди и стала укачивать, словно младенца. А он плакал и бормотал сквозь слезы что-то о том, что все его забыли.

Я отодвинулась на другой край дивана и продолжила вытягивать нитку. Она разматывалась и разматывалась, с каждой минутой, с каждым мгновением, проведенным в этом месте, становясь все длиннее, не в состоянии остановиться и перестать отрываться от шва.

Глава сороковая

Я пришла к выводу, что многочисленные нарушения равновесия в индивидуальной жизни каждого в конечном итоге приводят к большей сбалансированности на глобальном уровне. Вот что я имею в виду. Не важно, насколько несправедливой я считаю ту или иную вещь, достаточно присмотреться к ней в рамках более широкой картины, и сразу замечаешь, как четко она в нее встраивается. Папа был прав, когда говорил, что не существует бесплатной еды: за все приходится расплачиваться, причем чаще всего тебе самому. Если где-то удается что-то получить, значит, это что-то забрали из некоего другого места. Когда что-то теряется, оно обязательно где-нибудь обнаруживается. Обычно задают такой философский вопрос: почему с хорошими людьми случается плохое? В каждой скверной вещи я умею различить нечто позитивное. И наоборот — в каждой хорошей можно найти что-то плохое. Хотя, как правило, не всегда это сразу понимаешь или можешь разглядеть. Мы, люди, — результат жизни, а в ней всегда присутствует равновесие. Жизнь и смерть, мужчина и женщина, добро и зло, красота и уродство, победа и поражение, любовь и ненависть. Потери и находки.

За исключением рождественской индейки, которая стала папиным призом за победу в викторине литримского Армейского паба, когда мне было пять лет, он никогда в жизни ничего не выигрывал. Вплоть до дня, когда Дженни-Мэй Батлер пропала, а папе досталось 500 фунтов в блиц-лотерее. Возможно, к тому моменту ему уже давно причиталось что-нибудь хорошее.

Был летний день. От начала школьных занятий меня отделяла всего неделя, о чем было страшно даже помыслить. За те несколько месяцев, от которых оставалась всего неделя, я утратила всякое представление о времени, отвыкла вставать спозаранку каждое утро, чтобы идти в школу. Будни ничем не отличались от выходных. На несколько месяцев в году ужасные воскресные ночи становились такими же хорошими, как пятничные или субботние. Но вот наступил вечер воскресенья, и он оказался очень страшным, что было совершенно необычно для данного времени года. Шесть сорок вечера, еще светло, в нашем тупике полно играющих детей, обычно я тоже с ними, и мы не вспоминаем, какой сегодня день недели, но при этом твердо уверены, что, каким бы он ни был, все равно он классный, потому что завтра будет ровно такой же. Мама с бабушкой и дедушкой в садике перед домом наслаждаются последними теплыми лучами вечернего солнца. В этот день я сидела за кухонным столом и со страхом ожидала, когда зазвонит колокольчик у двери. Пила молоко, смотрела, как крутятся и крутятся в стиральной машине вещи, и пыталась распознать каждую тряпку, которая на мгновение мелькала в окошке, — просто чтобы ни о чем не думать.

Папа озабоченно поглядывал на меня, курсируя туда и обратно между гостиной и кухней, где таскал еду, которой ему не полагалось, потому что он сидел на новой диете. Не знаю, пытался ли он выкурить меня на улицу или проверял, заметила ли я, как он заныкивает печенье. Во всяком случае, он уже трижды спрашивал меня, что стряслось, а я столько же раз пожимала плечами и отвечала, что ничего. Это был тот случай, когда рассказом положение не улучшишь. Он время от времени косился на меня, заметив, что я подскочила, когда звякнул колокольчик. (Просто мама забыла как следует закрыть дверь.) Пару раз он попытался скорчить рожу, чтобы заставить меня улыбнуться, при этом запихивал в рот горсть печенья и делал вид, будто пытается развеселить меня, а не свой желудок. Чтоб его успокоить, я улыбнулась, он вроде обрадовался и вернулся в гостиную к телевизору, спрятав в рукаве кекс.

Дело в том, что я ждала звонка в дверь Дженни-Мэй.

Она вызвала меня сразиться в «королеву». Это такая игра, в которую мы играли на дороге, используя теннисный мячик. Каждый участник становился в квадрат, начерченный мелом на асфальте, и нужно было так стукнуть мячиком об землю в своем квадрате, чтобы оттуда он отскочил в чей-нибудь другой. Тот, к кому попал мячик, тоже стукал по нему, пересылая дальше. Если он промахивался или посылал мяч за линию, то выбывал из игры. Задача заключалась в том, чтобы постараться выбить игрока из верхнего, «королевского» квадрата. Именно в нем Дженни-Мэй и стояла каждую игру. Все привыкли повторять, как прекрасно она играет, какая она удивительная, и великолепная, и талантливая, и как быстро и точно она бьет, и как классно у нее это и как классно то, в общем, блевать хотелось от всех этих восторгов. Мы с моим другом Эмером обычно наблюдали за игрой с нашей стенки. Нас никогда не принимали — Дженни-Мэй не желала. И вот однажды я сказала Эмеру, что Дженни-Мэй все время выигрывает потому, что она всегда начинает игру с верхнего квадрата. А это значит, что ей не нужно проходить весь путь, как остальным.

Ну и вот, кто-то как-то про это прослышал, мои слова дошли до Дженни-Мэй, и на следующий день, когда мы с Эмером сидели на нашей стенке, постукивая по кирпичам каблуками и сбрасывая щелчком божьих коровок, чтобы посмотреть, как далеко они улетят, Дженни-Мэй, уперев руки в бока, подошла к нам в окружении своей свиты и потребовала объяснений. Ну, я все ей и выложила. Багровая от злости и возмущенная тем, что ей посмели перечить, она вызвала меня на игру в «королеву». Как я уже говорила, мне ни разу не приходилось играть, и, как и все, я знала, что Дженни-Мэй — хороший игрок. Я лишь хотела сказать, что она играет не настолько хорошо, как все утверждают. Было в Дженни-Мэй нечто такое, что заставляло людей видеть в ней больше того, чем она обладала на самом деле. Позднее в жизни мне приходилось встречаться с несколькими такими женщинами и мужчинами, и, глядя на них, я всегда вспоминала ее.

Однако умной она была, спору нет. Все сделала так, чтобы каждый знал: если я не приду, она автоматически станет чемпионкой. Тут мне пришлось нежданно-негаданно пожалеть, что поездка в гости к тете Лили не состоится на день раньше. А ведь до этого момента она наводила на меня ужас.

Вскоре все на нашей улице уже знали, что Дженни-Мэй вызвала меня на игру. И все собрались прийти и усесться на бордюре, чтобы понаблюдать, даже Колин Фицпатрик, который вообще-то считался слишком крутым, чтобы ходить на нашу улицу. Обычно он катался на скейте с парнями, живущими за углом и больше никого не принимавшими в свою компанию. Говорили, что даже все скейтбордисты явятся посмотреть на нас.

Накануне я практически не сомкнула глаз. Посреди ночи встала, надела кроссовки и в пижаме вышла на улицу, чтобы потренироваться у садовой стенки. Толку от этого оказалось мало, потому что она была неровной и мячик отскакивал в самых немыслимых направлениях. Плюс тьма на улице, из-за чего я с трудом его различала. В конце концов миссис Смит из соседнего дома открыла окно спальни и высунула голову, утыканную бигуди, — по моему мнению, она зря возилась с ними каждый вечер, потому что на следующий день волосы все равно оставались прямыми, как палки, — и сонно попросила меня прекратить. Я вернулась в постель, но долго лежала без сна, а когда наконец-то заснула, мне приснилась Дженни-Мэй: ее несли на руках, и на голове у нее сверкала корона, а Стивен Спенсер подъехал на скейтборде и ногтем, накрашенным лаком, тыкал в меня, смеясь при этом. К тому же я была голой.

Именно мое соревнование с Дженни-Мэй навело ее родителей на мысль, что она пропала. Летом нам давали полную свободу. Всей компанией мы целый день играли на улице, изредка забегали домой и иногда ходили друг к другу в гости обедать. Поэтому я бы не винила ее родителей за то, что они не замечали ее отсутствия в течение всего дня. И никто их не осуждал, потому что все всё понимали, в этом я уверена. Все взрослые в глубине души признавали, что такое могло и с ними случиться, то есть и их ребенок мог исчезнуть, и никто бы не обратил внимания, что последние несколько часов его не видно.

Дом Дженни-Мэй и мой стояли точно один напротив другого. Мама и бабушка с дедушкой в конце концов ушли из садика, когда солнце спряталось за домом Батлеров. Я знала, что все уже расселись на бордюре в ожидании, когда я и Дженни-Мэй выйдем из дому и встретимся в середине улицы. Я заметила, что папа посмотрел в фасадное окно, а потом на меня. Решила, что он догадался, в чем дело, и потому улыбнулся мне. Потом он сел рядом со мной, положил на стол печенье и принялся методично, одно за другим, отправлять его в рот.

Естественно, как только пробило семь, собравшиеся на улице начали скандировать наши имена. Несколько голосов позвали меня, но быстро утонули в хоре, распевающем имя Дженни-Мэй. Может, раздавалось и мое имя, но я не различала ничего, кроме слов «Дженни! Мэй!». И так всю жизнь: ее имя звучало в моих ушах громче, чем мое собственное. Неожиданно крики стали оглушительными и радостными, и я решила, что Дженни-Мэй вышла из дома. Однако тут же все смолкло, до меня долетели обрывки разговора, затем наступила полная тишина. Папа взглянул на меня и пожал плечами. Раздался звонок в дверь. На этот раз я не вскочила, чувствуя, что тут что-то не так. Папа похлопал меня по руке. Я услышала, как мама открыла дверь и поздоровалась своим обычным дружелюбным и жизнерадостным голоском. Потом зазвучал голос миссис Батлер, вовсе не такой дружелюбный и веселый. Папа тоже обратил на это внимание и вышел из кухни, чтобы присоединиться к ним в прихожей. Голоса стали совсем озабоченными.

Не знаю почему, но я была не в состоянии подняться из-за стола. Просто сидела и размышляла, как мне выпутаться из истории с вызовом, но при этом испытывала странное чувство, что оправдания не понадобятся. Атмосфера изменилась, причем к худшему, и я это ощущала, но одновременно пришло и чувство облегчения, как это бывает, когда приходишь в школу, узнаешь, что учитель заболел, и его здоровье ни капельки тебя не беспокоит. Через несколько минут дверь на кухню распахнулась, и вошли мама, папа и миссис Батлер.

— Милая, — ласково спросила мама, — ты, случайно, не знаешь, где Дженни-Мэй?

Я нахмурилась, потому что вопрос смутил меня, хотя и был абсолютно понятным. Внимательно изучила их лица. На папином написана озабоченность, мама ободряюще кивает мне, а миссис Батлер выглядит так, будто собирается заплакать. И словно вся ее жизнь зависит от моего ответа. Полагаю, что в определенном смысле так оно и было.

Я замялась, и тогда миссис Батлер быстро заговорила:

— Дети на улице не видели ее весь день. И я подумала, что она, может быть, у тебя.

Я понимала, что это нехорошо, но не сумела сдержать улыбку при мысли, что Дженни-Мэй могла провести день со мной. Я покачала головой. Миссис Батлер обошла всех соседей, чтобы узнать, не видели ли они ее дочь. И по мере того, как она стучалась во все новые и новые двери, я замечала, что ее лицо меняет выражение: смущение сменилось твердой решимостью, а ей на смену пришел страх.

Мне были знакомы лица матерей, когда в торговых центрах они оборачиваются и замечают, что ребенка рядом нет. Я очень внимательно изучала их, они меня завораживали, ведь мне никогда не доводилось поймать такое выражение на мамином лице. Не потому, конечно, что она не любила меня, просто я с детства была очень высокой и благодаря этому всегда оставалась на виду. Иногда я пыталась потеряться — просто чтобы потом заглянуть в ее лицо. Закрывала глаза, поворачивалась вокруг своей оси и наугад выбирала направление. В другие разы специально дожидалась, пока она завернет за угол очередного ряда в супермаркете. Замирала возле замороженных блюд и считала до двадцати — для уверенности, что она уже достаточно далеко. Потом делала несколько шагов, и что же? Натыкалась на маму, которая стояла и изучала количество калорий на пакетах с продуктами — она даже не заметила моего отсутствия. А если вдруг она теряла из виду мою шаркающую долговязую фигуру, ей не требовалось и пяти секунд, чтобы снова отыскать меня. Достаточно было поднять глаза, и тут же появлялась моя голова, возвышающаяся над кронштейнами с одеждой, или, наоборот, опустить их, чтобы узреть мои огромные косолапые ступни, торчащие из-под продуктового прилавка.

Наблюдая за другими мамами, я замечала, как первый случайный взгляд через плечо сменяется паникой, как их голова, глаза, руки и ноги приходят в движение, которое все убыстряется и убыстряется, как они сразу бросают тележки с продуктами, чтобы броситься на поиски того единственного, что действительно питает их душу. Страх, паника, ужас — мощный импульс. Говорят, матери хватает силы, чтобы поднять автомобиль, если это нужно для спасения ее ребенка. Думаю, в ту неделю миссис Батлер подняла бы и автобус, если бы это помогло отыскать Дженни-Мэй. Когда же пошел второй месяц после ее исчезновения, миссис Батлер, похоже, с трудом поднимала от земли собственный взгляд. Дженни-Мэй унесла с собой большую часть своей матери.

Я оказалась одной из последних, кто видел Дженни-Мэй. Когда в полдень приехали бабушка с дедушкой, я открыла им дверь, а мимо на велосипеде проезжала Дженни-Мэй. Она повернула голову и посмотрела на меня. Это был один из тех ее взглядов, которые я ненавидела больше всего. От него я тут же увядала, в нем явственно читалось «я лучше тебя, и ты сегодня проиграешь в «королеву», и тогда Стивен Спенсер узнает, что ты просто бездарная долговязая идиотка». Обняв бабушку, я выглянула из-за ее плеча и увидела Дженни-Мэй на велосипеде, с гордо поднятой головой, вздернутыми подбородком и носом и длинными, до пояса, золотыми волосами, рассыпавшимися по спине. И тогда я сделала то, что любой сделал бы на моем месте. Подумала: «Чтоб ты пропала».

В этот самый день папа выиграл 500 фунтов в блиц-лотерею. Он был просто вне себя от восторга, скажу я вам. Сидел со мной на кухне и старался не улыбаться, но я заметила, как вздергиваются уголки его губ. Мы слышали, как миссис Батлер плакала в соседней комнате вместе с мамой. Он накрыл своей ладонью мою руку, и я абсолютно точно поняла, о чем он думает. Что он счастливый отец, потому что выиграл деньги в лотерею и у него есть дочка, а вот люди вроде мистера и миссис Батлер так сильно страдают.

Я же, в свою очередь, была рада, что не пропала без вести и благодаря неявке Дженни-Мэй стала безусловной чемпионкой по «королеве». И теперь у меня даже появятся новые друзья, потому что некому будет сказать, чтоб они со мной не дружили. У моей семьи дела шли просто великолепно, тогда как для мистера и миссис Батлер все было хуже некуда. Потом несколько вечеров подряд родители долго не ложились спать, обсуждая случившееся и благодаря Господа за то, что беда обошла их.

Но что-то внутри меня нашептывало нечто совсем другое. Последний взгляд Дженни-Мэй забрал с собой и частичку меня. В этот день мистер и миссис Батлер не были единственными родителями, потерявшими ребенка.

Как я уже говорила, равновесие всегда сохраняется.

Глава сорок первая

Несмотря на протесты и угрозы доктора Бартона, Джек решил продолжить начатое и все-таки поехать в Литрим. Еще одна ночь, проведенная в комнатушке юного Бобби, вновь пробудила в нем стремление найти Донала. Впрочем, никакого особого пробуждения и не требовалось. Это желание составляло неотъемлемую часть души Джека, пристально всматривающегося в окружающий мир, все время остающегося начеку, повсюду и во всем ищущего ответы, подсказки и тайные смыслы. Он по-прежнему верил, что приблизится к решению своей проблемы, отыскав Сэнди. Она была лекарством, которого требовал его уставший и измученный мозг, чтобы наконец-то отдохнуть. Почему все сложилось именно так, он и сам не знал, но подобная наивная уверенность посещала его не настолько часто, чтобы игнорировать ее. Словно частичку его самого, исчезнувшую вместе с Доналом, заменил некий новый смысл, наделив его дополнительной силой. Он чувствовал себя слепцом, вынужденным руководствоваться обострившимся обонянием и осязанием и на слух ловить подсказки своего сердца. Потеряв Донала, Джек утратил зрение, но приобрел новое понимание направления своей жизни.

Он не знал, что скажет родителям Сэнди, когда встретится с ними. Если, конечно, они окажутся дома и захотят уделить ему время. Он просто продолжал двигаться по стрелке невидимого внутреннего компаса, который заменил ему Донала. В полдень Джек уже сидел в своем автомобиле за углом квартала, в котором они жили. Невзирая на субботу, маленький тупик пустовал. Джек вышел из машины и пошел по улице, надеясь, что смотрится достаточно естественно, но чувствуя и зная, что совершенно неуместен на этой тихой улице, словно единственная движущаяся по доске шахматная фигура.

Он остановился перед домом номер четыре, на подъездной дорожке которого стояла миниатюрная серебристая двухдверная машина, блестевшая на солнце. В безупречном садике перед домом кипела бурная жизнь пчел и птиц. Летние цветы находились в апогее своей славы, радуя глаз всеми тонами и оттенками и притягивая сладкими медовыми ароматами жасмина и лаванды. Трава на всем участке была одинаковой высоты, ровно в дюйм, а ее граница с дорожкой, ровная, как струна, казалась такой острой, словно могла срезать любой лепесток, посмевший ее нарушить. На стене у двери висела корзинка, полная петуний и герани. Рядом с ней стоял большой зонт, а под ним высокие болотные сапоги и спиннинг. У входа гном под ивой держал в руках табличку с надписью «Добро пожаловать». Джек немного расслабился. Здесь отсутствовали забитые досками окна, лающие собаки или сожженные автомобили из жутких сценариев, которые он сам себе насочинял.

Он открыл калитку, выкрашенную той же лимонной краской, что входная дверь и оконные рамы, словно в настоящем пряничном домике. Калитка, как он и подозревал, не скрипнула. Джек пошел по дорожке, выложенной гладкой тротуарной плиткой, в швах которой не пробивалось ни травинки. Подойдя к двери, он прочистил горло, потом нажал на кнопку звонка, в треньканье которого тоже не расслышал ничего угрожающего. Раздались шаги, за тонированным стеклом появилась тень. Несмотря на добродушную внешность, женщина — мать Сэнди, как он предположил, — не спешила открыть вторую раздвижную дверь, насторожившись при виде чужого человека на пороге ее дома.

— Миссис Шорт? — спросил Джек, постаравшись придать лицу самое безобидное выражение.

Она вроде немного успокоилась и подошла поближе к крыльцу.

— Слушаю вас.

— Меня зовут Джек Раттл, мне очень неловко беспокоить вас, но я хотел бы узнать, дома ли Сэнди.

Она быстро окинула его оценивающим взглядом — кто это разыскивает ее дочь? — после чего раздвинула двери.

— Вы друг Сэнди?

Если он скажет «нет», она скорее всего просто уйдет.

— Да, — кивнул он. — Она дома?

Она покачала головой:

— Мне очень жаль, мистер... Как, вы сказали, вас зовут?

— Джек Раттл. Зовите меня просто Джеком.

— Джек. — Она расплылась в дружелюбной улыбке. — Ее здесь нет. Могу я вам чем-то помочь?

— Может быть, вы знаете, где она? — Он тоже улыбнулся, подозревая, что в разговоре наступил весьма неловкий момент — абсолютно чужой человек пытается что-то выпросить у матери о ее ребенке.

— Где она? — повторила женщина задумчиво. — Не знаю, Джек. Интересно, а Сэнди хочет, чтобы я сообщила вам, где она?

Они оба засмеялись, и Джек смущенно затоптался на месте.

— Не уверен, что сумею убедить вас в том, что она бы этого хотела. — Он поднял руки вверх, заранее признавая поражение. — Уж и не знаю, на что я рассчитывал, явившись сюда. Наверное, просто хотел попытать счастья. Извините за беспокойство. Могу я оставить ей сообщение? Передайте, пожалуйста, что я искал ее и... — Он сделал паузу и попытался придумать нечто такое, что выманило бы Сэнди оттуда, где она пряталась, — может, даже в этом доме. — Скажите ей, пожалуйста, что я не могу справиться с этим без нее. Она поймет, о чем я.

Мать Сэнди кивнула, продолжая изучать его.

— Я передам ей ваше сообщение.

— Спасибо. — Оба замолчали, и Джек уже собрался уходить.

— Вы ведь не из Литрима, правда?

— Из Лимерика, — с улыбкой ответил Джек.

Женщина обдумала его ответ.

— Она собиралась поехать к вам на прошлой неделе?

— Да.

— Все, что мне известно, так это то, что дочка звонила мне по дороге в Глайн. Она ведь туда ехала? — Ее лицо посерьезнело. — Она ищет кого-то из ваших близких?

Джек кивнул и почувствовал себя подростком, который стоит у входа в ночной клуб и надеется, что, раз швейцар молчит, значит, позволит ему войти.

Миссис Шорт не двигалась с места, погруженная в собственные мысли. Потом посмотрела на улицу. Соседка из дома напротив, которая работала в саду, подняла руку в перчатке и помахала, и она ей ответила. Возможно почувствовав себя в большей безопасности, миссис Шорт приняла решение.

— Заходите, — обратилась она к нему, отошла от двери и пересекла прихожую.

Джек оглянулся, увидел, что соседка следит за тем, как он робко входит в дом, и неловко улыбнулся. Он слышал, как миссис Шорт возится на кухне, переставляет чашки и тарелки. Потом зашумел чайник. Внутри дом оказался таким же безупречно чистым, как снаружи. Входная дверь вела непосредственно в гостиную. Здесь пахло полиролью для мебели и свежестью, как будто все окна были распахнуты настежь, чтобы впустить в дом ароматы сада. В комнате царил абсолютный порядок, ковер вычищен пылесосом, серебряные и медные подсвечники и ручки сияют, дерево блестит.

— Я здесь, Джек. — Миссис Шорт позвала его так, будто они всю жизнь были близкими друзьями.

Он вошел в сверкающую ожидаемой чистотой кухню. Посудомоечная машина работала, бубнило радио, включенное на первую программу, а чайник набирал обороты, готовясь вот-вот вскипеть. Застекленная дверь выходила в еще один ухоженный садик, расположенный позади дома. Там стоял большой скворечник, где в настоящий момент проживал дрозд: он прожорливо клевал насыпанный корм, в промежутках между двумя зернами распевая песню.

— У вас славный дом, миссис Шорт, — сказал Джек, присаживаясь к кухонному столу. — Спасибо, что пригласили зайти.

— Можете называть меня Сьюзен и чувствуйте себя как дома. — Она наполнила заварочный чайник кипятком, прикрыла грелкой и стала ждать.

Джек давненько не пил такого чая — только мать умела так заваривать. Хотя Сьюзен сама пригласила его зайти, она все еще держалась настороженно и стояла у стойки, положив одну руку на чайную грелку, а в другой вертя чайный пакетик.

— Вы первый друг Сэнди, который пришел к нам с тех пор, как она стала подростком. — Казалось, Сьюзен о чем-то глубоко задумалась.

Джек не знал, что на это ответить.

— Вы хорошо знаете Сэнди?

— Не слишком.

— Ну да, — проговорила она скорее самой себе, — так я и думала.

— Всякий день, пока ищу ее, я узнаю о ней что-то новое, — добавил он.

— Вы ее ищете? — Она в недоумении приподняла брови.

— Именно поэтому я здесь, миссис Шорт...

— Сьюзен, пожалуйста. — Она выглядела расстроенной. — Когда я слышу эту фамилию, всегда вздрагиваю. Так и кажется, что сейчас увижу мать Гарольда. И сразу капустой запахнет... Почему-то от нее всегда пахло капустой.

— Сьюзен, — повторил он, — я вовсе не хочу вас огорчать, но дело в том, что на прошлой неделе, как вы и сказали, мы должны были встретиться с Сэнди. Она не пришла, и с тех пор я делаю все возможное, чтобы связаться с ней. — Он специально не упомянул о том, как нашел машину и телефон. — Уверен, что с ней все в порядке, но я действительно хочу... — Он поправился: — Мне действительно нужно ее найти.

Посеять панику в душе матери Сэнди абсолютно не входило в его планы, и он задержал дыхание в ожидании ответа. И испытал облегчение, если не легкий шок, увидев усталую улыбку, которая начала медленно наплывать на ее лицо, но вскоре сдалась и превратилась в огонек печали, загоревшийся в глазах.

— Все правильно, Джек. Вы в самом деле знаете нашу Сэнди недостаточно хорошо. — Она повернулась к нему спиной, чтобы налить чай. — А теперь давайте я еще кое-что расскажу вам о своей дочери. Я ее очень люблю, но она умеет прятаться так же ловко, как носок в стиральной машине. Никто никогда не знает, куда он запропастился, и ровно так же никто не знает, куда ее занесло. Во всяком случае, когда она решает вернуться, мы все здесь, на месте, и ждем ее.

— На этой неделе я это слышал от всех, с кем разговаривал.

Она вздохнула:

— А с кем еще вы говорили?

— С ее квартирным хозяином, с клиентами, с доктором... — виновато перечислял он. — Мне просто не хотелось беспокоить вас.

— С ее доктором? — переспросила Сьюзен, совершенно не обидевшись на то, что к ней он обратился в последнюю очередь; упоминание о враче заинтересовало ее гораздо больше.

— Да, с доктором Бартоном, — медленно произнес Джек, не уверенный, что стоит раскрывать личные тайны Сэнди ее матери.

— А-а-а... — Сьюзен попыталась скрыть улыбку.

— Вы его знаете?

— А это, случайно, не доктор Грегори Бартон? — Она не хотела выдавать свое волнение, но это у нее плохо получалось.

— Да, он. Только если будете говорить с ним, не упоминайте меня — похоже, я ему не очень понравился.

— Конечно, — задумчиво протянула Сьюзен, не слыша его. — Ну конечно же, — повторила она, и ее глаза загорелись, словно наконец-то узнала ответ на неведомый Джеку вопрос.

Она наверняка очень обрадовалась, однако, вспомнив о присутствии Джека, придала своему лицу безразличное выражение и позволила любопытству взять верх над материнской радостью.

— А почему вы так хотите отыскать Сэнди?

— Я забеспокоился, когда она не приехала в Глайн на нашу встречу, а потом мне никак не удавалось с ней связаться, и это еще больше взволновало меня. — Сказанное частично соответствовало действительности, однако прозвучало нескладно, и он это сразу почувствовал.

Сьюзен, судя по всему, тоже так подумала. Она подняла брови и озадаченно произнесла:

— Три недели я дожидалась сантехника Барни, который должен установить раковину на кухне, но мне не пришло в голову отправиться к его матери.

Джек рассеянно перевел взгляд на раковину.

— Все-таки Сэнди ищет моего брата. Я даже связался с одним полицейским в Лимерике. — Он почувствовал, что краснеет, а у Сьюзен вырвался удивленный возглас. — Его зовут Грэхем Тернер — на случай, если он позвонит.

Сьюзен вздохнула:

— Мы трижды обращались в полицию, а потом перестали. Если этот Тернер поговорит с людьми, он поймет, что расследование можно прекратить.

— Уже, — мрачно ответил Джек, а потом нахмурился. — Ничего не понимаю, Сьюзен. Куда она могла деться? Не могу себе представить, как ей удается так хитро исчезать, чтобы никто не знал, где она, и никто не хотел это узнать.

— У каждого из нас есть такие места, где мы скрываемся, и все мы готовы простить людям, которых любим, их маленькие слабости. — Она подперла ладонью голову и внимательно посмотрела на него.

Он тяжело вздохнул:

— Разве это правильно?

— Что вы имеете в виду?

— Разве это правильно — позволять людям просто так растворяться в воздухе? Не задавать вопросов? Приходить и уходить, когда захочется? Исчезать, появляться и снова пропадать? И все в порядке! — Он зло усмехнулся. — Никто ни из-за чего не переживает! Не напрягайтесь и не волнуйтесь за своих домашних, которые вас любят и сходят с ума от беспокойства!

Наступила тишина.

— Вы любите Сэнди?

— Что? — изумился он.

— Вы сказали... — Она замолчала. — Ладно, не важно. — Она отхлебнула чаю.

— Я вообще говорил с Сэнди только по телефону, — медленно произнес он. — Между нами не было никаких... отношений.

— Значит, разыскивая мою дочь, вы ищете своего брата? — Он не успел ответить на этот вопрос. — Полагаете, он прячется там же, где Сэнди? — напрямую спросила она.

Итак, наконец-то все было сказано. Совершенно чужая женщина, которую он впервые встретил не более десяти минут назад, четко и недвусмысленно сформулировала смехотворную причину, объяснявшую его лихорадочные действия. Для этого ей понадобилось задать всего один-единственный вопрос. Сьюзен чуть помолчала, а потом продолжила:

— Не знаю, при каких обстоятельствах исчез ваш брат, Джек, но абсолютно уверена, что его нет там, где находится Сэнди. Существует еще один урок, — мягко произнесла она, — урок, который мы с Гарольдом усвоили много лет назад. Никому и никогда не удается найти в стиральной машине второй носок от пары. Во всяком случае, если поставить перед собой такую цель. — Она отрицательно повела рукой. — Что-то непременно исчезает. И можно сойти с ума, пытаясь это отыскать. Не важно, насколько тщательно вы организуете свою жизнь, как аккуратно раскладываете вещи. — Она замолчала и грустно улыбнулась. — Я лицемерю. Лгу себе, будто опрятный дом заставит Сэнди чаще приезжать. Мне кажется, если она поймет, что в нашем доме царит идеальный порядок и у всякой вещи есть свое место, ей больше не придется расстраиваться из-за потерь. — Сьюзен скользнула взглядом по кухне без единого пятнышка. — В любом случае, не имеет никакого значения, как внимательно, как старательно или как регулярно вы следите за вещами, все равно вы не в состоянии контролировать их. Иногда и вещи, и люди уходят, — она успокаивающе накрыла рукой его ладонь. — Не разрушайте свою душу, стараясь узнать куда.

Они попрощались на пороге, и Сьюзен, пытаясь скрыть смущение, произнесла:

— Кстати о пропавших вещах. Если встретите Сэнди раньше, чем мы, скажите ей, что я нашла ее лиловый дневник с бабочками. Он лежал в старой спальне. Это очень странно — я убирала в ее шкафу десятки раз, но только сейчас на него наткнулась. — Она нахмурилась. — В любом случае, ей будет приятно это узнать.

Она осмотрелась по сторонам и снова помахала кому-то на противоположной стороне улицы. Джек повернул голову и увидел женщину примерно того же возраста, что и Сьюзен.

— Это миссис Батлер, — сказала она, а Джек не понял, зачем ему это знать. — Ее дочка Дженни-Мэй пропала в десятилетнем возрасте. Ровесница Сэнди. Такая была милая девочка, просто ангелочек, все так считали.

Неожиданно заинтересовавшись, Джек более внимательно пригляделся к женщине.

— Ее нашли?

— Нет, — грустно ответила Сьюзен, — так и не нашли. Но ее мать вот уже двадцать четыре года каждую ночь оставляет свет над входной дверью в надежде, что Дженни-Мэй вернется. И практически никогда не уезжает из дому — боится пропустить ее.

Джек медленно пошел к своей машине с каким-то странным и необычным чувством: что-то в нем изменилось, как если бы он поменялся телом с человеком, который всего лишь час назад вошел в дом Шортов. Он остановился, посмотрел на небо и подумал о том, что узнал во время встречи с матерью Сэнди. Улыбнулся. И заплакал — так, словно спокойствие и утешение омыли его пролившимся дождем. Потому что впервые за год он почувствовал, что сможет когда-нибудь остановиться.

И снова начать жить.

Глава сорок вторая

У Бобби не было настроения обсуждать вчерашнее ночное происшествие, когда в комнате вдруг зазвучал его смех, однако все и без слов понимали, что его душа, которая еще недавно парила, сдулась, словно воздушный шарик, и от нее осталась одна оболочка. У меня сердце разрывалось при виде его нынешнего состояния: только что радостно порхающая в небесах птица лежала теперь на земле, побежденная, с поломанным крылом, и не могла взлететь. Я несколько раз пыталась с ним заговорить, но он лишь еще больше замыкался в себе. Он ни разу не пожаловался и не пролил ни единой слезы, но его молчание было достаточно красноречивым, в нем звучал крик, которому Бобби не мог или не хотел позволить вырваться наружу. По всей вероятности, он как раз собирался заняться решением моих проблем, когда на него неожиданно свалилась собственная. Не такой уж редкий способ взаимодействия с жизнью, как мне кажется.

— Почему ты всегда бросаешь сумку у входа? — Бобби заговорил впервые с того момента, как мы вошли в магазин.

Проследив за его взглядом, я увидела свою сумку, или, если мне позволено будет так сказать, сумку Барбары Лэнгли, которую совершенно механически поставила у двери. Словно ковбой из вестерна, который привязывает свою лошадь у входа в салун, я всегда делала так, чтобы можно было в любой момент уйти. Тем самым смягчалось чувство клаустрофобии, накатывавшее на меня в присутствии людей, с которыми я чувствовала себя некомфортно. Включая моих родителей. Включая Грегори. Включая мой собственный дом. Таких мест, где можно держать вещи при себе, было крайне мало. Обычно я время от времени косилась на дверь. Если сумка стояла на месте, я чувствовала себя в безопасности, зная, что вот он — выход, а рядом с ним, как доказательство досягаемости дороги на свободу, лежат мои вещи.

— Просто привычка, — пожала я плечами.

Интересно, сколько трудностей, комплексов и аллергических реакций, наполняющих мою жизнь, можно свести к пожатию плечами и двум словам?! Какими ничтожными способны быть слова!

Бобби больше не стал задавать вопросов, и мы вернулись на склад, где хранились коробки с моим имуществом.

— Ну и, — нарушила я молчание и взглянула на Бобби, который рассматривал окружающие его вещи так, словно заблудился или вообще никогда раньше не бывал в этой комнате, — зачем мы опять сюда пришли?

— Чтобы высыпать все из твоих коробок.

— Зачем?

Бобби не ответил. Не потому, что решил меня игнорировать, просто не расслышал моих слов, как мне показалось. Ему теперь приходилось вслушиваться совсем в другое. Он начал опустошать верхнюю коробку, очень осторожно положив мистера Поббса на пол. Выкладывал вещь за вещью в ровный ряд от стены к стене, потом перешел к следующей коробке и проделал то же самое. Я не понимала, зачем мы это делаем, но помогала ему. Через двадцать минут все мое имущество, прибывшее оттуда, было аккуратно разложено в шесть ровных рядов на ореховом полу. Я осмотрела каждую вещь и не смогла сдержать улыбку. Каждая из них — от абсолютно безличного степлера до крайне дорогого и близкого мне мистера Поббса — открывала двери к воспоминаниям, еще недавно прочно сидевшим под замком.

Бобби продолжал таращиться на меня.

— В чем дело? — спросила я.

— Ты ничего не заметила?

Я снова изучила все, что лежало на полу, переводя взгляд от ряда к ряду. Мистер Поббс, степлер, футболка, двадцать носков от разных пар, ручка с выгравированной надписью, рабочая папка, из-за потери которой я схлопотала выговор... Что-то упустила? Я вопросительно взглянула на Бобби.

— А как же паспорт? — безжизненно спросил он.

Я снова опустила глаза на пол и сразу заулыбалась. Когда мне исполнилось пятнадцать лет, родители организовали поездку на каникулы в Австрию. Но вечером накануне отъезда пропал мой паспорт, и мы так и не сумели его найти. Вообще-то я не хотела уезжать и переживала по этому поводу несколько месяцев. Недельное путешествие означало пропуск двух сеансов с мистером Бартоном, но дело было не только в этом и не в иррациональном страхе перед нарушением привычного хода жизни. Я перестала получать удовольствие от поездок из-за боязни потерять вещи. Ведь если что-то пропадет в каком-нибудь месте вроде Австрии, где я никогда не была и куда, по всей вероятности, никогда больше не вернусь, как же, черт возьми, я смогу это отыскать?! В тот вечер, когда пропал паспорт, мои взгляды на мир резко изменились. Две встречи с мистером Бартоном отодвинулись на задний план, и мне вдруг страшно захотелось найти пропажу и отправиться в поездку. Сделать все, чтобы избежать потери очередной принадлежащей мне вещи.

Поездку отменили, потому что изготовить новый или временный паспорт мы уже не успевали. Однако это стало первым и единственным случаем, когда родители были так же сбиты с толку, как я, и предались таким же, как я, лихорадочным поискам. И когда я нашла этот паспорт здесь, через столько лет, потертым и рваным, со мной, одиннадцатилетней и глупо таращащейся с фотографии, — это был совершенно немыслимый, неправдоподобный момент. Но теперь я внимательно огляделась, и моя улыбка поблекла. Паспорт отсутствовал.

Я рванула, переступая через ряды вещей и сдвигая их с места, к картонным коробкам, и предприняла отчаянные попытки найти его. Бобби вышел из комнаты — чтобы не мешать мне, как я посчитала. Однако он тут же вернулся с поляроидом в руках. Жестом попросил меня отойти в сторону, и я послушалась, ни о чем не спрашивая. Бобби нацелил камеру на пол, сделал снимок, вынул квадратик из аппарата, потряс им, рассмотрел, потом вложил в пластиковый конверт.

— Я нашел эту камеру много лет назад, — объяснил он, и в его словах прозвучала грусть. — Трудно отыскать подходящие картриджи. Даже не знаю, выпускают ли еще такие, но время от времени натыкаюсь на коробку с нужными. Приходится тщательно выбирать, что снимать, нельзя же без толку расходовать материалы. Не вижу ничего плохого в осторожности, просто очень трудно решить, какое из мгновений жизни важнее остальных. Часто бывает — стоит тебе понять, что вот он — драгоценный момент, а он уже закончился, снимать нечего. Слишком поздно мы это понимаем.

Он замолчал, погрузившись в свои мысли и перестав шевелиться, будто аккумуляторы разрядились. Я дотронулась до его руки, и он посмотрел на меня, удивленный моим присутствием в комнате. Потом перевел взгляд на камеру в своих руках и удивился ей тоже. Затем встряхнулся, в глазах снова зажглись огоньки, и он продолжил:

— Вот так и надо действовать. Будешь фотографировать все вещи на полу каждое утро, начиная с сегодняшнего дня. — Он отдал аппарат мне и закончил, выходя из комнаты. — А затем, полагаю, займешься другими снимками.

— Какими другими?

Бобби остановился в дверях и неожиданно показался мне гораздо моложе своих девятнадцати лет — теперь он был точь-в-точь маленький заблудившийся мальчик.

— Я не очень понимаю, что происходит, Сэнди. Не знаю, почему мы все здесь собрались, как сюда попали и даже что мы должны тут делать. Впрочем, ничего этого я не знал и тогда, когда жил дома, с мамой, — улыбнулся он. — Но, насколько я могу понять, ты последовала сюда за всем своим имуществом, и вот теперь вещи день за днем пропадают. Не знаю, куда они деваются, но где бы это место ни находилось, хотелось бы, чтобы у тебя были доказательства твоего пребывания здесь, когда ты тоже туда попадешь. Доказательства нашего существования. — Его улыбка увяла. — Я очень устал, Сэнди. Пойду поспплю. Встретимся в семь, на заседании совета.

Глава сорок третья

У Барбары Лэнгли оказалось не так много одежды, подходящей для собрания жителей поселка. Ведь багаж затерялся по дороге в Нью-Йорк, где она планировала провести выходные, так что теперь, двадцать лет спустя, ее наряды вряд ли могли рассчитывать на одобрение участников собрания. Впрочем, никогда не знаешь заранее.

Я решила пропустить репетицию в Доме коммуны — хватит и того, что я пойду туда вечером. Кроме того, постановка меня мало интересовала, а Хелена прекрасно с ней справлялась. Я осталась в магазине, чтобы подменить Бобби, который по понятным причинам решил провести день в постели. Найти себе занятие удалось без труда: я с удовольствием копалась в отделе одежды для длинноногих, где вела себя с воодушевлением медведя, случайно забредшего на площадку для пикников. Возбужденно стягивала с вешалок вещи, о которых всегда мечтала дома. С моих губ срывались восторженные возгласы, когда я натягивала блузки с рукавами до кистей, футболки, закрывающие пупок, и брюки со штанинами, доходящими до полу. Дрожь пробегала по телу всякий раз, стоило мне ощутить ткань на тех участках кожи, которые привыкли оставаться голыми и незащищенными. Как много значит один-единственный дюйм материи! В особенности если стоишь на автобусной остановке холодным утром, отчаянно натягивая рукава любимого свитера, чтобы они прикрыли зябнущие запястья. Этот несчастный дюйм, ничего не значащий для большинства людей и такой важный для меня, представлял собой границу между хорошим и плохим днем, между внутренним покоем и мерзостью окружающей действительности, между отказом в праве быть как все и осуществлением, пусть и временным, всепоглощающего желания не отличаться от других. На несколько дюймов длиннее — на несколько дюймов счастливее, богаче, довольнее, теплее.

Всякий раз звон подвешенного над дверью колокольчика возвещал конец радости, — как в школе, когда перемена подходила к концу и счастье резко обрывалось. В этот день большинство покупателей приходили в магазин с единственной целью: посмотреть на меня — на ту, о которой столько слышали, ту, которая знает нечто. Люди разных национальностей пристально изучали меня в надежде, что я узнаю их, и, не находя подтверждения, уходили разочарованными, унося на своих плечах еще большую тяжесть. Когда колокольчик тренькал в очередной раз и новая пара глаз всматривалась в мои, я начинала еще больше нервничать из-за сегодняшнего вечернего собрания. Безумно хотелось замедлить бег стрелок на многочисленных часах, развешанных по стенам, но их стремительное движение было мне неподвластно, и вот, совершенно неожиданно, наступил вечер.

Похоже, весь поселок решил посетить собрание Совета. Мы с Бобби прокладывали себе путь сквозь толпу, медленно подплывающую к огромным дубовым дверям. Информация о человеке, способном сообщить новости об оставшихся дома близких, заставила людей всех национальностей, рас и верований тысячами стекаться к зданию. Раскаленное апельсиновое солнце скрывалось за соснами, и свет от него дробился, как в стробоскопе, когда мы торопливо лавировали в человеческом потоке. В небе над нами соколы нарезали круги в опасной близости к верхушкам деревьев. И я ощущала направленные на меня со всех сторон выжидающие взгляды людей, словно готовых к броску.

Вырезанные на гигантских дверях деревянные фигуры, стоящие плечом к плечу, разошлись в стороны, и толпа начала втекать внутрь. По сравнению с небрежным декором репетиционных часов помещение театра сильно преобразилось. Я ощутила потрясение, осознав, насколько оно больше и значительнее, чем казалось. Теперь оно предстало передо мной в элегантном убранстве, торжественное и гордое, словно монарх, которого я сперва приняла за придворного. Сотни кресел рядами разбегались от сцены, полотнища красного бархатного занавеса были перехвачены толстыми витыми золотыми шнурами с мощными кистями, бахрома которых скользила по полу. На сцене стояли перевязанные лентами кресла, в которых сидели представители разных народов, некоторые в национальных костюмах, другие в обычной современной одежде. Костюм-тройка соседствовал с украшенным вышивкой диш-дашем[1], расшитая блестками галабея[2] — с шелковым кимоно, мелькали вперемешку кипы, тюрбаны и фески, звенели украшения из бусин, костей, золота и серебра, женщины блистали замысловатыми платьями, на которых были вышиты пословицы на суахили, дарившие недоступные моему пониманию жемчужины мудрости, а рядом сидели мужчины в роскошных ханбоках[3]. Обувь тоже поражала разнообразием — кусса[4] и туфли от Джимми Чу, семимильные сапоги, шлепанцы и вычищенные до блеска кожаные ботинки на шнуровке. Во втором ряду я узнала Иосифа, укутанного в фиолетовый балахон с золотой отделкой. Зрелище было потрясающим: смесь роскошных одеяний, представляющих разные культуры, являла истинное пиршество для глаз. Несмотря на предчувствия, не покидавшие меня в ожидании сегодняшнего вечера, я подняла фотоаппарат и сделала снимок.

1 Дишдаш — национальное платье кувейтцев, напоминающее халат.
2 Галабея — национальная египетская одежда типа широкой длинной рубахи.
3 Ханбок — традиционный корейский костюм.
4 Кусса — плоские сандалии, расшитые бисером.

— Эй! — Бобби выхватил камеру у меня из рук. — Нечего зря тратить картриджи.

— Тратить?! — ахнула я. — Да ты погляди на них!

Я показала на расположившихся на сцене представителей всех наций, величественно возвышающихся над морем обитателей поселка, которые смотрели на них с надеждой, отчаянно дожидаясь вестей из старого, давно покинутого мира. Мы заняли места примерно в центре зала, чтобы не очутиться на линии огня. Хелена, устроившаяся ближе к первым рядам, напряженно всматривалась в толпу с выражением не то озабоченности, не то испуга на лице: мне не удалось его расшифровать. Решив, что она ищет нас, Бобби приподнялся и энергично помахал ей. Я не могла шевельнуться. Неведомый доселе страх сковал тело, а театр тем временем очень быстро наполнялся гулом тысяч собравшихся, и этот гул звучал в ушах все громче и громче. Я оглянулась. Десятки тех, кто не смог найти свободное место, стояли в задней части зала, блокируя выходы. Громкий стук захлопнувшихся и запертых гигантских дверей эхом отдался в помещении, и все сразу стихло. Дыхание сидевшего за моей спиной мужчины нестерпимо грохотало у меня в ушах, а реплики, которыми шепотом перекидывалась пара впереди, доносились как из громкоговорителя. Сердце выстукивало барабанную дробь. Я перевела взгляд на Бобби, ища поддержки, но напрасно. Яркий свет, лившийся сверху, не давал никому спрятаться за чьей-нибудь спиной или скрыть свои реакции. Все и всё были видны как на ладони.

Когда двери закрылись и воцарилась тишина, Хелене пришлось сесть. Я изо всех сил старалась убедить себя, что это просто какое-то дурацкое место на задворках неведомо чего, жалкий плод моего воображения. И вообще все это сон, галлюцинация, не настоящая жизнь. Но все попытки ущипнуть себя, проснуться и выскочить отсюда оказывались бессильными против здешней атмосферы, наполнявшей меня дурными предчувствиями: в конце концов придется признать, что все происходящее так же реально, как биение моего сердца.

Из бокового крыла здания вышла женщина с корзиной наушников. Люди, сидевшие в крайних креслах каждого ряда, брали их и передавали соседям, словно пожертвования в церкви. В ответ на мой немой вопрос Бобби продемонстрировал, что с этим делать, воткнув штекер наушников в гнездо на кресле передо мной. Потом он надел их, и в этот момент со сцены заговорил человек с микрофоном. Он произнес по-японски что-то непонятное, но меня настолько потрясло все происходящее, что я и не подумала надеть наушники. Бобби подтолкнул меня локтем, я вздрогнула и быстро их нацепила. Голос с сильным акцентом переводил на английский. Начало сообщения я пропустила.

— ...в воскресенье вечером. Мы редко собираемся в таком количестве. Благодарю вас за то, что вы все сюда пришли. Для нашей сегодняшней встречи есть всего несколько оснований...

Бобби снова пихнул меня, и наушники свалились.

ТАМ, ГДЕ ТЫ

— Это Ихиро Такасе, — прошептал Бобби. — Он председатель палаты представителей. Они сменяются каждые несколько месяцев.

Я кивнула и снова водрузила наушники на голову.

— ...Ханс Ливен хочет рассказать вам о планах по строительству нового ветряного двигателя, но до того как мы займемся этим вопросом, давайте разберемся с причиной, по которой многие из вас сегодня здесь. Об этом вам сообщит ирландский представитель Грейс Бернс.

Женщина, которой можно было дать лет пятьдесят, встала со своего места и подошла к микрофону. Длинные волнистые волосы рыжего цвета, острые, словно вырезанные из камня, черты лица, строгий черный костюм.

Я сняла наушники.

— Всем добрый вечер! — Судя по акценту, она была откуда-то с севера Ирландии, из Донегола.

Многие из англоговорящих — неирландцев снова надели наушники, так как им понадобился перевод.

— Я буду краткой, — заявила она. — На этой неделе многие представители ирландской коммуны обращались ко мне с сообщениями по поводу того, что новичок из Ирландии располагает информацией о семьях разных жителей поселка. Несмотря на циркулирующие слухи, ничего удивительного в этом нет, если учесть размеры Ирландии. Мне также сказали, что вещь, принадлежащая этому лицу, — как я поняла, часы — пропала, — проговорила она своим четким деловым тоном.

На лицах людей, понимавших английский, выразилось крайнее изумление, и они ахнули, хотя все эти слухи большинству наверняка уже были известны. Через пару секунд, когда перевод услышали остальные, по залу прошла вторая волна ахов и охов. Раздались голоса, и представительница Ирландии подняла вверх руки, призывая к тишине.

— Я понимаю, что эти новости оказали определенное воздействие на все поселение. Подобные происшествия подрывают наши попытки наладить нормальную жизнь, и мы готовы сделать все необходимое, чтобы слухи прекратились.

Мое сердце забилось чуть-чуть спокойнее.

— Мы позвали вас сегодня на собрание, чтобы сообщить: у нас все под контролем, и мы со всем разберемся. Как только мы это сделаем, сообщество будет немедленно проинформировано: так мы всегда поступали и будем поступать впредь. Полагаю, это вновь прибывшее лицо сегодня здесь, среди нас, — продолжила она, — и я хотела бы к нему обратиться.

Сердце заколотилось с новой силой. Люди вокруг меня начали озираться и возбужденно гомонить на разных языках, бросая друг на друга подозрительные взгляды. В полном шоке я посмотрела на Бобби. Он повернулся ко мне.

— Что я должна делать? — прошептала я. — Как они узнали про часы?

Он пожал плечами и отвел глаза. Все-таки ему было только девятнадцать лет.

— Мы все считаем, что лучше решить этот вопрос спокойно, в частном порядке, чтобы данное лицо могло сохранить анонимность.

В толпе поднялся гул недовольства, кто-то захохотал, и у меня по коже побежали мурашки.

— Не вижу повода драматизировать, — продолжила Грейс своим официальным, лишенным эмоций голосом. — Если новичок готов предъявить нам вещь, предположительно потерянную, тогда мы вычеркнем из памяти этот инцидент, и собрание сможет посвятить свое ценное время полезным вещам, как у нас принято. — Она непринужденно улыбнулась, и в зале раздались смешки. — Если означенное лицо возьмет на себя труд прийти завтра утром ко мне в офис и принести часы, вопрос будет решен оперативно и конфиденциально.

Над аудиторией снова поднялся неодобрительный гул.

— Я задам ему несколько вопросов, а пока мы можем заняться гораздо более важным вопросом строительства ветряного двигателя.

Похоже, она сознательно делала вид, что дело не стоит выеденного яйца. Весь поселок пришел сюда, чтобы услышать информацию обо мне, о том, почему я знаю столько интимных подробностей о здешних жителях и их родственниках. А она в нескольких фразах отмахнулась от их озабоченности, едва ли не вслух назвала ее полной ерундой. Люди недовольно переглядывалась, и я почувствовала, что назревает буря.

Многие подняли руки, и представительница кивнула одному из просивших слово. С места поднялся мужчина:

— Миссис Бернс, я полагаю, несправедливо решать этот вопрос в частном порядке. Думаю, что по количеству собравшихся сегодня можно понять, насколько данная проблема важнее, чем может показаться, если судить по тому, как вы ее изложили. Все это смахивает на сознательную попытку замолчать ее.

Несколько человек зааплодировали.

— Предлагаю, чтобы это лицо, которое, как я знаю, является женщиной, предъявило нам свои часы прямо сейчас, прямо здесь и сегодня, чтобы мы могли увидеть их собственными глазами и сознательно отказаться от дальнейшего обсуждения вопроса, забыть все это, выбросить из головы.

Предложение встретили довольно громкими аплодисментами.

Представительница слегка растерялась и обернулась за поддержкой к коллегам. Некоторые закивали, другие качали головой, кто-то выглядел озабоченно, а кто-то пожимал плечами, оставляя все на ее усмотрение.

— Я беспокоюсь лишь о благе обсуждаемого лица, мистер О'Мара, — обратилась она к мужчине. — Мне кажется несправедливым вынуждать женщину, которая появилась здесь всего пару дней назад, пройти через все это. Вы наверняка согласитесь, что жизненно важно сохранить ее анонимность.

Это заявление не встретило серьезной поддержки присутствующих, однако там и сям в зале раздались десятки хлопков, и я мысленно благословила их и одновременно прокляла Грейс за то, что она проговорилась насчет моего пола.

Пожилая женщина, сидевшая рядом с только что выступившим мужчиной, выкрикнула с места:

— Миссис Бернс, наше благополучие важнее, как и благополучие всех жителей поселка. Если снова возникли слухи насчет пропажи чьих-то вещей, разве мы не имеем права знать, правда это или нет?

Толпа зашумела, выражая свое согласие. Грейс Бернс поднесла ладонь ко лбу, чтобы защитить глаза от яркого света рампы и разглядеть говорившую.

— Но, Кэтрин, мы обязательно сообщим вам это завтра, после того как данное лицо придет ко мне. И каким бы ни был результат, мы отреагируем на него должным образом.

— Это касается не только ирландского сообщества, — выкрикнул какой-то южноамериканец.

Все начали озираться. Голос принадлежал мужчине, стоявшему в конце зала.

— Вспомните, что произошло в последний раз, когда поползли слухи, будто вещи пропадают!

Зазвучали одобрительные возгласы, многие закивали.

— Все здесь помнят типа по имени Джеймс Феррет? — снова закричал он, обращаясь к залу.

Многие крикнули «да», другие опять кивнули.

— Несколько лет назад он рассказывал о том же, якобы случившемся с ним. И представители отреагировали точь-в-точь как сегодня, — обратился он к той части толпы, которой этот факт был неизвестен. — Мистеру Феррету предложили действовать так, как сегодня этой неизвестной женщине, а в результате он просто исчез. То ли присоединился к своим пропавшим вещам, то ли это работа наших представителей — точнее мы уже никогда не узнаем.

В ответ в зале поднялся гомон, но он перекричал его:

— Так что давайте сегодня займемся этим человеком, пока она тоже не пропала и не лишила нас возможности понять, что же все-таки происходит. Ей от этого никакого вреда не будет, а мы просто обязаны знать!

Его выступление приветствовала буря аплодисментов. Зал взорвался. Они не могли упустить еще одну возможность отыскать дорогу назад. Представительница хранила молчание, пока люди вокруг нее бушевали. Потом помахала рукой, призывая к тишине, и зал смолк.

— Очень хорошо, — громко произнесла она в микрофон, и эти два слова заметались у меня в голове и продолжали стучаться в виски, пока мне не захотелось то ли упасть в обморок, то ли рассмеяться. Только никак не удавалось решить, какой из вариантов выбрать.

Я взглянула на Бобби.

— Ущипни меня, пожалуйста, — попросила я, — все это настолько смехотворно, что мне кажется, будто я вижу один из тех жутких кошмаров, над которыми, проснувшись, долго хохочешь.

— Это совсем не смешно, Сэнди, — предостерег он. — Ничего не говори им.

Я постаралась придать лицу серьезное выражение, а мое сердце грохотало, как барабан. И тут раздался голос представительницы.

— Сэнди Шорт, — объявила она. — Будьте любезны, встаньте.

Глава сорок четвертая

Покинув дом, где жили родители Сэнди Шорт, он поехал в местный Армейский паб. Несмотря на раннее время, здесь было темно: зал освещало всего несколько запыленных настенных фонариков, а темно-красные окна из витражного стекла не пропускали свет с улицы. На неровном, мощенном камнями полу стояли деревянные скамьи, покрытые пестрыми подушками, из швов которых лезла наружу набивка. В баре находилось всего трое мужчин, причем двое сидели у противоположных концов стойки с пинтовыми стаканами в руках и, вытянув шеи, наблюдали за скачками на экране маленького телевизора, подвешенного на кронштейне к потолку. Бармен стоял за стойкой, положив руки на краны, и тоже прилип глазами к экрану. На лице каждого из троих мужчин отражалось тревожное ожидание, и было совершенно ясно, что результат забега имеет для них финансовый интерес. Комментатор с сильным корским акцентом на огромной скорости сообщал быстро меняющиеся данные, и все присутствующие невольно сдерживали дыхание, что еще больше сгущало атмосферу тревожного ожидания.

Когда Джеку удалось привлечь внимание бармена, он заказал пинту «Гиннесса» и устроился в уютном углу в дальнем конце зала, в стороне от всех. Ему предстояло сделать нечто важное.

Бармен оторвался от телевизора, предпочтя потехе дело, и полностью сосредоточился на наполнении стакана. Он придвинул его к крану точно под углом в сорок пять градусов, чтобы на поверхности не образовались крупные пузыри. Потом полностью открыл кран и заполнил емкость на семьдесят пять процентов. Поставил стакан на стойку, чтобы дать осесть пене и позже долить недостающее пиво.

Джек вынул из сумки полицейское досье Донала и положил его перед собой на стол, перелистывая страницы еще один, последний раз. Это было его прощанием. Конец, финальный взгляд на то, изучению чего он посвятил весь прошедший год. Завершение поисков и начало второй половины жизни. Он хотел в последний раз поднять стакан за своего брата, в последний раз выпить с ним. Пробежался по страницам полицейских отчетов — результату многих часов тщательной работы профессионалов, и каждая страница напомнила ему о взлетах и падениях, надеждах и разочарованиях прошедшего года. Он был долгим и тяжким. Джек просмотрел все показания свидетелей, записи допросов всех друзей Донала, которые были с ним тогда. Страдания и слезы, бессонница и горечь просочились в отчаянные попытки вспомнить все, даже самые смутные подробности той ночи.

Джек положил фотографию Донала на стоящий перед ним высокий табурет. Последняя, прощальная пинта пива с братом. Он улыбнулся лицу на фото. «Я сделал все, что мог, Донал. Клянусь тебе, я сделал все, что мог». Впервые он поверил в это. Больше ничего нельзя было сделать. При этой мысли он испытал огромное облегчение. Еще раз прикоснулся к лежащим перед ним листам. Лицо Алана О'Коннора глядело на него с маленькой фотокарточки на паспорт, приклеенной в углу страницы. Еще один сломанный человек, еще одна почти разрушенная жизнь. Алану пока далеко до того рубежа, которого сегодня достиг Джек. Он потерял брата, которого знал не так хорошо, как должен бы, тогда как Алан утратил самого близкого друга. Он еще раз взял в руки документы, прочитанные им тысячу, если не больше, раз. Алановò полное и подробное описание той роковой ночи полностью совпадало с показаниями Эндрю, Пола и Гэвина, а также трех девушек, встреченных друзьями в ресторанчике фастфуд, хотя всем им было трудно припомнить начало этого вечера, не говоря уж о ранних утренних часах следующего дня. Рассказ Алана был записан корявым, высокопарным и как будто неродным языком. В нем не хватало эмоций, излагались лишь сухие факты, назывались адреса и время, кто где был и кто что сказал. Слова не могли передать тех чувств, которые разрывали души друзей после случившегося. Одна ночь, резко изменившая столько жизней.

«Эндрю, Пол, Гэвин, Шейн, Донал и я покинули «Клохесси» на набережной Хаули приблизительно в 12.30 ночи в пятницу. Мы перебрались в ночной клуб «Син-Бин» в том же здании...» Джек пропустил детали происшедшего в клубе и стал читать дальше. «Эндрю, Пол, Гэвин, Донал и я ушли из клуба примерно в 02.00 ночи и направились двумя кварталами дальше, в «Супер-Мак» на О'Коннел-стрит. Шейн встретил в ночном клубе никому из нас не известную девушку, с которой отправился домой...» Он пропустил еще несколько строчек. «Мы все разместились в отсеке на правой стороне ресторана, ближе всего к стойке, и ели бургеры и чипсы. Мы заговорили с тремя девушками, которые находились в том же ресторане. Мы предложили им присоединиться к нам, и так все мы стали сидеть в одном отсеке. Нас было восемь: я, Эндрю, Пол, Гэвин, Донал, Колетта, Саманта и Фиона. Донал сидел на внешней стороне диванчика, на краю, рядом с Фионой и напротив меня. Мы планировали отправиться домой к Фионе и устроить там вечеринку...» Джек пропустил фрагмент, чтобы побыстрее добраться до самого важного. «Я спросил Донала, пойдет ли он на вечеринку, и он ответил «да», и это было последним нашим разговором в ту ночь. Донал не сказал мне, что уходит из ресторана. Я заговорил с Колеттой, а когда снова посмотрел по сторонам, Донал уже ушел. Это было приблизительно в 03.00 ночи».

Они все повторяли одну и ту же историю. Обычный пятничный вечер в компании парней. Паб, ночной клуб, забегаловка, ничего особенного, что они могли бы припомнить. Кроме пропажи без вести их лучшего друга. Каждый из приятелей Донала вспомнил свой последний обмен репликами с ним, никто не заметил, как он вышел из забегаловки, кроме девушки по имени Фиона, которая сидела рядом и поняла, что его нет, только когда оглянулась и увидела, как он выходит на улицу. Она утверждала, что он чуть не упал в дверях, а несколько девушек, находившихся рядом, засмеялись. Позднее никто из них не смог ничего добавить к сказанному. «Супер-Мак» был битком набит теми, кого только что, в одно и то же время, выгнали из разных ночных клубов, а внутренняя камера слежения не зафиксировала отсек, в котором сидел Донал. Ее объектив перекрыли люди, толпившиеся у стойки и в проходе, те, кому не досталось свободного столика. Впрочем, что еще можно было увидеть, кроме Донала, покидающего забегаловку и врезающегося плечом в дверную раму, как засвидетельствовали все опрошенные?! Другая камера слежения сняла его у ближайшего банкомата, где он получил 30 евро, его также видели, когда он брел, спотыкаясь, к набережной Артура, а далее след терялся.

Джек вернулся к своему последнему разговору с Аланом и ощутил вину за то, что так давил на него, заставляя припомнить еще что-нибудь. Совершенно очевидно, что полицейские уже выжали из него всю информацию до капли. Джек считал, что исчезновение брата — это до некоторой степени его вина: как старший, он, наверное, должен был сделать что-то такое, до чего не додумался. Его мать умерла с тем же тягостным грузом вины. Найдется ли кто-то в окружении брата, кто бы не казнил себя? Джек припомнил, как всего несколько дней назад в разговоре с ним Алан признался, что чувствует то же самое.

«Надеюсь, ты найдешь его, Джек. Я снова и снова проживаю ту ночь и мечтаю оказаться рядом с ним».

Кремовая пена на «Гиннессе» начала отделяться от темного напитка. Оставаясь все таким же непрозрачным, он постепенно светлел.

«Я снова и снова проживаю ту ночь и мечтаю оказаться рядом с ним».

У Джека сердце подкатило к горлу. Он лихорадочно пролистал страницы, чтобы снова найти показания Алана. «Мы планировали отправиться домой к Фионе и устроить там вечеринку. Я спросил Донала, пойдет ли он, Донал ответил «да», и это было последним нашим разговором в ту ночь. Он не говорил мне, что уходит из «Супер-Мака».

Бармен долил стакан, слегка подтолкнув кран вперед и позволив пене подняться до самой кромки.

Джек распрямил спину и сконцентрировался: сейчас ему никак нельзя потерять голову. Мысли стали собираться, подниматься вверх, и он ощутил, что вот-вот они подойдут очень близко к чему-то. Джек продолжил читать и перечитывать полицейский отчет и одновременно заново прокручивал в голове разговор с Аланом, состоявшийся всего лишь пару дней назад.

Пивная пена не вылилась и не потекла по краям стакана.

Джек заставил себя дышать ровно и сдержал страх.

Бармен принес ему пиво в уютную нишу и заколебался, куда приткнуть стакан, так как стол был завален бумагами.

— Поставьте куда угодно, — сказал Джек.

Бармен сделал круговое движение стаканом, держа его на весу, в конце концов выбрал середину стола и решительно вернулся к стойке и мужчинам, которые кричали, подбадривая своих лошадей, скачущих по телеэкрану. Джек перевел взгляд на рубиново-черное густое пиво в нижней части стакана. Он стоял там, где его поставил бармен, — на показаниях Алана, совсем рядом с теми несколькими фразами, которые Джек перечитывал снова и снова. «Я спросил Донала, пойдет ли он на вечеринку, он ответил «да», и это было последним нашим разговором в ту ночь. Он не говорил мне, что уходит из «Супер-Мака».

Джека начала бить дрожь, но он не знал почему. Он поднял трясущейся рукой стакан и послал фотографии брата дрожащую улыбку. Потом поднес стакан к губам и сделал большой глоток густого напитка. И в то самое мгновение, когда теплое пиво проскользнуло в горло, воспоминание о следующей фразе Алана вспыхнуло в его мозгу.

«Знаешь, я уверен, что в этом случае он действительно сел бы в такси».

«Гиннесс» застрял в горле, он закашлялся и вскочил из-за стола, чтобы как-то протолкнуть комок и не задохнуться.

— С вами все в порядке? — крикнул от стойки бармен.

— Ура! Давай-давай! — завопили сидящие в баре мужчины, радуясь победе своей лошади и так громко хлопая в ладоши и стуча стаканами по стойке, что Джек даже испугался.

Он тут же начал перебирать в уме многочисленные случавшиеся с ним недоразумения. Когда он ошибался, что-то путал, что-то недослышал или неправильно понял. Вспомнил вопросы, заготовленные к визиту и записанные большими красными буквами в дневнике Сэнди. Озабоченное лицо миссис О'Коннор. «Думаешь, он что-то не то сделал?» Она знала. Она все время знала. Озноб пробежал у него по коже. В сердце вскипела ярость. Он грохнул стаканом об стол, и из него выплеснулось кольцо белой пены. Ноги подкосились. Его целиком охватили злость и ужас.

Он не помнил, как покинул паб, как звонил Алану и как за рекордное время домчался до Лимерика. Когда он позднее задумался об этой ночи, выяснилось, что он не помнит о ней почти ничего. Во всяком случае, не намного больше, чем ему потом рассказывали разные люди. Единственным, что он мог извлечь из памяти, был отчаявшийся голос Алана, который непрерывно звучал у него в голове: «Я все вспоминаю и вспоминаю каждый шаг в тот вечер и мечтаю оказаться рядом с ним. Знаешь, я уверен, что тогда он действительно сел бы в такси!» Но его тут же заглушал грохот слов из показаний Алана: «Я спросил Донала, пойдет ли он на вечеринку, Донал ответил «да», и это было последним нашим разговором в ту ночь».

«Последним нашим разговором».

Он солгал. Почему?

Глава сорок пятая

Я встала, и ко мне обратились тысячи глаз; они изучали меня, оценивали, судили, вешали и сжигали на костре. В первом ряду я заметила Хелену — явно потрясенную тем, как все обернулось. Руки ее судорожно сцепились на груди, словно в молитве, а на глаза набежали слезы. Я улыбнулась Хелене, жалея ее. Именно ее. Она ободряюще кивнула мне. Иосиф на сцене сделал то же самое. Я не очень понимала, чего следует бояться, и, наверное, поэтому не была напугана. Для меня оставалась загадкой суть происходящего: почему так важно, что какая-то моя вещь пропала, а нечто хорошее вдруг превратилось в свою полную противоположность. Единственное, что я осознавала: те, кто пробыл здесь дольше, боялись за меня. Этого было вполне достаточно. И так в последние несколько дней я ощущала еще больший, чем раньше, дискомфорт — из-за людей, которые преследовали меня, расспрашивали, не знакома ли я с их семьями. Мне вовсе не хотелось, чтобы стало еще хуже.

Представительница посмотрела мне прямо в лицо.

— Добро пожаловать, Сэнди. Знаю, что не слишком-то хорошо делать это публично, но вы сами видели, почему приходится так поступать.

Я кивнула.

— Я должна спросить вас, являются ли эти слухи о пропаже ваших вещей, — последовала пауза, и я поняла, что она не хочет задавать вопрос из боязни услышать ответ, — являются ли они ложными?

— Вы ей подсказываете ответ, — закричал какой-то мужчина, но его быстро зашикали.

— У нас здесь не судебное заседание, — раздраженно ответила представительница. — Дайте ответить мисс Шорт, пожалуйста.

— Слухи... — Я огляделась по сторонам и увидела тысячи повернутых ко мне лиц, часть присутствующих напряженно вслушивалась в перевод моих слов в наушниках. — Являются абсолютно ложными. — В зале опять поднялся шум, поэтому мне пришлось повысить голос: — Хотя мне понятно, откуда они взялись. Я помахала знакомому, часы соскользнули с запястья и упали в траву. Я попросила помочь мне найти их. Вот и все.

— И их нашли? — спросила Грейс Бернс, даже не пытаясь скрыть прозвучавшее в ее голосе облегчение.

— Да, — солгала я.

— Покажите их нам, — закричал мужчина, которого поддержали сразу несколько сотен присутствующих.

Грейс вздохнула:

— Они сейчас у вас на руке?

Я похолодела и взглянула на свое пустое запястье:

— Э-э-э... нет. Потому что, когда часы упали, замок сломался, и его еще не починили.

— Принеси часы! — завопил женский голос.

— Нет! — крикнула я в ответ, и все успокоились.

Я заметила, как Бобби удивленно посмотрел на меня.

— При всем моем к вам уважении, глубоко уверена, что происходящее — самая настоящая охота на ведьм. Я дала вам слово, что часы не потерялись, и отказываюсь продолжать этот балаган — нести сюда часы, демонстрировать их залу. Я пробыла здесь недостаточно долго, чтобы понять, почему вы себя так ведете, но если вы действительно собираетесь приветствовать меня, как и должны бы, то будьте любезны поверить мне на слово.

Похоже, мое заявление не вызвало восторга.

— Пожалуйста, мисс Шорт, — озабоченно сказала Грейс, — мне кажется, вам лучше сейчас уйти из зала и вернуться сюда с часами. Джейсон проводит вас.

Мужчина в черном костюме, худой и поджарый, с такой идеальной фигурой, какая бывает только у военных, подошел к краю моего ряда и указал мне рукой на дверь.

— Я не знаю этого человека, — ухватилась я за соломинку, — и никуда не пойду с ним.

Грейс сначала растерялась, потом осторожно предложила:

— Послушайте, Сэнди, хотите вы того или нет, вам придется принести сюда часы. Так что сами выберите сопровождающего.

Я напряглась и быстро ответила:

— Пусть идет тот, кто сидит рядом со мной.

Бобби вскочил со стула.

Грэйс внимательно всмотрелась в него, потом узнала и кивнула:

— Отлично, пусть идут оба. А мы пока займемся другими вопросами повестки дня.

Представитель Голландии поднялся на сцену, чтобы сообщить о планах строительства новых ветряных двигателей, однако никто не обращал на него внимания. Мы шли по длинному проходу к дверям, и все взгляды были прикованы к нам. И пока огромные створки нас не проглотили, никто так и не повернул голову к сцене. Стоило нам выйти, Бобби сделал большие глаза, сигнализируя, что не желает ничего обсуждать в присутствии нашего стража.

— Нужно забрать часы из магазина Бобби, — спокойно объяснила я Джейсону. — Он должен был починить застежку.

Бобби кивнул, поняв в конце концов, что я задумала.

Мы подошли к бюро находок, украшенному яркими носками из разных пар. Вокруг царили темнота и пустота, словно это был поселок-призрак, покинутый обитателями: ведь все его жители собрались сейчас в Доме коммуны и напряженно ожидали меня, точнее, информацию о том, можно уйти отсюда и вернуться домой или нельзя.

— Давайте подождем Бобби. — Я остановилась на веранде, выходящей на темный лес.

Джейсон ничего не ответил, просто застыл рядом со мной и молча ждал.

— Вы где работаете, в секретной службе? — поддразнила я, искоса посматривая на него.

Он не улыбнулся, не ответил и продолжал смотреть в сторону.

— Плохой парень из «Матрицы»? «Человек в черном»? «Johnny Cash uber fan»[1]?

Он по-прежнему молчал.

Я вздохнула:

— Вы здесь для того, чтобы я не сбежала?

Ответа не последовало.

— А вы выстрелите, если я побегу? — остроумно спросила я. — Надо же, они мне назначили сопровождающего! — Моему возмущению не было предела. — Они что, считают меня преступницей? Просто для протокола: мне не нравится, что вы здесь.

Он глядел прямо перед собой, отвернувшись от меня.

Бобби нарушил неловкое молчание, громко хлопнув дверью за нашими спинами:

— Вот, пожалуйста, держи.

Я взяла у него часы и принялась изучать.

— Это ваши? — впервые прервал молчание Джейсон и впился взглядом в мое лицо.

---

1 К э ш Д ж о н н и — популярный исполнитель кантри.

Часы были серебряными с перламутровым циферблатом, но на этом их сходство с моими заканчивалось. Браслет — сплошной, а не из звеньев, а сами часы — круглые, а не прямоугольные.

— Ну да, — уверенно ответила я, — конечно же это мои часы.

Джейсон взял их и обернул браслет вокруг моего запястья. Он был явно велик — даже для моей широкой руки.

— Бобби, — устало потер глаза Джейсон, — подбери ей другие часы. Причем на этот раз такие, которые подойдут.

Мы оба с удивлением уставились на него.

— Как раз для этого я здесь и нахожусь, — лукаво произнес он и вернулся на веранду.

Бобби быстро пошел в магазин, а Джейсон крикнул вслед:

— И проверь, чтобы застежка была поврежденной. Вы же сказали, что пришли без часов, потому что у них сломался замок, правильно?

Я кивнула, по-прежнему не в состоянии вымолвить ни слова.

— Вот и хорошо, а теперь помалкивайте. — И он снова повернулся к лесу.

Мы с Джейсоном и Бобби быстро и молча вернулись в зал. Я бережно несла часы. До того как Джейсон успел открыть дверь, я потянула его за рукав.

— И что теперь будет? — спросила я, чувствуя, как меня охватывает тревога.

— Ну, полагаю, вы войдете и... — Он на минуту задумался, потом пожал плечами: — Соврете.

Он открыл дверь, и тысячи лиц повернулись к нам.

Голландский представитель тут же замолчал, а Грейс Бернс направилась к микрофону. На ее лице была написана тревога. Бобби и Джейсон остановились в дверях, Бобби ободряюще кивнул мне, и я двинулась вперед по длинному проходу к сцене. Не будь мне настолько не по себе, я наверняка посмеялась бы над комизмом ситуации. Грегори готов был на что угодно, лишь бы я когда-нибудь одолела долгий путь, не уходя в сторону, не отвлекаясь и не увиливая, и часы, подаренные им, в конечном счете к этому и привели.

Я поднялась по ступенькам и протянула часы Грейс. Она принялась внимательно изучать их, а я гадала, каким таким образом можно убедиться, что они мои, а не чьи-то еще. Все это выглядело смехотворно. Так себе спектакль, разыгранный для того, чтобы здешние жители почувствовали себя более защищенными и не взбунтовались, требуя показать им дорогу домой.

— Откуда нам известно, что это ее часы? — раздался голос из зала, и я в изумлении выкатила глаза.

— Ее имя выгравировано на задней крышке, — крикнул кто-то, и у меня кровь застыла в жилах.

Об этом знали всего несколько человек. Я тут же посмотрела на Иосифа, но по выражению его лица сразу поняла, что это не он. Он бросил злой взгляд на Хелену, которая еще более зло уставилась на… Джоану. Джоана с пылающим лицом сидела в первом ряду с мужчиной, который выкрикнул последнюю реплику. Наверное, она сболтнула про часы, и теперь виновато косилась то на Хелену, то на меня. Я отвернулась, не зная, как реагировать, и совершенно не видя выхода из сложившейся ситуации.

— Это правда? — спросила меня представительница.

— Уверяю вас, правда, — снова закричал мужчина.

На моем лице было написано все.

Грейс перевернула часы, чтобы узнать, есть ли мое имя на обратной стороне. Похоже, результат ее удовлетворил.

— На крышке написано «Сэнди Шорт».

В зале послышался глубокий вздох, а потом все заговорили одновременно.

— Спасибо за сотрудничество, Сэнди. Можете возвращаться домой, и добро пожаловать в наш поселок. Надеюсь, люди теперь будут более дружески относиться к вам, — тепло улыбнулась она.

Наполовину остолбенев, я все же взяла часы, но по-прежнему не могла поверить в то, что Бобби успел выгравировать мое имя за такое короткое время. Я быстро пошла обратно по проходу, а присутствующие аплодировали и улыбались мне. Некоторые извинялись, другие все еще не до конца верили и, по всей вероятности, никогда уже не избавятся от сомнений. Схватив Бобби за руку, я вытащила его из зала.

— Бобби! — расхохоталась я, как только мы оказались на безопасном расстоянии. — Как тебе это удалось?

Он был явно перепуган:

— Удалось что?

— Так быстро выгравировать мое имя.

— Я этого не делал, — изумился он.

— Что? — Я перевернула часы.

Светлая и ровная поверхность мягко сияла металлическим блеском.

— Пошли, зайдем внутрь, — приказал Бобби, открывая дверь в магазин и настороженно озираясь.

В темноте послышался шум, и вперед шагнул Джейсон.

Я подпрыгнула.

— Извините, что напугал вас, — произнес он своим бесстрастным механическим голосом. — Сэнди! — Мое имя прозвучало чуть более эмоционально, и сам он немного расслабился, выйдя на освещенное крыльцо. — Я просто хотел спросить, не знаете ли вы мою жену Элисон? — Он явно стеснялся. — Элисон Райс? Мы из Голуэя, Спиддал. — Он шумно сглотнул, его кажущаяся агрессивность улетучилась, а лицо стало хрупким и озабоченным.

Все еще пребывая в шоке от его неожиданного появления, я мысленно повторила несколько раз это имя, но никакой реакции не дождалась. Я его не знала и потому медленно покачала головой и сказала:

— Нет, мне очень жаль.

— Хорошо. — Он прокашлялся, выпрямился и снова стал бесстрастным, словно вопрос и не слетал с его уст. — Грейс Бернс просила передать, что вы обязаны завтра с самого утра явиться на встречу с ней в ее офис.

И он опять растворился в темноте.

Глава сорок шестая

Джек чувствовал, как ярость пульсирует в венах. Мышцы лица напряглись и перекатывались под кожей, словно готовились к предстоящей битве, тогда как он пытался взять под контроль дыхание и справиться с кипящим гневом. Зубы болели, будто своим бесконечным скрипом он стер с них всю эмаль. Щеки пылали, в висках и во всем теле громко стучала кровь, он сжимал и разжимал кулаки, пробираясь сквозь толпу в оживленном пабе Лимерика.

Он увидел Алана, сидящего в одиночестве за маленьким столом перед большим стаканом пива. Пустая табуретка рядом с ним дожидалась Джека. Алан заметил его, помахал рукой и улыбнулся; эта улыбка напомнила Джеку десятилетнего мальчишку, ежедневно околачивавшегося в их доме. Он собрался наброситься на Алана, но вовремя остановился. Вместо этого сразу направился в туалет и подставил лицо под струю холодной воды, задыхаясь, словно марафонец, только что закончивший дистанцию. Вот и все, что было в его силах, чтобы помешать себе влететь в зал и собственными руками убить Алана.

Что же он сделал? Что, черт возьми, сотворил Алан?

Глава сорок седьмая

На той неделе, когда пропала Дженни-Мэй Батлер, в Национальную школу Литрима пришли полицейские. Мы все были взбудоражены, потому что директор редко удостаивал нас своим присутствием, тем более прямо в классе. Как только мы увидели его суровое, обвиняющее лицо, у всех забурчало в животе, и каждый начал судорожно мечтать, чтобы его не заметили, хотя все мы знали, что ничего дурного не сделали. Директор всегда так на нас действовал. Главной причиной нашего возбуждения было то, что, прервав урок религии, он начал что-то громко нашептывать на ухо мисс Салливен. Громкий шепот учителей в классе всегда означал, что стряслось нечто серьезное. Нам велели гуськом выходить из класса, приложив пальцы к губам. Так учителя обычно пытались заставить нас соблюдать тишину, но эта мера никогда не давала желаемого результата, потому что пальцы — не самая надежная преграда для разговоров. Ведь палец — всего лишь палец, а не застежка-молния, к тому же это твой собственный палец, который всегда можно убрать в нужный момент. Но в тот день, когда мы все вошли в физкультурный зал, ни один из нас не произнес ни слова, потому что в глубине необычно тихого помещения стояли двое представителей гарда шихана. Женщина и мужчина, с ног до головы одетые в темно-синее.

Мы уселись на полу в центре зала вместе с остальными четвероклассниками. Перед нами сидели самые маленькие, и чем старше были школьники, тем ближе к двери они располагались. Шестиклассники, как всегда, гордо заняли места в последнем ряду. Зал очень быстро заполнился. Учителя выстроились вдоль стен как тюремные надзиратели и время от времени грозили пальцем и сурово посматривали на тех, кто шептался или пытался усесться поудобнее на холодном и грязноватом полу, причем делал это, как считали взрослые, слишком шумно.

Директор представил нам двух полицейских и объяснил, что они пришли из ближайшего участка, чтобы поговорить с нами на очень серьезную тему. Он предупредил, что позже, уже в классах, учителя зададут нам вопросы, чтобы проверить, как мы усвоили сказанное. Тут я взглянула на учителей и заметила, что после этих слов некоторые из них стали напряженно прислушиваться. Дальше выступил полицейский-мужчина. Он сообщил, что его зовут гарда Роджерс, а его коллегу — гарда Брэнниген, потом начал медленно прогуливаться перед рядами по залу, заложив руки за спину, и объяснять нам, что мы не должны доверять чужим людям, ни за что не садиться в их автомобили, даже если услышим, будто наши родители велели им заехать за нами. Я сразу подумала, что хорошо бы отказаться садиться в машину дяди Фреда в среду днем, когда он будет меня забирать, и чуть не расхохоталась. Полицейский Роджерс сказал, что мы всегда должны сообщать родителям, когда какой-то человек начинает вести себя более дружески, чем должен. Если кто-то подходит к нам или мы замечаем, что кто-то подошел к другому ученику, нужно сразу же сообщить об этом родителям или учителям. Мне было десять лет, и я в тот момент вспомнила, как в семилетнем возрасте заметила подозрительного мужчину, который забирал из школы Джойи Харрисона, и сказала об этом учительнице. Мне тогда попало, потому что это оказался папа Джойи, и учительница отругала меня за невоспитанность.

Вообще-то в свои десять, даже почти одиннадцать лет из этой беседы я не узнала ничего нового о правилах безопасного поведения. Но решила, что она проводится главным образом для пяти- и шестилеток, которые сидели в передних рядах, ковырялись в носу, вертели головой, смотрели в потолок. Несколько рядов крошек кузнечиков. В тот момент у меня не было ни малейшего желания поступать в полицию. Мое призвание определила отнюдь не беседа о принципах безопасности, нет, это сделали потерянные носки. Я также знала, что мероприятие связано с исчезновением Дженни-Мэй. Вообще, всю эту неделю самые разные люди вели себя загадочно и непонятно. Наша учительница даже выбегала несколько раз в слезах из класса, когда ее взгляд падал на пустующее место за партой Дженни-Мэй. Втайне я испытывала восторг, что, как понимала, было неправильно, однако эта неделя стала для меня первой спокойной в школе за все годы учебы. Бумажные шарики, выдуваемые Дженни-Мэй через трубочку, впервые не летели в мою голову, и, отвечая урок, я больше не слышала хихиканья за спиной. Я знала, что произошло нечто страшное и печальное, но просто не могла огорчаться.

Первые несколько недель после ее исчезновения мы каждое утро молились всем классом перед уроками — чтобы с Дженни-Мэй ничего не случилось, и за ее родителей, и чтобы она нашлась. Время шло, молитвы становились все короче и короче, и вдруг, в очередной понедельник, когда мы вернулись на занятия после двух выходных, мисс Салливен, ничего не сказав, начала урок без молитвы. Всех в классе пересадили по-новому, и — бэмс! — все опять стало как раньше. Первое время такая перемена казалась мне едва ли не более удивительной, чем само исчезновение Дженни-Мэй. В начале занятий в тот день я смотрела на соучеников, читающих выученные стихи, и думала, что они сошли с ума. А потом учительница отругала меня за то, что я не знаю стихотворение, которое зубрила накануне вечером два часа подряд, и продолжала цепляться ко мне весь день.

После того как гарда Роджерс закончил свою беседу о правилах безопасного поведения, настала очередь гарда Брэнниген, и она заговорила непосредственно о Дженни-Мэй. Попросила очень мягко всех, кто что-то знает или что-то видел в последние несколько недель или месяцев, подойти к комнате номер четыре рядом с учительской, где она и полицейский Роджерс проведут весь день. Я залилась краской, потому что мне почудилось, будто она обращается прямо ко мне. Оглянулась вокруг и испытала чувство — натуральная паранойя, — словно это мероприятие было организовано только ради того, чтобы я призналась во всем, что мне известно. Никто не смотрел на меня, за исключением Джеймса Мэйбери, который сколупнул корочку с царапины на своем локте и прилепил к моему рукаву. Учительница погрозила ему пальцем, что не возымело никаких последствий, потому как свою гадость он уже сделал, а грозящего пальца не только не испугался, но и вообще не принял во внимание.

Когда гарда Брэнниген закончила, учителя снова повторили нам, что мы должны пойти в комнату номер четыре и побеседовать с полицейскими, а потом устроили большую обеденную перемену, что было глупо, потому как никто не захотел тратить время и вместо игры во дворе тащиться к полицейским. Затем мы вернулись в класс, мисс Салливен велела достать учебники по математике, и тут руки сразу взлетели в воздух. Похоже, многие вдруг вспомнили, будто им жизненно необходимо что-то сообщить полицейским. Но что могла поделать мисс Салливен? А полицейские получили длинную очередь школьников разного возраста, выстроившуюся перед дверью. Причем некоторые из стоящих в ней вообще не знали Дженни-Мэй Батлер.

Комнату номер четыре прозвали камерой для допросов. Чем больше ребят туда заходило, тем более невероятными становились их истории о том, что происходит внутри. Учеников с важной информацией оказалось так много, что полицейским пришлось на следующий день снова прийти в школу. Правда, при этом в каждом классе строго объявили, что хотя наша помощь высоко ценится, однако время полицейских тоже драгоценно, и потому в комнату номер четыре следует являться только в том случае, если у тебя есть что сообщить — что-то действительно важное. На второй день мне уже дважды запрещали идти к полицейским — один раз на уроке истории и второй на ирландском.

— Но я люблю ирландский, мисс, — запротестовала я.

— Прекрасно. Тогда ты с удовольствием останешься в классе, — засмеялась она и велела мне прочесть вслух целую главу из учебника.

У меня не оставалось иного выхода, кроме как поднять руку на уроке рисования в пятницу, во второй половине дня. Уроки рисования любили все. Мисс Салливен с недоумением посмотрела на меня.

— А теперь я могу пойти, мисс?

— В туалет?

— Нет, в комнату номер четыре.

Она удивилась, но в конце концов отнеслась к моей просьбе серьезно, и я получила разрешение покинуть класс под громкое «о-о-о-о-х» одноклассников.

Я постучалась в дверь, и гарда Роджерс открыл мне. Мужчина примерно шести футов роста. В десять лет я уже была очень высокой, наверное пяти футов и пяти дюймов, и страшно обрадовалась, встретив кого-то, кто возвышался надо мной, хотя в своей полицейской форме он выглядел устрашающе. В общем, я готова была во всем ему признаться.

— Опять урок математики? — широко улыбнулся он.

— Нет, — ответила я так тихо, что едва себя услышала, — рисование.

— О! — Он удивленно поднял густые, похожие на мохнатых гусениц брови.

— Я — ответственная, — быстро проговорила я.

— Что ж, это очень хорошо, хоть я и не считаю, будто, пропустив урок математики, сразу становишься безответственным. — Он дотронулся до носа. — Только не говори учительнице, что я это сказал.

— Хорошо, — согласилась я и глубоко вздохнула. — Но я имела в виду, что ответственна за исчезновение Дженни-Мэй.

На этот раз он не улыбнулся. Раскрыл дверь пошире и произнес:

— Заходи.

Попав в комнату, я стала озираться по сторонам. Слухам, которые распространялись в последние два дня, ровным счетом ничто не соответствовало. Джемайма Хэйс говорила, что кто-то сказал ее подруге, будто кто-то его уверял, что кому-то запретили покидать эту комнату, не пустили в туалет, и он был вынужден писать в штаны. Ничего пугающего в комнате не было: у стены стоял диванчик, посередине небольшой стол и рядом с ним школьный стул из пластика. Мокрого стула не наблюдалось.

— Садись сюда. — Он указал на диванчик. — Устаивайся поудобнее. Как тебя зовут?

— Сэнди Шорт.

— Для своего возраста вы весьма высокая, знаете ли, мисс Шорт, — усмехнулся он, и я вежливо
улыбнулась в ответ, хотя и слышала эти слова миллион раз.

Он снова стал серьезным и спросил:

— Итак, скажи, пожалуйста, почему ты чувствуешь себя ответственной за исчезновение, как
ты это назвала, Дженни-Мэй?

Я нахмурилась:

— А как вы это называете?

— Ну, мы не уверены... Я хотел сказать, мы не
знаем, что думать... — Он вздохнул. — Просто
скажи мне, почему считаешь себя ответственной.

Он знаком предложил мне продолжать.

— В общем, Дженни-Мэй не любила меня, —
медленно начала я и вдруг занервничала.

— О, я уверен, что это не так, — мягко возразил он. — С чего ты взяла?

— Она обзывалась долговязой неряхой и швы-
рялась камнями.

— А-а-а, — протянул он и замолчал.

Я снова глубоко вздохнула.

— А еще на прошлой неделе она узнала, что
я сказала своему другу Эмеру, что не так она классно
играет в «королеву», как все считают. Вот тогда она по-
настоящему разозлилась и наорала на меня с Эмером, а
потом вызвала нас на соревнование, ну, на самом деле,
не нас, потому что Эмеру она ничего не говорила, а
только меня. Она и Эмера не любила, но меня сильнее, а тут я такое выдала, и поэтому мы собирались
сыграть на следующий день, я и Дженни-Мэй, а кто
выиграет, тот и будет чемпионом навсегда, и никто

уже не сможет утверждать, будто он не умеет играть, потому что выигрыш все докажет. И еще она знала, что мне нравится Стивен Спенсер, и всегда говорила про меня гадости, чтобы он не обращал на меня внимания. Но я знаю, он ей самой нравился. Это же совершенно очевидно, потому что они несколько раз целовались взасос в кустах в конце дороги, только не думаю, чтобы он по-настоящему любил ее. Может, он даже рад сейчас, что ее больше нет и она оставила его в покое. Но я вовсе не хочу сказать, будто он что-то сделал для того, чтобы она исчезла. В общем, в тот день, когда мы должны были сыграть в «королеву», я видела Дженни-Мэй. Она ехала на велосипеде мимо моего дома вниз по дороге и зло посмотрела на меня. Я поняла, что сегодня она обыграет меня в «королеву» и все станет еще хуже, чем было до сих пор, и... — Я замолчала и прикусила губу, так как не знала, стоит ли говорить то, что тогда пришло мне в голову.

— Что случилось, Сэнди?

Я тяжело задышала.

— Ты что-то сделала?

Я кивнула, и он придвинулся ко мне, переместившись ближе к краю стула.

— Что ты сделала?

— Я... я...

— Все в порядке, можешь мне признаться.

— Я пожелала, чтобы она пропала. — Я произнесла это быстро-быстро, как отдираешь от кожи пластырь, чтоб было не так больно.

— Прости, ты — что?

— Я пожелала, чтоб она пропала.

— Жлала? Это что, такое оружие?

— Нет, пожелала. Загадала желание, чтоб она пропала.

— А-а. — До него наконец дошло, и он медленно откинулся на спинку стула. — Теперь понимаю.

— Нет, не понимаете. Вы только говорите, что поняли, а на самом деле нет. Я действительно изо всех сил загадала, чтобы она исчезла, гораздо сильнее, чем когда-нибудь в жизни, даже сильнее, чем когда мой дядя Фред прожил у нас в доме целый месяц после ссоры с тетей Изабел. А он пил и курил, и в доме из-за него воняло, поэтому я по-настоящему хотела, чтобы он исчез, но не так сильно, как про Дженни-Мэй. И всего через несколько часов после того, как я это сделала, к нам пришла миссис Батлер и сказала, что она исчезла.

Он снова наклонился ко мне.

— Значит, ты видела Дженни-Мэй всего за несколько часов до прихода к вам миссис Батлер?

Я кивнула.

— В котором часу это было?

Я пожала плечами.

— Возможно, что-то поможет тебе вспомнить? Постарайся, пожалуйста. Что вы тогда делали? Рядом с тобой кто-то находился?

— Я только открыла дверь бабушке с дедушкой. Они пришли на обед, я целовала бабушку, и в этот момент она как раз проезжала мимо на велосипеде. Я тогда сразу загадала желание, — вздрогнула я.

— То есть точно в обеденное время. С ней кто-то был? — Он снова сидел на краешке стула, и его совершенно не волновали мои переживания из-за того, что я пожелала ей исчезнуть.

Полицейский Роджерс задавал вопрос за вопросом: что Дженни-Мэй делала, с кем она была, как выглядела и что на ней было надето, куда, по моему мнению, могла ехать… Множество вопросов, которые он повторял, пока у меня не заболела голова и я не утратила способность находить нужные ответы. Оказалось, я очень помогла им, потому что была последней, кто видел ее, и за это меня в тот день отпустили домой раньше положенного. Еще одна выгода от исчезновения Дженни-Мэй.

За несколько ночей до того, как полицейские пришли к нам в школу, я начала ощущать свою вину за то, что Дженни-Мэй пропала без вести. Мы с папой смотрели документальный фильм про то, как сто пятьдесят тысяч жителей округа Вашингтон начали одновременно думать о хорошем, и кривая преступлений поползла вниз. Это доказывало, что и хорошие, и плохие мысли приносят осязаемые плоды. Однако позже полицейский Роджерс сказал, что я не виновата в исчезновении Дженни-Мэй и недостаточно чего-то пожелать, чтобы так и случилось, поэтому в дальнейшем я стала относиться к подобным вещам гораздо реалистичнее.

И вот двадцать четыре года спустя я стою перед офисом Грейс Бернс, собираюсь постучать в дверь и испытываю абсолютно те же чувства, что и в десятилетнем возрасте. Тогда я ощущала свою ответственность за нечто, мне не подвластное. И уже тогда испытывала, пусть и по-детски, тайное и невыразимое желание найти место, подобное тому, в котором сейчас оказалась.

Глава сорок восьмая

Д жек, с тобой все в порядке? — обеспокоенно спросил Алан, как только тот сел напротив него за низкий столик.

На его лице была написана озабоченность,
и в душе Джека снова забрезжили сомнения.

— В порядке, — проворчал он и поставил перед собой стакан, потом, смутившись, уселся поудобнее на табуретке и постарался укротить гнев,
прорывающийся в его голосе.

— Дерьмово выглядишь. — Взгляд Алана
скользнул по ноге Джека, которая нервно подра-
гивала.

— Да нет, все нормально.

— Уверен? — Алан сощурил глаза.

— Да, да. — Джек глотнул «Гиннесса», и под-
сознание сразу связало его вкус с тем открытием,
которое он сделал одновременно с предыдущим
глотком пива, еще в Литриме.

«Алан лжет» — вот что вспыхнуло в его мозгу.

— Тогда что стряслось? — спросил Алан. — После твоего звонка... Ну... Ты так говорил, я уж подумал, у тебя прям пожар. Че случилось-то?

— Нет, не пожар. — Джек повернул голову, чтобы не встречаться взглядом с Аланом, и изо всех сил удерживал желание размахнуться и как следует врезать ему.

Он должен очень грамотно провести разговор, а для этого необходимо собраться. Нога перестала вздрагивать, он наклонился над столом и уставился в свой стакан.

— Дело в том, что последнюю неделю я опять начал активно разыскивать Донала. Понял?

Алан вздохнул и тоже сосредоточился на стакане.

— Да, знаю, я об этом думаю каждый день.

— О чем об этом?

— Что ты имеешь в виду? — вскинулся Алан.

— Хочу узнать, что за мысли крутятся у тебя в голове каждый день. — Джек постарался, чтобы его реплика ничем не напоминала допрос.

— Не понимаю, чего ты от меня хочешь. Просто размышляю обо всей этой истории, — нахмурился Алан.

— Ну а мне все время приходит в голову, что хорошо бы мне оказаться рядом с ним в ту ночь и что я должен был лучше знать Донала, потому что в этом случае, может быть... — Джек поднял руки вверх. — Может, может, может... Возможно, я знал бы, где его искать, или был знаком с местами, где он мог отсидеться, или с людьми, у которых мог попросить помощи, или... Всякое такое, понимаешь? Вдруг он убегал от кого-то. Или с кем-то не тем связался. Мы мало разговаривали о личном, и потому я каждый день повторяю себе, что если бы был ему лучшим братом, то, может быть, нашел бы его. И тогда, возможно, он сидел бы здесь, вместе с нами, и пил пиво.

Оба непроизвольно взглянули на пустой табурет, стоящий между ними.

— Не надо так, Джек. Ты был хорошим бра...

— Перестань, — прервал его Джек, повысив голос.

Алан удивленно замолчал.

— Перестать что? — спросил он через секунду.

Джек уставился ему прямо в глаза.

— Перестань врать.

На лице Алана появился страх, потом неуверенность, и Джек понял, что интуиция его не подвела. Алан тревожно озирался, собираясь с мыслями, но Джек быстро произнес:

— Не говори мне, будто я был хорошим братом, потому что я им не был. Не ври ради того, чтобы мне стало легче.

Похоже, Алана успокоил его ответ.

— О'кей, ты был дерьмовым братом, — согласился он, и оба рассмеялись.

— И сколько я ни грызу себя за то, что не находился с ним в ту ночь, в глубине души уверен, что, будь я там, скорее всего, случилось бы то же самое. Потому что знаю, ты прикрывал его. Ты ведь всегда прикрывал его.

Алан грустно улыбнулся своему стакану.

— В прошлый раз, когда мы с тобой разговаривали, ты проклинал себя за то, что не ушел вместе с Доналом в ту ночь. — Джек вытащил из-под стакана пропитанный пивом картонный кружок и стал медленно сдирать с него верхнюю наклейку. — Знаю я, что такое грызть себя, — ничего хорошего. Я тут кое к кому ходил, чтобы он помог мне из этого выбраться. — Он смущенно поскреб затылок. — Он утверждает, что винить себя в такой ситуации — это нормально. Ну, я и подумал — надо тебе об этом сказать. Вот так, за пинтой «Гиннесса».

— Спасибо, — спокойно ответил Алан, — я оценил.

— Ну да… Так вот, ты вроде бы успел поговорить с ним перед самым его уходом? Я правильно понял?

На лице у Алана читалось сильнейшее сомнение. Однако в голосе Джека по-прежнему не слышалось никакой угрозы, и Алану постепенно удалось успокоиться.

— Повезло тебе. Остальные парни даже не заметили, как он уходил.

— Я тоже не заметил. — Алан снова занервничал.

— Нет, заметил, — возразил Джек. — Ты говорил об этом на прошлой неделе.

Он сделал еще глоток и посмотрел по сторонам, стараясь, чтобы разговор оставался непринужденным.

— Сколько здесь народу! В голову бы не пришло, что в такую рань столько набьется. — Он взглянул на часы.

Было шесть вечера. Ему показалось, что со времени встречи с матерью Сэнди прошли не часы, а дни.

— На прошлой неделе ты говорил, что лучше бы ушел из кафе вместе с ним. И уверен, что в этом случае он действительно сел бы в такси и с ним ничего бы не случилось.

Алан явно чувствовал себя неуютно.

— Я не...

— Говорил, приятель, — с ухмылкой прервал его Джек. — Может, крыша у меня едет, но эти слова я запомнил. Понимаешь, мне было очень приятно их услышать.

— Да?

— Да! — радостно закивал Джек. — Потому что они означали, что он не просто ушел и потерялся. Он кому-то сообщил о своих планах, и к тому же пошел не просто куда глаза глядят, а сознательно выбрал направление. От этого тебе должно быть легче. Остальные парни, они переживают из-за того, что вообще ничего не заметили. Винят себя, что не видели, как он уходит. А у тебя, по крайней мере, одной печалью меньше.

Алан беспокойно заерзал на табурете.

— Да, думаю, ты прав.

Из нагрудного кармана сорочки он вытащил кисет.

— Пойду покурю. Сиди, я недолго.

— Подожди минутку, — сказал Джек. — Вот допью пиво и выйду вместе с тобой.

— Ты же не куришь.

— Опять начал, — солгал Джек: меньше всего он хотел, чтобы Алан сейчас исчез, а для этого ему хватит малейшего шанса. — Почему здесь сегодня столько народу? — спросил Джек, озираясь по сторонам.

Алан расслабился:

— А черт его знает... — Он достал листок бумаги и стал сыпать на него табак. — Наверное, из-за субботы.

— Мы сможем сегодня вечером поймать такси, чтобы доехать до набережной Артура? — небрежно спросил Джек. — Я машину дома оставил.

— Ты о чем?

— Именно такими словами ты сообщил Доналу, что нужно взять такси, правда?

Алан долго и шумно сморкался, но это были единственные звуки, которые он издавал, — ответа на вопрос не последовало. Он медленно скрутил сигарету и стал катать ее между пальцами: Джек видел, как напряженно он размышляет. Пытается все это переварить и найти правильные слова.

— Может, не стоит больше давать такие советы? — произнес Джек чуть слишком зло.

Алан перестал играть с сигаретой и посмотрел на него:

— Что происходит, Джек?

— Знаешь, я тут обдумываю парочку вещей. — Он потер пальцем лоб и заметил, что руки трясутся от злости.

Алан взглянул на Джека, и от него это тоже не ускользнуло. Он сощурился.

— Я потерял контакт с женщиной, которая помогала мне искать Донала, — пояснил Джек и услышал дрожь в своем голосе, но не знал, как с ней справиться, — и это чуть не свело меня с ума. Но вот что беспокоит меня гораздо больше. — Он выталкивал слова сквозь сжатые зубы. — Ты говорил полицейским, и моим родственникам, и вообще всем и каждому, кто готов был тебя слушать, что не видел, как ушел Донал. Однако на прошлой неделе ты заявил мне, что заметил его уход. И даже поговорил с ним, даже подсказал, где ловить такси.

Глаза Алана становились все шире и шире, по мере того как Джек все это излагал. Его руки снова суетливо задвигались, он заерзал на табуретке, а над его верхней губой выступили капельки пота.

— Тут какая-то нестыковка, Алан. Возможно, это вообще выеденного яйца не стоит, но ты должен мне объяснить, почему целый год скрывал тот факт, что разговаривал с моим братом и своим лучшим другом и направил его за такси в такое место, откуда он потом исчез. — Гнев нарастал, а вместе с ним и сила голоса.

Алан затрясся.

— Я не имею к этому никакого отношения.

— К чему к этому?

— К исчезновению Донала. Я совершенно ни при чем.

Он встал, но Джек надавил ему на плечо, заставив снова сесть. Табак из кисета рассыпался по ковру. Джек крепко держал его, прижимая к табурету.

— Ладно. Тогда кто при чем? — гневно спросил он.

— Не знаю.

Джек впился пальцами в плечо Алана и ощутил лишь кости, обтянутые кожей.

— Господи боже мой, неужели нужно делать это здесь? — страдальческим голосом спросил Алан, безуспешно пытаясь вырваться из железной хватки Джека.

Джек наклонился вперед.

— Делать что? Ты хочешь пойти в какое-то другое место? Может, в полицейский участок?

— Я ни в чем не виноват, — прохрипел Алан. — Клянусь.

— Тогда почему ты соврал?

— Я не врал. — Он отвел глаза и выглядел сейчас так, словно вообще никогда в жизни не говорил правду. — У меня не слишком хорошая репутация, и я подумал, что полицейские могут заподозрить, будто я имею к этому какое-то отношение.

Их лица теперь находились на расстоянии всего нескольких дюймов друг от друга.

— Скажи мне правду.

— Это правда.

— Он был твоим лучшим другом, Алан. Всегда был готов помочь...

— Знаю, знаю, — прервал тот, схватившись пальцами в желтых пятнах никотина за голову.

На его глаза начали наплывать слезы, он уставился в столешницу, все тело била крупная дрожь.

— Или ты мне все рассказываешь, и я верю тебе, или я иду в полицию. — В голосе Джека прозвучала явная угроза.

Ему показалось, что Алану понадобились часы, чтобы справиться с нервами и снова заговорить.

— Донал впутался в одно дело, — произнес он так тихо, что Джеку пришлось придвинуться еще ближе.

Теперь их головы почти соприкасались.

— Врешь.

— Не вру, — покачал головой Алан, и Джек понял, что на этот раз он сказал правду. — Я работал на этих парней...

— Каких парней?

— Не могу сказать.

Джек перегнулся через стол и сгреб его за воротник.

— Кто они такие?

— Я помогаю тебе, как могу, Джек, — задыхаясь, прохрипел Алан, и его лицо налилось кровью.

Джек слегка, только чтобы Алан мог дышать, ослабил хватку и стал слушать.

— Они заказали Доналу какую-то программу для своего компьютера. Это я порекомендовал его, потому что он закончил институт, и все такое. Но он видел и слышал кое-что, чего не должен был, и они очень разозлились. Я говорил им, что он будет молчать, но Донал пригрозил, что все расскажет.

— О чем? — Ярость переполняла Джека.

После целого года поисков он не мог поверить, что ответ лежал здесь, под самым носом, и был известен лучшему другу его брата.

— Этого я не могу тебе сказать, — с трудом выговорил Алан через стиснутые зубы, и в уголках его рта запузырилась слюна. — Донал собрался в полицию, и мне не удалось его отговорить. Он распинался о честности и долге, но не понимал, насколько все серьезно. И слушать не хотел.

Джек дрожал всем телом, на ресницах повисли слезы, он ждал продолжения. Голос Алана дрогнул, на лице его был написан стыд, и он, наконец, прошептал:

— Они говорили, что только слегка ему врежут, ну, проучат, чтоб он не дергался, типа предупредят.

Багровая пелена застлала глаза Джека. Гнев яростно бушевал в нем.

— И ты направил его прямо к ним, — прохрипел он.

Джек вскочил, крепче ухватил Алана за горло, заставляя того подняться. Алан покачнулся и с грохотом ударился головой о висевшее за его спиной зеркало. В баре воцарилась тишина, и посетители торопливо расступились, пропуская обоих мужчин. Двигаясь к выходу, Джек снова сильно ударил Алана головой о стену.

— Где он? — прошипел Джек, приблизив лицо вплотную.

Алан хрипел и задыхался, но Джек еще сильнее сжал его горло. Алан попытался заговорить, и тогда Джек, опомнившись, ослабил хватку.

— Где его тело?

Получив ответ, он отпустил Алана и быстро вышел, отряхивая руку, словно только что держал ею грязную тряпку. Он предупредил полицейского Грэхема Тернера и отправился на поиски Донала. На этот раз он сможет по-настоящему проститься с ним. Наконец-то оба брата обретут покой.

Глава сорок девятая

П ривет, Сэнди. — Грейс Бернс, сидевшая
за столом, улыбнулась мне.
Ее офис представлял собой выгородку
в дальнем конце бюро планирования. Помещение
было завалено чертежами и макетами домов.

Я присела к столу.

— Спасибо, что спасли вчера от ярости
толпы, — пошутила я.

— Не за что. — Ее улыбка очень быстро по-
гасла. — Скажите, Сэнди, что же произошло на самом деле? Ваши часы действительно пропали?

Вчера поздно вечером мы обсудили ситуацию
с Иосифом, Хеленой и Бобби, решая, как мне
лучше себя вести. Все сказали, что нужно солгать.
Я не согласилась.

— Да, они потерялись, — ответила я.

Она изумленно выпрямилась на стуле.

— Но я вовсе не собираюсь делать из этого
проблему, — тут же предупредила я. — Не могу

объяснить, как они исчезли, равно как не в состоянии понять, почему оказалась здесь. Тут не помогут никакие вопросы ваших коллег, или ученых, или людей, которые считают себя знатоками. И у меня нет ни малейшего желания, чтобы этот солдат Джо всюду следовал за мной по пятам. Я ничего не знаю. Вы должны дать мне слово, что не станете распространять эту информацию, потому что я все равно не намерена сотрудничать.

— Понимаю, — кивнула она. — За то время, что я здесь, было несколько человек, которые рассказывали нечто похожее. Однако мы ничего не сумели выяснить. Да и вообще все наши исследования с целью понять, как мы здесь очутились, мало что дали. Те, кого я знала, либо переехали в другое место, потому что слово — не воробей, и жить под круглосуточным прицелом сотен глаз совсем не сладко, либо, как впоследствии выяснилось, подняли ложную тревогу, и якобы потерянные вещи в конце концов нашлись. Два человека, с которыми нам удалось плотно поработать к настоящему моменту, не смогли предоставить никакой серьезной информации, пригодной для дальнейшего использования. Они ничего не знали о том, как и почему это случилась, и большинство из нас пришло к выводу, что все бесполезно.

— А где они теперь?

— Один умер, другой живет в соседнем поселке. Вы уверены, что часы пропали?

— Точно пропали, — заверила я ее.

— Это единственная вещь, которая у вас пропала?

Вот тут я решила соврать и кивнула.

— И поверьте, никто не умеет искать лучше меня. — Я разглядывала ее комнату, а она внимательно изучала меня.

— Чем вы занимались дома, Сэнди? — Она оперлась подбородком о ладонь и пристально смотрела на меня, пытаясь разрешить загадку.

— Руководила агентством по розыску людей, пропавших без вести.

Она засмеялась, но быстро замолчала, когда заметила, что смеется одна.

— Вы разыскивали пропавших без вести?

— И помогала людям воссоединиться, найти близких, от которых долго не было никаких вестей, искала биологических родителей для приемных детей, всякое такое, — выпалила я одним духом.

По мере того как я перечисляла, ее глаза становились все шире и шире.

— Похоже, ваш случай сильно отличается от тех, о которых я вам рассказала.

— Или это простое совпадение.

Она проглотила мое заявление, но никак его не прокомментировала.

— Так вот почему вы так много знаете о здешних жителях.

— Только о некоторых. О тех, кто участвует в спектакле. Да, вот еще, генеральная репетиция в костюмах состоится сегодня вечером, и Хелена просила пригласить вас. — Я вспомнила, как она десять раз повторила мне это утром, перед уходом. — Мы ставим «Волшебника страны Оз», но не мюзикл, Хелена особо это подчеркивает. Сценарий написала она и Деннис О'Ши. —

Я улыбнулась. — Орла Кин играет роль Дороти. С нетерпением жду спектакля, — произнесла я, впервые осознав, что это действительно так. — Вообще-то вначале идея поставить пьесу была просто таким трюком: с его помощью я хотела поговорить с теми, про кого знала, не вызывая при этом подозрений. Мы посчитали, что так будет разумнее, чем просто стучаться в двери и рассказывать людям, что мне известно об их близких. Возможно, мы немного перестарались, но я не предполагала, что слухи распространятся так быстро.

— Ну да, слова у нас разлетаются вмиг, — согласилась Грейс, по-прежнему пребывая в задумчивости.

Потом наклонилась ко мне.

— Вы разыскивали кого-то конкретно, когда очутились здесь?

— Донала Раттла, — ответила я, все еще надеясь найти его.

— Нет, — покачала она головой, — это имя мне незнакомо.

— Ему сейчас двадцать пять лет, он из Лимерика и мог появиться здесь в прошлом году.

— В этом поселке его точно нет.

— Полагаю, его вообще здесь нет, к сожалению. — Я преисполнилась сочувствия к Джеку Раттлу.

— Я из Киллибегса в Донеголе, может, знаете... — Грейс снова наклонилась ко мне.

— Конечно, знаю, — улыбнулась я.

Ее лицо смягчилось.

— Здесь я вышла замуж, а моя девичья фамилия — О'Донохью. Моими родителями были Тони и Маргарет О'Донохью. Они уже умерли. Имя своего отца я увидела в некрологе, напечатанном в газете, которую нашла шесть лет назад и сохранила. — Она перевела взгляд на стену своего кабинета и замолчала. — Кэрол Дэмпси, — снова заговорила она. — Вы ее знаете? Она играет в спектакле, насколько я понимаю. Так вот, она тоже, как вам известно, из Донегола и сообщила мне о смерти мамы, когда появилась здесь несколько лет назад.

— Как это все печально…

— Да, конечно, — тихо ответила она. — Я единственный ребенок. Но у меня есть дядя Дони, он переехал в Дублин за несколько лет до моего появления здесь.

Я кивнула, желая подбодрить ее и услышать продолжение истории, но она замолчала и выжидающе посмотрела на меня. Я смущенно заерзала на стуле, поняв, что она просто выдавала информацию с целью освежить мою память.

— Мне очень жаль, Грейс, — мягко сказала я, — по всей видимости, все это было еще до того, как я открыла агентство. Сколько вы пробыли здесь?

— Четырнадцать лет. — Наверное, в моем взгляде прорвалась такая острая жалость, что она быстро, вроде бы оправдываясь, произнесла: — Поймите меня правильно, мне здесь нравится. У меня прекрасный муж и три очаровательных ребенка, и я вовсе не рвусь назад. Просто я хотела бы знать… — Она оборвала фразу, не договорив. —

Извините. — Она снова выпрямилась и постаралась успокоиться.

— Все в порядке. Мне бы тоже хотелось знать, — спокойно ответила я, — но с людьми, которых вы упоминали, я незнакома. Извините.

Грейс ничего не ответила, и я решила, что сильно расстроила ее, но, когда она снова заговорила, в ее голосе не было печали.

— Почему вы решили заняться розыском пропавших без вести? Такая необычная работа...

Я засмеялась.

— Интересный вопрос! — Я вспомнила, с чего все началось. — Если в двух словах, то из-за Дженни-Мэй Батлер. Когда мы были детьми, она жила в Литриме, через дорогу от меня, и пропала в десятилетнем возрасте.

— Да, — засмеялась Грейс, — Дженни-Мэй — повод не хуже других. Что за персонаж!

Я не сразу поняла, что произошло. От изумления сердце подскочило прямо к горлу, едва не застряв в нем.

— Что? Что вы сказали?

Глава пятидесятая

—В перед, Бобби! — завопила я, просунув голову в дверь бюро находок.

— Что случилось? — закричал он с верхней площадки лестницы.

— Неси камеру, хватай ключи, закрывай свою лавочку и пошли! Нам нужно бежать! — Я отпустила входную дверь, она захлопнулась, я осталась снаружи и быстро заходила взад-вперед по веранде, а слова Грейс по-прежнему звучали у меня в ушах. Она знает Дженни-Мэй. И рассказала, где ее искать. Я пойду к ней прямо сейчас. Возбуждение достигло точки кипения и грозило выплеснуться наружу, разбрызгиваясь во все стороны, пока я с нетерпением ждала Бобби на улице. Он был нужен мне, чтобы показать дорогу через лес к дому Дженни-Мэй, но где набраться выдержки, чтобы объяснить, чего я от него жду?!

Бобби появился на пороге. Он выглядел растерянным.

— Что, черт побери, происходит? — Он замолчал, увидев мое лицо. — Что стряслось?

— Бери вещи, Бобби, и быстро. — Я протиснулась мимо него в магазин. — Объясню по дороге. Возьми фотоаппарат.

Я возбужденно носилась вокруг него, пока он неловко собирал вещи, пытаясь делать это с той же скоростью, с какой я выкрикивала свои приказы.

К тому моменту, как он запер дверь, я уже быстро шагала по пыльной дороге, замечая, что за мной следит еще больше глаз, чем до вчерашнего собрания.

— Подожди, Сэнди! — Бобби задыхался, пытаясь догнать меня. — Черт возьми, что же все-таки произошло? У тебя что, шило в заднице?

— Вполне возможно, — засмеялась я и прибавила ходу.

— Куда мы идем? — Он догнал меня и побежал рядом.

— Туда. — Не останавливаясь, я сунула ему под нос бумажку с планом.

— Постой, давай не так быстро. — Он пытался одновременно бежать и читать.

Один из моих шагов равнялся его двум, но притормаживать я не собиралась.

— Стой! — заорал он прямо посреди рынка, все обернулись к нам, так что я в конце концов остановилась. — Если хочешь, чтоб я это прочел, скажи, блин, что происходит.

Так быстро я еще никогда в жизни не говорила.

— Ага, похоже, понял, — сказал Бобби все еще немножко растерянно. — Но я никогда не бывал в тех краях. — Он снова уткнулся в карту. — Нужно узнать у Хелены и Иосифа.

— Нет! У нас нет времени! Нужно идти прямо сейчас, — вопила я, словно истеричный ребенок. — Послушай, Бобби! Я мечтала об этом все последние двадцать четыре года своей жизни. Ну, пожалуйста, не заставляй меня снова ждать, когда до цели подать рукой.

— Хорошо, Дороти, но понадобится немного больше времени, чем для прогулки по дороге, выложенной желтыми кирпичами. — Он говорил, не скрывая сарказма.

Несмотря на огорчение, я засмеялась.

— Понимаю твое нетерпение, но, если тебя поведу я, у нас на это уйдет еще двадцать четыре года. Мне неизвестна та часть леса, я никогда не слышал об этой Дженни-Мэй, и у меня нет друзей, живущих в такой глуши. Если мы потеряемся, у нас будут большие проблемы. Давай для начала обратимся за помощью к Хелене.

Хоть этот парень и был почти вдвое младше меня, он неплохо соображал, и я нехотя зашагала вслед за ним к дому Хелены и Иосифа.

Оба они сидели на лавочке у входной двери и наслаждались покоем воскресного дня. Чувствуя мое напряжение, Бобби тут же рванул к ним, а Ванда вскочила с дорожки, на которой играла, и подбежала ко мне.

— Привет, Сэнди, — пропищала она, хватая меня за руку, и засеменила рядом со мной к дому.

— Привет, Ванда, — озабоченно ответила я, но постаралась улыбнуться ей.

— Что у тебя в руке?

— Это называется Вандина рука, — ответила я.
Она удивленно подняла брови.

— Нет, в другой руке.

— Фотоаппарат поляроид.

— Почему?

— Почему это фотоаппарат?

— Нет. Почему ты его взяла?

— Потому что хочу кое-кого снять.

— Кого?

— Девочку, которую когда-то знала.

— Кого?

— Дженни-Мэй Батлер.

— Она была твоей подружкой?

— Не совсем.

— Тогда зачем тебе ее фотография?

— Не знаю.

— Потому что ты скучаешь по ней?

Я уже собиралась ответить «нет», как вдруг передумала.

— На самом деле, я скучаю по ней, очень скучаю.

— И ты собираешься сегодня с ней встретиться?

— Да! — Я подхватила Ванду под мышки и завертела в воздухе, что привело ее в полный восторг. — Я увижу сегодня Дженни-Мэй Батлер!

Ванда стала хохотать без остановки, а потом запела песенку о девочке Дженни-Мэй: сказала, что давно ее знает, но было очевидно, что она придумывает по ходу дела, и это окончательно развеселило меня.

— Я иду с вами, — заявила Хелена, прервав Вандину песню, и поцеловала ее в макушку.

Я сфотографировала их.

— Перестань тратить картриджи, — рявкнул Бобби, и я щелкнула и его.

— Что вы, Хелена, я вовсе не собиралась просить вас пойти. — Я помахала снимками, чтобы они подсохли, а потом положила в карман сорочки. — У вас сегодня вечером генеральная репетиция. Это гораздо важнее. Просто объясните Бобби, как туда добраться.

Я снова начала дрожать от нетерпения.

Она взглянула на часы, и меня неожиданно охватила острая тоска по своим.

— Сейчас начало второго. Репетиция начнется не раньше семи — мы как раз успеем вовремя вернуться. Кроме того, я хочу пойти с вами. — Она коснулась моего подбородка и подмигнула. — Это гораздо важнее, к тому же я точно знаю дорогу. Эта поляна ненамного дальше, чем то место, где мы с вами встретились на прошлой неделе.

Иосиф подошел ко мне и протянул руку.

— Гладкой дорожки, девочка-кипепео!

Я смущенно пожала его ладонь.

— Я вернусь, Иосиф!

— Надеюсь, — улыбнулся он и положил вторую руку мне на голову. — А когда вернетесь, я скажу вам, кто такая девочка-кипепео. — Его улыбка стала еще шире.

— И все-то вы врете, — шутливо насупилась я.

— Ладно, пошли, — сказала Хелена и набросила на плечи темно-зеленую шаль.

Во главе с Хеленой мы двинулись к лесу. На опушку вышла молодая женщина и стала растерянно всматриваться в поселок.

— Добро пожаловать, — обратилась к ней Хелена.

— Добро пожаловать, — радостно повторил Бобби.

Она изумленно переводила взгляд с одного лица на другое.

— Добро пожаловать, — улыбнулась и я, указывая ей дорогу, ведущую к бюро регистрации.

Хелена выбирала хорошо расчищенные и утоптанные тропинки. Окружающий пейзаж напомнил мне первые несколько дней, проведенные в одиночестве в этом лесу, когда я пыталась понять, где очутилась. Воздух был пропитан густым ароматом сосны, смешанным с запахами мха, коры и влажных листьев. От земли шел тяжелый дух гниющих листьев, в который вплетался сладкий запах диких цветов. Комары сбивались в небольшие облачка и кружились в воздухе тесным хороводом. Ярко-рыжие белки скакали с ветки на ветку. Бобби время от времени останавливался, чтобы поднять с земли какой-то заинтересовавший его предмет. На мой взгляд, мы передвигались слишком медленно. Еще вчера я считала, что найти Дженни-Мэй невозможно, а сегодня шла назад по дороге, приведшей меня сюда. По дороге, в конце которой меня ждала встреча с ней.

Грейс Бернс объяснила, что Дженни-Мэй прибыла в поселок в компании пожилого француза, который до этого давно жил в лесной чаще. Она постучала в его дверь и попросила о помощи. За сорок проведенных тут лет этот француз крайне редко приходил в поселок, но двадцать четыре года назад привел в бюро регистрации десятилетнюю девочку по имени Дженни-Мэй Батлер, которая заявила, что он — ее защитник и единственный, кому она доверяет. Несмотря на свою страсть к одиночеству, француз согласился заботиться о ней, но предпочел, чтобы они жили в его доме в глубине леса. Однако настоял на том, чтобы Дженни-Мэй регулярно посещала школу и завела друзей. Она научилась бегло говорить по-французски и, появляясь в поселке, предпочитала изъясняться на этом языке, поэтому немногие в ирландской общине догадывались, откуда она родом. Дженни-Мэй заботилась о своем защитнике, пока он не умер пятнадцать лет назад, а потом решила остаться в доме, который стал ее собственным, и жить вне поселка, куда являлась лишь изредка.

Через двадцать минут мы дошли до поляны, где я встретила Хелену, и она настояла на том, чтобы мы остановились и передохнули. Она выпила воды из бутылки, которую взяла с собой, потом передала ее Бобби и мне. День был действительно жарким, но я не ощущала ни жары, ни жажды. Все мои мысли сосредоточились на Дженни-Мэй. Мне хотелось идти, не останавливаясь, пока мы не придем к ней. А что будет потом — на этот счет я не имела ни малейшего представления.

— Господи, никогда раньше тебя такой не видел, — сказал Бобби, с изумлением разглядывая меня. — Тебе что, скипидаром одно место намазали?

— Она всегда такая. — Хелена прикрыла глаза и стала обмахивать вспотевшее лицо.

Я ходила вокруг них кругами, подхватывала с земли листья и, покрутив в руке, бросала, безуспешно пытаясь дать выход кипящему в жилах адреналину. С каждой секундой, проведенной в моем обществе, они ощущали нарастающую тревогу и в конце концов поддались давлению: мы снова двинулись в путь. Это наполнило меня счастьем с небольшой примесью чувства вины.

Вторая часть дороги оказалась длиннее, чем Хелена предполагала. Нам пришлось прошагать еще полчаса, пока мы не заметили миниатюрную деревянную хижину посреди видневшейся в отдалении поляны. Из трубы к верхушкам высоких сосен поднимался дым и уходил туда, куда им было не дотянуться, все выше и выше, в безоблачное небо.

Мы остановились, как только вдалеке появилась хижина. У Хелены пылали щеки, она устала, и я почувствовала еще большую вину за то, что заставила ее в такой жаркий день совершить столь дальний переход. Бобби разочарованно разглядывал домик: вероятно, он ожидал увидеть что-нибудь пошикарнее. Я же, напротив, пришла в еще более сильное возбуждение. Убогая хижина потрясла меня. Она не походила на жилище девочки, которой все сулили блестящее будущее, однако в моем представлении все равно была чем-то вроде воплощенной мечты, идеально красивой сказочной картинки. Совсем как сама Дженни-Мэй.

Высокие сосны защищали домик с двух сторон. Перед ним, посреди широкой поляны, был разбит небольшой садик с низенькими кустами, красивыми цветами и чем-то, на расстоянии напоминающим огород или грядки с зеленью. Комары и мухи в дрожащем солнечном мареве походили на сказочных существ: они кружились в воздухе и стайками перемещались в пространстве. Яркие лучи солнца пробивались сквозь ветви деревьев, направляя свой свет в самый центр сцены.

— Ой, смотрите, — сказала Хелена, одновременно протягивая Бобби воду и указывая на дверь хижины, откуда выбежала малышка с белыми как лен волосами. Ее смех эхом разнесся по поляне и прилетел к нам на крыльях горячего ветра. Я прижала руки к губам. Наверное, я все же издала какой-то звук, хоть сама и не услышала его, потому что Бобби и Хелена быстро взглянули на меня. Комок подкатил к моему горлу, когда я увидела маленькую, не старше пяти лет девочку, точную копию той, с которой встретилась в свой первый в жизни школьный день. Затем из дома раздался женский голос, и мое сердце глухо застучало.

— Дейзи!

Потом крикнул мужчина:

— Дейзи!

Крошка Дейзи, смеясь и кружась, обежала вокруг игрушечного садика, а ее лимонного цвета платьице развевалось на ветру. Из дома вышел мужчина и погнался за ней. Ее смех превратился в восторженный визг. Мужчина делал вид, что никак не догонит ее, и издавал при этом страшные звуки, что заставляло малышку хохотать и визжать еще громче. В конце концов он поймал ее, поднял в воздух и стал подбрасывать, а она верещала и просила: «Еще, еще, еще!» Когда оба окончательно запыхались, мужчина поставил ее на землю, потом взял на руки и понес в дом. Перед самой дверью он обернулся и посмотрел на нас.

Потом крикнул что-то в дом. Мы снова услышали женский голос, но не различили слов. Он стоял на пороге и изучал нас.

— Чем могу помочь? — закричал он, приложив козырьком руку ко лбу, чтобы защитить глаза от солнца.

Хелена и Бобби повернулись ко мне. Я уставилась на мужчину с ребенком и не могла вымолвить ни слова.

— Спасибо. Мы ищем Дженни-Мэй Батлер, — вежливо прокричала в ответ Хелена. — Не знаю, туда ли мы пришли.

На этот счет у меня не было никаких сомнений.

— А кто ее ищет? — так же вежливо спросил мужчина. — Извините, но мне вас отсюда не видно. — Он шагнул вперед.

— К ней пришла Сэнди Шорт, — ответила Хелена.

И сразу же на пороге появилась фигура.

Я услышала собственное громкое дыхание.

Длинные светлые волосы, стройная и красивая. Такая же, как раньше, только старше. Моя ровесница. В ней не осталось ничего от ребенка, которого я помнила. В свободном белом платье из хлопка, босиком и с кухонным полотенцем в руке: оно упало, когда она поднесла ладонь ко лбу, чтобы закрыться от солнца, и заметила меня.

— Сэнди? — Ее голос стал старше, но остался таким же.

Он дрожал, в нем была неуверенность, и страх, и радость одновременно.

— Дженни-Мэй, — крикнула я в ответ и поняла, что в моем голосе звучат те же чувства.

Потом я услышала, как она заплакала, и увидела, что она медленно идет ко мне, и тогда я тоже заплакала и направилась к ней. И я увидела, как она протягивает ко мне руки, и почувствовала, что делаю то же самое. По мере того как расстояние между нами уменьшалось, ее присутствие обретало все большую реальность. Она громко плакала, и я, несомненно, тоже. Мы рыдали, как дети, и шли навстречу друг другу, пристально вглядываясь в лица друг друга, и в прическу, и в фигуру, и вспоминая — и хорошее, и плохое. А потом мы совсем сблизились и упали друг другу в объятия. Мы всхлипывали и прижимались одна к другой, потом отодвигались, чтобы заглянуть в глаза, стирали друг другу слезы со щек и снова обнимались. И ни за что не хотели отпускать друг друга.

Глава пятьдесят первая

— Джек, — удивленно воскликнул гарда Грэхем Тернер, — вы опять здесь? Результаты судмедэкспертизы будут через несколько дней. Я тут же свяжусь с вами, как только получим новости.

Время раньше них добралось до тела Донала и обошлось с ним безжалостно. Требовалось официальное опознание, хотя и Джек, и все остальные родственники в глубине души не сомневались, что это он. В месте, куда Алан наведывался в течение года раз в неделю, нашли свежие и увядшие цветы. В прошлую ночь он все откровенно рассказал полицейским, но наотрез отказался сообщить имена преступников. Через несколько месяцев его ожидал суд. Джек только радовался, что мать не увидит, как человеку, которому она помогла подняться, будет предъявлено обвинение в убийстве ее мальчика.

Джек обсудил все ночные события с членами семьи и рано утром вернулся в Фойнс. Город праздновал фестиваль с той же энергией, что и в первые часы открытия. Не обращая внимания на музыку и песни, он прошел прямиком в свой дом, в спальню, где крепко спала Глория. Сел рядом на постель и стал внимательно смотреть на нее, на длинные черные пряди, прилипшие к розовеющим щекам. Из приоткрытых губ вырывалось тихое дыхание, мерно приподнимавшее и опускавшее молочно-белую грудь. Именно эти гипнотизирующие звуки и движения подвигли его на то, чего он не делал уже целых двенадцать месяцев. Джек наклонился к ней, положил руку на плечо и легонько потряс, чтобы разбудить и пригласить наконец-то в свой, до сих пор закрытый от нее мир. Потом они долго-долго говорили обо всем, что произошло за год, и о том, что Джек узнал за прошедшую неделю, а после на него накатила усталость, и он вместе с Глорией спокойно уснул.

— Я здесь не из-за Донала, — воскресным вечером объяснил Джек, присаживаясь к столу в полицейском участке. — Мы должны найти Сэнди Шорт.

— Джек! — Грэхем устало потер глаза. И его стол, и соседние были завалены бумагами, а стоящие на них телефоны непрерывно звонили. — Мы это уже обсуждали.

— Недостаточно подробно. А теперь послушайте меня. Возможно, Сэнди связалась с Аланом, и он запаниковал. Все может быть. Они могли договориться о встрече, он занервничал, испугался, что она слишком близка к разгадке, и что-то натворил. Не знаю, что именно. Я даже не говорю об убийстве. Уверен, что Алан на него не способен, но, — он помолчал, — может... — Его зрачки расширились от гнева. — Он все же убил ее — запаниковал и...

— Он этого не делал, — прервал Джека Грэхем. — Я вытащил из него все. Он ничего о ней не знает, даже не слышал ее имени. Не мог понять, о ком я говорю. Ему известно лишь то, что вы ему сообщили, то есть что какая-то женщина помогает в поисках Донала. И это все. — Он пристально посмотрел на Джека и проговорил уже мягче: — Пожалуйста, Джек, бросьте это дело.

— Бросить? Но то же самое мне твердили весь этот год, пока я разыскивал Донала.

Грэхем смущенно заерзал на стуле.

— Алан был лучшим другом Донала, и он врал о том, что произошло, целый год. А сейчас, когда у него своих неприятностей выше крыши, вы полагаете, он побежит признаваться, что сделал с какой-то девицей, которая ему вообще до лампочки? Разве раньше я не был прав насчет Алана? — повысил голос Джек.

Грэхем долго молчал, грыз свой уже не существующий ноготь, а потом быстро принял решение:

— О'кей. — Он устало прикрыл глаза и сосредоточился. — Начнем обыскивать район, в котором она оставила автомобиль.

Глава пятьдесят вторая

Напряженно и долго — много часов, дней и ночей подряд — я размышляла о нашей встрече с Дженни-Мэй, но у меня нет слов, чтобы описать день, который мы провели вместе. Слишком сильные ощущения, невозможно подыскать для них слова. Но еще важнее слов был смысл этого события, а он вообще выходил за рамки всего, что поддается объяснению.

Мы ушли от хижины, бросив Бобби, Хелену, Дейзи и Люка, мужа Дженни-Мэй. Нам нужно было много сказать друг другу. Бесполезно воспроизводить наш разговор, потому что мы болтали ни о чем. И как определить чувства, которые я испытала, вглядываясь в повзрослевшую копию красивого портрета, навечно отпечатавшегося в моей памяти? Все равно мне не передать глубину моего восхищения. Восхищение — тоже недостаточно верное слово. Облегчение, радость, экстаз в чистом виде — тоже не то.

Я рассказывала и рассказывала ей о соседях, которых она когда-то знала и чьи заботы не представляли интереса ни для кого, кроме нее. Она описывала мне свою семью, жизнь, все, что делала с тех пор, как я в последний раз видела ее. Я говорила ей о себе. Мы ни разу не затронули тему ее прежнего отношения ко мне. Странно? Нам так не казалось. Просто это не имело для нас значения. Так же ни разу мы не упомянули, где находимся. Тоже странно? Возможно. Но и это было не важно. Мы не говорили ни о прошлом, ни о том, где находимся, а только о настоящем. Об этом самом, сегодняшнем миге. Мы не заметили, как пролетели часы, едва ли обратили внимание на то, что солнце село и взошла луна. Не поняли, что нашу кожу уже не греет жаркое солнце, а холодит вечерний ветерок. Мы не чувствовали, не слышали и не видели ничего, кроме историй, звуков и картинок, рождающихся в наших мыслях, и безостановочно делились ими друг с другом. Может, все это ничего не значит для других, но для меня это важно.

Впрочем, достаточно, наверное, сказать, что часть моей души обрела свободу, и я уверена, что ровно то же случилось с Дженни-Мэй. Конечно, вслух мы этого не произнесли. Но обе об этом знали.

Глава пятьдесят третья

Хелена крикнула нам, что пора идти в поселок на генеральную репетицию, и, пока все прощались, мы с Дженни-Мэй сблизили головы, заглянули в объектив камеры в моей вытянутой руке и улыбнулись. Я сделала снимок и тут же спрятала его в карман рубашки. Дженни-Мэй отказалась от приглашения на спектакль и предпочла остаться дома с семьей. Мы договорились встретиться еще, но не стали назначать время. Не потому, что между нами пробежала кошка, просто я чувствовала, что мы уже все сказали друг другу, а если и не сказали, то и так догадались. И она, наверное, тоже это понимала. Мне было достаточно знать, что она здесь, вероятно, как и ей — что я где-то неподалеку. Временами всем людям только это и нужно. Просто знать.

Мы одолжили у Дженни-Мэй фонарик, потому что солнце уже спряталось за деревьями и окрестности залил синий ночной свет. Хелена снова пошла впереди, показывая дорогу к поселку.

Там, вдалеке, мерцали его огоньки. Чувствуя себя ошалевшей от счастья, я достала фотографии из кармана, чтобы по дороге рассмотреть их еще раз. Вынула две и стала ощупывать карман в поисках третьей. Она исчезла.

— О нет, — простонала я и остановилась, глядя под ноги.

— Что случилось? — спросил Бобби, тоже останавливаясь, и крикнул Хелене, чтобы она подождала.

— Наша с Дженни-Мэй фотография пропала. — Я повернулась и пошла назад.

— Подожди, Сэнди. — Бобби последовал за мной, поглядывая под ноги. — Мы идем уже почти час. Она может быть где угодно. Нам действительно пора в Дом коммуны на репетицию, мы и так опаздываем. Сделаешь другое фото завтра, когда будет светло.

— Нет, я так не могу. — Я рвалась назад, напрягая зрение, чтобы разглядеть землю в тусклом вечернем свете.

Хелена, которая до сих пор не вымолвила ни слова, шагнула ко мне.

— Вы уронили ее?

Голос Хелены заставил меня остановиться и поднять на нее глаза. Ее лицо было серьезным, тон — печальным.

— Полагаю, что да. Вряд ли она сама выпрыгнула из кармана и ускакала.

— Вы знаете, о чем я.

— Да нет, конечно же я ее уронила. Карман расстегнут, видите? — Я ткнула себя рукой в нагрудный карман рубашки. — Послушайте, может, вы пойдете, а я еще немножко поищу?

Они заколебались.

— Мы в пяти минутах от поселка. Ну, найду я дорогу, здесь же рядом, — улыбнулась я. — Честное слово, со мной все будет в порядке. Я должна найти это фото, а потом двину прямиком на спектакль. Обещаю.

Хелена как-то странно глядела на меня: она явно разрывалась между желанием помочь мне и необходимостью присоединиться к актерам и готовиться к генеральной репетиции.

— Я не оставлю тебя одну, — сказал Бобби.

— Вот, Сэнди, возьмите фонарик. Мы с Бобби и так выберемся отсюда. Я понимаю, вам важно найти ее. — Она протянула фонарик, и мне показалось, что я увидела у нее в глазах слезы.

— Да не волнуйтесь вы так, Хелена, — засмеялась я. — Ничего со мной не случится.

— Знаю, милая, знаю. — Она потянулась ко мне и к, моему изумлению, быстро поцеловала в щеку и крепко обняла. — Будьте осторожны.

Бобби подмигнул мне из-за ее плеча.

— Вообще-то она не собирается умирать, Хелена.

Она шутливо похлопала его по голове.

— Пошли, Бобби. Мне понадобится твоя помощь, чтобы как можно быстрее принести все костюмы со склада. Ты обещал, что я получу их еще вчера!

— Ну, это было до того, как местного Дэвида Копперфилда вызвали на Совет! — запротестовал он.

Хелена выразительно посмотрела на него.

— Ладно, ладно! — Он отступил на шаг. — Надеюсь, ты найдешь фотографию, Сэнди.

Он снова подмигнул мне, а потом зашагал вслед за Хеленой по тропинке. Какое-то время я слышала, как они ворчат и подкалывают друг друга, а потом звуки их голосов растворились в воздухе. Они вошли в поселок.

Я осмотрелась и сразу же начала внимательно изучать землю под ногами. Путь, которым мы шли, отлично запомнился мне. Это была главная дорога, которая очень редко разветвлялась, так что мы шли и шли, не задумываясь о выборе направления. Поэтому я медленно углубилась в лес, тщательно исследуя каждый сантиметр почвы.

Хелена и Бобби носились по сцене, помогали актерам надевать костюмы, чинили сломавшуюся в последнюю минуту молнию, пришивали оторвавшийся крючок, повторяли с самыми нервными исполнителями текст и подбадривали тех, кто был близок к панике. Потом Хелена поспешила к своему креслу в зале рядом с Иосифом, чтобы дождаться начала спектакля и впервые за последний час расслабиться.

— Сэнди не с вами? — спросил, оглянувшись по сторонам, Иосиф.

— Нет. — Хелена смотрела прямо перед собой, упорно отказываясь переводить взгляд на мужа. — Она пока осталась в лесу.

Иосиф взял жену за руку и прошептал:

— Вдоль побережья Кении, откуда я родом, растет лес, который называется Арабако-Сококе.

— Да, ты мне рассказывал, — кивнула Хелена.

— И в нем живут девушки, которые выращивают особых бабочек — кипепео — и помогают сохранять леса[1].

Хелена улыбнулась: наконец-то он открыл тайну прозвища.

— Их называют хранительницами леса, — продолжил он.

— Она осталась в лесу, чтобы найти свою с Дженни-Мэй фотографию. Она думает, что обронила ее. — Глаза Хелены начали наполняться слезами, и Иосиф сжал ее руку.

Занавес поплыл вверх.

Временами мне казалось, что я вижу фотографию, поблескивающую в лунном свете, и тогда я сходила с дорожки, чтобы поискать ее среди травы и другой растительности, а свет моего фонаря спугивал птиц и всякую мелкую живность. После получаса метаний я была уверена, что дошла до первой поляны. Провела лучом вокруг, стараясь разглядеть что-нибудь знакомое, но не увидела ничего, кроме деревьев, еще деревьев и снова деревьев. Впрочем, на этот раз я шла гораздо медленнее, значит, вполне могла еще и не дойти до поляны, поэтому решила

---

1 Бабочки кипепео из кенийских лесов, экспортируемые в соответствии со специальной программой ООН, пользуются большим спросом на международном рынке. Перейдя к их разведению, местные жители в значительной мере отказались от охоты и вырубки леса, что способствует сохранению уникальных природных ресурсов.

двигаться и дальше в том же направлении. Уже совсем стемнело, вокруг меня ухали совы и какие-то зверюшки с шорохом перемещались в привычной для них обстановке, словно пытались прогнать меня оттуда, где мне не положено находиться. Я не собиралась оставаться здесь слишком долго. Прохладный вечер постепенно превращался в холодный, и по коже пробежал озноб. Я посветила фонариком перед собой, и мне пришло в голову, что фотографию я выронила гораздо ближе к дому Дженни-Мэй, чем предполагала.

— Где я? — Орла Кин вышла на сцену в костюме Дороти Гейл и оглядела зал Дома коммуны, который на этот вечер превратился в просторный театр. К ней были прикованы тысячи глаз. — Что это за странная страна?

Через полчаса, вся в поту, набегавшись в разных направлениях, я с трудом перевела дух и поняла, что чуть дальше, за деревьями — первая поляна. Остановилась и прислонилась к дереву, чтобы успокоиться и передохнуть. У меня вырвался возглас облегчения, и я с изумлением осознала, что, оказывается, ужасно боялась заблудиться.

— Мне нужно сердце, — пропел Дерек.
— А мне — мозги, — театральным голосом объявил Бернард.
— А мне нужна храбрость, — произнес Маркус своим обычным ворчливым тоном.

Аудитория разразилась хохотом, когда они вместе с Дороти, взявшись за руки, направились за кулисы.

На поляне было виднее, потому что ее заливал лунный свет — деревья его не заслоняли. Почва под ногами отдавала голубизной, и в самом центре я разглядела поблескивающий белый квадратик. Несмотря на усталость и боль в груди, я бросилась к фотографии. Я знала, что пробыла здесь дольше, чем собиралась, и помнила о своем обещании прийти на спектакль. Волна противоречивых чувств захлестнула меня: мне обязательно нужен этот снимок, но и Хелену и своих новых друзей огорчать не хотелось. И я, как идиотка, во весь опор рванула в темноте на каблуках Барбары Лэнгли, ничего не видя перед собой. На какой-то колдобине я споткнулась и подвернула лодыжку. Боль прострелила ногу, и я потеряла равновесие. Земля полетела навстречу так быстро, что я не успела ее остановить.

— Вы хотите сказать, что я обладаю волшебным даром и могу в любое время вернуться домой? — невинным голоском спросила Орла Кин.

Зал засмеялся.

— Да, Дороти, — как обычно, спокойно ответила Кэрол Дэмпси, наряженная в костюм доброй волшебницы Глинды. — Надо только постучать каблуком о каблук и произнести волшебные слова.

Хелена крепко сжала руку Иосифа, и он ответил на ее пожатие.

Орла Кин зажмурилась и стала стучать каблуками своих башмачков.

— Дом — лучшее место на свете, — ритмично декламировала она, увлекая всех присутствующих своей мантрой. — Дом — лучшее место на свете.

Иосиф искоса взглянул на жену и увидел скатившуюся по щеке слезу. Он стер ее пальцем, не давая капнуть с подбородка.

— Наша кипепео улетела.

Хелена кивнула, и на ее щеку выкатилась еще одна слеза.

Почва ушла у меня из-под ног, и я почувствовала, что сильно ударилась головой обо что-то твердое. Позвоночник прошило болью, а потом все вокруг поглотила тьма.

На сцене Орла Кин в последний раз ударила каблуками своих рубиновых башмачков и исчезла в облаке дыма от фейерверков Бобби.

«Дом — лучшее место на свете».

Глава пятьдесят четвертая

Не думаю, что она здесь. — Грэхем двигался по лесу Глайна навстречу Джеку. Вдали в воздух взлетал фейерверк, который запускали над Фойнсом, — там шли последние минуты Фестиваля айриш-кофе. Оба они перестали всматриваться в землю под ногами.

— Наверное, вы правы, — согласился в конце концов Джек.

Последние несколько часов они обследовали район, в котором Сэнди оставила машину, и, несмотря на то что вскоре стемнело, Джек настоял на продолжении поисков. Он заметил, что другие участники операции все чаще поглядывают на часы.

— Спасибо, что дали мне шанс, — поблагодарил Джек, когда они возвращались по дорожке к машине.

Вдруг послышался громкий треск — словно сломалось дерево. Потом глухой стук и женский крик. Мужчины застыли и обменялись взглядами.

— Откуда это? — спросил Грэхем, оборачиваясь и светя фонариком в разных направлениях.

Слева от них раздался стон, и они дружно побежали на звук. Фонарик Джека осветил Сэнди, лежащую на спине, с неловко подвернутой и, похоже, сломанной ногой. На руке и одежде виднелась кровь.

— О господи! — Джек рванулся к ней и опустился рядом на колени. — Она здесь! — позвал он остальных, все поспешили к нему и столпились вокруг.

— Так, а теперь разойдитесь, дайте ей дышать, — скомандовал Грэхем и стал вызывать по рации «скорую помощь».

— Не хочу трогать ее. Вон сколько кровищи натекло из головы, и нога, похоже, сломана. Бог мой, Сэнди, скажи мне что-нибудь.

Ее ресницы затрепетали, и глаза открылись.

— Вы кто?

— Я — Джек Раттл. — Он обрадовался, что она пришла в себя.

— Заставляйте ее разговаривать, Джек, — сказал Грэхем.

— Джек? — удивилась она. — Вы тоже пропали без вести?

— Что? Нет, конечно. — Он нахмурился. — Я не пропал.

Он озабоченно взглянул на Грэхема. Тот знаками показывал ему, чтобы он заставлял Сэнди говорить.

— Где я? — растерянно спросила она, озираясь по сторонам, потом попробовала приподнять голову, но, застонав от боли, снова ее опустила.

— Не шевелитесь. «Скорая» уже едет. Вы в Глайне, в Лимерике.

— В Глайне? — не поверила она.

— Ну да. Мы собирались встретиться здесь на прошлой неделе, помните?

— Я дома? — Слезы заструились по ее перепачканному лицу. — Донал, — вдруг произнесла она, сразу перестав плакать. — Донала там нет.

— Где нет Донала?

— Я была в том месте, Джек. О господи, в том месте, куда попадают все пропавшие без вести. Хелена, Бобби, Иосиф, Дженни-Мэй... Ах ты боже мой, спектакль! Я опоздала на спектакль! — Слезы опять потекли ручьем. — Мне надо встать. — Она изо всех сил пыталась подняться. — Я же обещала прийти на генеральную репетицию!

— Вам нужно дождаться «скорой», Сэнди. Не шевелитесь. — Он снова покосился на Грэхема. — Она бредит. Где же, черт побери, «скорая»?

Грэхем снова заговорил по рации.

— Едут.

— Кто это сделал с вами, Сэнди? Скажите, кто это сделал, и мы найдем его, обещаю.

— Никто. — Она выглядела смущенной. — Я упала. Говорю же вам, я была в том месте, где... А где мой фотоаппарат? Я его потеряла. Ох, Джек, я должна вам кое-что сказать. Это про Донала. — Теперь она говорила спокойно. — Про Донала.

— Давайте, — поторопил он.

— Его там не было. Он не там, где... где все другие исчезнувшие. Он не пропадал без вести.

— Я знаю, — грустно ответил Джек. — Мы нашли его сегодня утром.

— Мне очень жаль.

— А откуда вы знаете?

— Его не было там, где собрались остальные пропавшие без вести, — пробормотала она и закрыла глаза.

— Оставайтесь со мной, Сэнди, — настойчиво повторял Джек.

Я раскрыла глаза, увидела яркий белый свет и почувствовала, как веки наливаются тяжестью. Попыталась оглядеться, но тут же почувствовала острую боль. В голове громко стучало. Я застонала.

— Родная моя... — Откуда-то сверху выплыло мамино лицо.

— Мамочка... — Я заплакала, а она протянула руки и обняла меня.

— Все хорошо, родная, теперь уже все в порядке, — нежно сказала она, гладя мои волосы.

— Я так по тебе скучала. — Я рыдала у нее на плече, не обращая внимания на пульсирующую во всем теле боль.

Услышав эти слова, она перестала гладить меня, словно на мгновение оцепенела от них, а потом ее рука снова медленно задвигалась по волосам. Я ощутила на своем плече папин поцелуй.

— Я скучала по тебе, папа. — Рыдания не прекращались.

— Мы тоже скучали по тебе, доченька. — Его голос дрожал.

— Мне удалось найти это место, — возбужденно произнесла я.

Все вокруг по-прежнему выглядело размытым и нерезким, а мой собственный голос звучал глухо, как сквозь вату.

— Я нашла место, куда попадают все потерявшиеся вещи.

— Да, родная, Джек нам рассказал, — озабоченно произнесла мама.

— Нет, я не сошла с ума и не выдумала все это. Я действительно побывала там.

— Да-да, — остановила она меня. — Тебе нужно отдохнуть, деточка.

— Фотографии в кармане рубашки, — объяснила я, стараясь четко выговаривать слова, но звуки путались, отдаваясь в моей голове. — То есть не в моей, а Барбары Лэнгли из Огайо. Я отыскала их. И положила в карман.

— Полицейские ничего не нашли, милая, — спокойно ответил папа, не желая слушать дальше. — Нет никаких фотографий.

— Наверное, они выпали, — пробормотала я, потому что устала от бесплодных попыток объяснить. — Грегори здесь? — спросила я.

— Нет. Позвонить ему? — возбужденно проговорила мама. — Я хотела, но Гарольд не позволил.

— Позвони, — сказала я, а потом все исчезло.

Я проснулась в своей детской, с тем же цветочным рисунком обоев перед глазами, который окружал меня все детство и юность. За это время я успела его возненавидеть и никогда не испытывала желания встретиться с этими обоями. Но сейчас они, как ни странно, дарили мне чувство комфорта. Я улыбнулась, впервые в жизни ощутив счастье от возвращения домой. Никакой сумки у дверей, и никакой клаустрофобии или страха что-то потерять. Я находилась дома уже три дня, отсыпаясь и давая отдых своему покалеченному и измученному телу. Шов на макушке, сломанная нога и вывихнутая лодыжка, зато я вернулась домой, и меня переполняло счастье. Я часто думала о Хелене, Бобби, Иосифе и Ванде, мне хотелось снова оказаться с ними, но я знала: они поймут, что произошло, и подозревала, что они и так обо всем догадывались.

В дверь постучали.

— Войдите, — позвала я.

Грегори просунул голову, потом появился в комнате с подносом, полным еды.

Я проворчала:

— Не буду больше есть. Вы, кажется, решили превратить меня в жирную корову.

— Мы пытаемся поставить тебя на ноги, — мрачно возразил он, пристраивая поднос на кровать. — Миссис Батлер принесла тебе цветы.

— Как мило. — Мне действительно было приятно. — Ты все еще считаешь меня сумасшедшей? — уточнила я.

Я рассказала ему, где побывала, как только накопила достаточно сил. Наверняка и родители просили его поговорить со мной, так что эта тема стояла в повестке дня пунктом номером один.

Впрочем, ему хватило ума не выступать в роли психотерапевта. Он перестал им быть. Что было, то прошло, а теперь все по-другому.

Грегори уклонился от ответа:

— Я сегодня говорил с Джеком Раттлом.

— Хорошо. Надеюсь, ты извинился.

— По всей форме.

— Отлично. Потому что, если бы не он, я сейчас валялась бы где-нибудь в канаве. А мой лучший друг не соизволил даже участвовать в поисках, — с обидой сказала я.

— Давай по-честному, Сэнди. Если бы я поднимал тревогу всякий раз, как ты исчезала... — Он оборвал себя.

Предполагалось, что это будет шутка, но она не удалась.

— Ладно, больше такого не случится.

Он с сомнением хмыкнул.

— Честное слово, Грегори. Я нашла то, что искала. — Протянув руку, я дотронулась до его щеки.

Грегори улыбнулся, но было понятно: потребуется время, чтобы он окончательно поверил мне. Последние несколько дней я и сама задавалась вопросом, а было ли все это на самом деле.

— И что ответил Джек?

— Что он вернулся туда, где нашел тебя, чтобы посмотреть, нет ли там фотографий, о которых ты говорила, но в лесу ничего не было.

— А он считает меня сумасшедшей?

— Возможно. Однако по-прежнему любит тебя, так как уверен, что ты и твоя мама помогли ему найти брата.

— Он славный парень. Если бы не он... — снова повторила я, просто чтобы позлить Грегори.

— Если бы не твоя сломанная нога... — шутливо пригрозил он, а потом снова стал серьезным. — Ты знаешь, что маме звонили Шины? Люди, которые много лет назад купили дом твоих бабушки и дедушки?

— Да. — Я отломила от тоста хрустящую корочку и положила в рот. — Я еще подумала, что это как-то странно. С чего это они звонят ей и сообщают о своем переезде?

Грегори прочистил горло:

— Вообще-то, знаешь ли, они звонили не по этому поводу. Твой папа решил немного слукавить.

— Что? Зачем? — Я положила тост обратно на тарелку. Аппетит в мгновение ока улетучился.

— Не хотел беспокоить тебя.

— В чем дело, Грегори?

— Ладно, твои родители могут не согласиться со мной, но я считаю, важно, чтобы ты это знала. На самом деле они позвонили и сообщили, что нашли твоего плюшевого медвежонка. Мистера Поббса. Он лежал под кроватью в гостевой комнате, а на его полосатой пижаме было написано твое имя.

Я задохнулась от изумления.

— Все когда-нибудь находится.

— Это показалось им странным. Они много лет подряд хранили в комнате всякие вещи и только в прошлом месяце снова сделали из нее спальню. Раньше они никогда не видели этого мишку.

— Почему мне никто не сказал?

— Родители не хотели тебя расстраивать. Ты ведь все твердила об этом потерянном месте, и...

— Это не потерянное место, а место, куда попадают потерявшиеся люди и вещи, — раздраженно возразила я, в очередной раз осознав, как глупо это звучит.

— Хорошо, хорошо, успокойся. — Он взъерошил волосы и облокотился о колени.

— Что еще случилось?

— Ничего.

— Грегори, я всегда вижу, когда тебя что-то беспокоит. Говори.

— Ладно. — Он сцепил пальцы. — После их звонка я снова стал обдумывать твою... теорию.

Я разочарованно покачала головой.

— И какой невроз ты нашел у меня на этот раз?

— Дай мне закончить! — Он повысил голос, и мы оба сердито замолчали.

Через некоторое время он снова заговорил:

— Когда я разбирал твою сумку после больницы, то нашел в кармане твоей рубашки вот это.

Пока он извлекал из своего нагрудного кармана что-то, я не дышала.

Это была моя с Дженни-Мэй фотография.

Я взяла ее у него из рук, словно самую хрупкую вещь на свете. Наши лица обрамляли высокие деревья.

— Теперь ты мне веришь? — прошептала я, проводя пальцем по ее лицу.

Он пожал плечами.

— Ты знаешь, как у меня устроены мозги, Сэнди. Для меня такие вещи абсолютно лишены смысла.

Я посмотрела на него со злостью.

— Однако, — твердо сказал он, пока я не успела на него наброситься, — объяснить появление снимка очень трудно.

— Что ж, пока хватит и этого, — согласилась я, прижимая к себе фотографию.

— Уверен, миссис Батлер захочет ее увидеть, — продолжил он.

— Думаешь? — У меня оставались сомнения.

Грегори задумался.

— Полагаю, она — единственный человек, которому ты можешь показать снимок. И единственная, кому ты должна его показать.

— Но как я ей все объясню?

Он пристально взглянул на меня, развел руками и пожал плечами.

— Ответ известен только тебе.

Глава пятьдесят пятая

Бывает, люди исчезают прямо у нас из-под
носа. Или вдруг видят нас по-новому, даже
если до этого не спускали с нас глаз. Случается, мы сами себя теряем из виду, если не были
достаточно внимательны к себе.

Через несколько дней, уже чувствуя себя достаточно уверенно, чтобы выйти из дома на костылях,
сопровождаемая взглядами родителей и Грегори,
я перешла дорогу к дому миссис Батлер с фото-
графией ее дочери в кармане. Из светильника над
входной дверью, напоминавшего уличный фонарь,
пролилось теплое оранжевое сияние и лизнуло
меня, словно язык пламени. Я глубоко вздохнула
и постучалась, вновь ощутив свою ответственность
и осознав, что всю жизнь мечтала об этой минуте.

Нам всем приходилось когда-нибудь заблудиться, в одних случаях по собственному желанию, в других — из-за неподвластных нам сил.
Когда мы узнаем все, что положено знать нашей

душе, дорога сама собой возникает перед нами. Иногда мы видим правильный путь, но вопреки собственному желанию все дальше удаляемся от него, все глубже забиваемся в чащу: страх, или гнев, или печаль не пускают нас обратно. Иногда мы сами решаем потеряться и бродить в потемках, потому что так нам проще. Иногда все же выходим на правильную дорогу. Однако независимо ни от чего нас всегда находят.

Огромная благодарность (и до свидания) Максине Хичкок — за все, что ты для меня сделала по моим первым четырем книгам. Мне так не хватает тебя в моем путешествии, которое продолжается, но я надеюсь, что наши пути когда-нибудь снова пересекутся.

Спасибо Линн Дрю, Аманде Ридаут и всей команде HarperCollins за фантастическую поддержку.

Благодарю Марианну Ганн О'Коннор за то, что она продолжает вдохновлять и мотивировать меня.

Пэт Линч и Викки Сэтлоу, спасибо за большую помощь, оказанную мне. Я также благодарна Дермоту Хоббсу и Джон-Полу Мориарти.

Особая благодарность Дэвиду, Мимми, папе, Джорджине, Никки и всей нашей семье, Келли, Ахернам, Киганам, и конечно же иствикским ведьмам — Поле Пи, Сьюзане и Эс-Джей.

Спасибо всем, кто прочел мои книги. Ваше внимание — мой самый главный стимул.

СЕСИЛИЯ АХЕРН
Там, где ты

Главный редактор «Издательской Группы Аттикус»

С. Пархоменко

Главный редактор издательства «Иностранка»

В. Горностаева

Редактор Е. Головина

Технический редактор Л. Синицына

Корректоры И. Чернышова, О. Левина

Компьютерная верстка М. Ковригина

ООО «Издательская Группа Аттикус» —
обладатель товарного знака «Издательство Иностранка»
119991, Москва, 5-й Донской проезд, д. 15, стр. 4

Подписано в печать 22.07.2008.
Формат 80 ×100 $^1/_{32}$. Бумага писчая.
Гарнитура «Original GaramondC». Печать офсетная.
Усл. печ. л. 22,94. Тираж 50 000 экз. Заказ № 563.

Отпечатано в соответствии
с предоставленным оригинал-макетом
в ОАО "ИПП "Уральский рабочий"
620041, ГСП-148, г. Екатеринбург, ул. Тургенева, 13.

ПО ВОПРОСАМ РАСПРОСТРАНЕНИЯ ОБРАЩАТЬСЯ:

В Москве: ООО «Издательская Группа Аттикус»
тел. (495) 933-76-00, факс (495) 933-76-20
e-mail: sales@machaon.net

В Санкт-Петербурге: «Аттикус-СПб»
тел./факс (812) 783-52-84
e-mail: machaon-spb@mail.ru

В Киеве: «Махаон-Украина»
тел. (044) 490-99-01
e-mail: sale@machaon.kiev.ua